#시험대비
#핵심정복

7일 끝
중간고사
기말고사

Chunjae
Makes
Chunjae

개발총괄 김은숙
편집개발 김은송, 김용하, 박준우, 박유미
제작 황성진, 조규영

발행일 2021년 3월 15일 초판 2021년 3월 15일 1쇄
발행인 (주)천재교육
주소 서울시 금천구 가산로9길 54
신고번호 제2001-000018호
고객센터 1577-0902
교재 내용문의 (02)3282-8739

7일 끝으로 끝내자!

중학 **과학 3-1**

BOOK 1

중 간 고 사 대 비

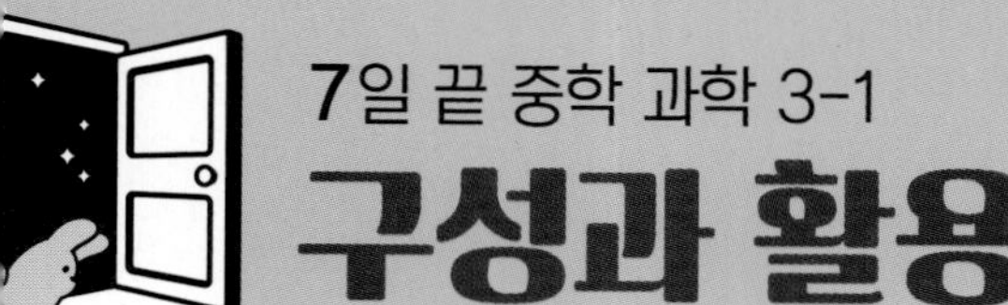

7일 끝 중학 과학 3-1

구성과 활용

시험 공부 시작

생각 열기

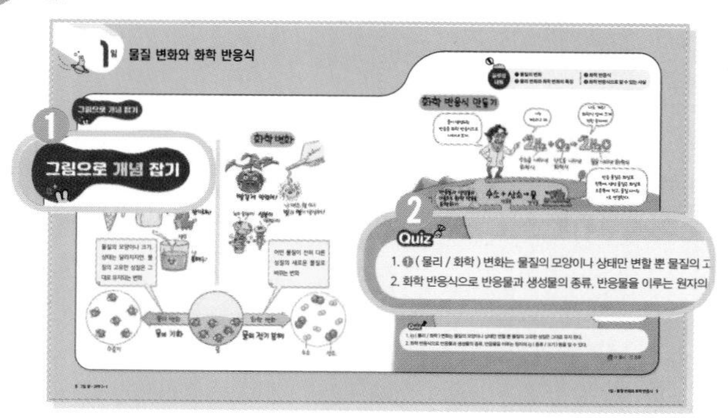

공부할 내용을 그림과 퀴즈로 쉽게 살펴보며 학습을 준비해 보세요.

❶ 그림으로 개념 잡기 학습할 개념을 그림과 만화로 재미있게 알아보세요.

❷ Quiz 공부할 내용을 그림과 관련된 퀴즈 문제로 확인해 보세요.

본격 공부 중

교과서 핵심 정리 + 기초 확인 문제

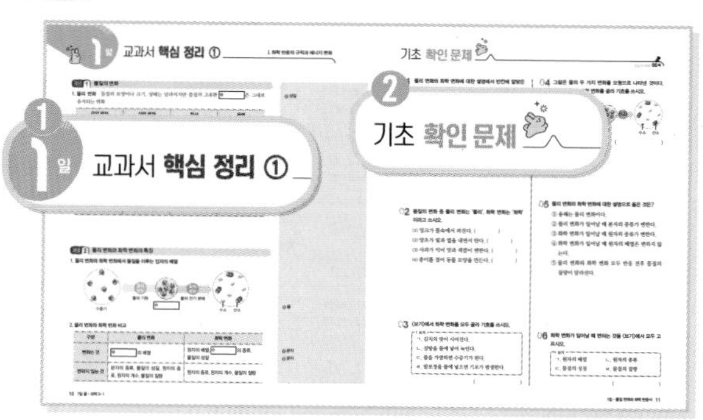

꼭 알아야 할 교과서 핵심 개념을 익히고 기초 확인 문제를 풀며 제대로 이해했는지 확인해 보세요.

❶ 교과서 핵심 정리 빈칸을 채워 보며 교과서 핵심 개념을 다시 한번 체크해 보세요.

❷ 기초 확인 문제 교과서 핵심 정리와 관련된 문제를 풀며 공부한 내용을 확인해 보세요.

내신 기출 베스트

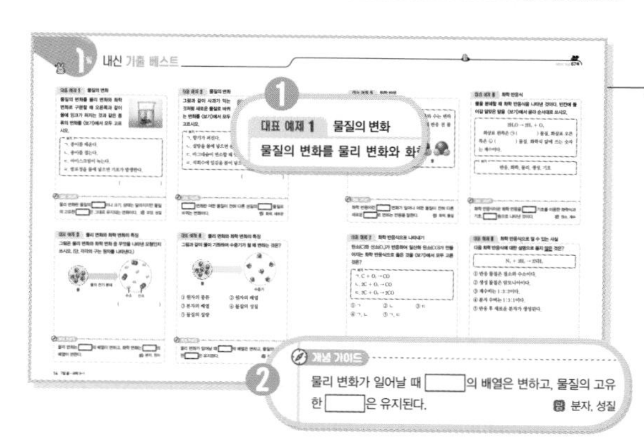

다양한 유형의 문제를 풀어 보며 공부한 내용을 점검해 보세요.

❶ 대표 예제 시험에 자주 나오는 빈출 유형 필수 문제를 풀어 보세요.

❷ 개념 가이드 대표 예제와 관련된 핵심 개념을 익혀 보세요.

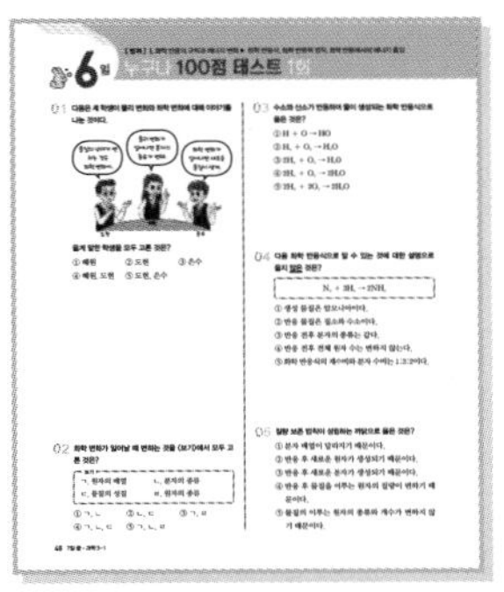

누구나 100점 테스트

5일 동안 공부한 내용을 바탕으로 기초 이해력을 점검해 보세요.

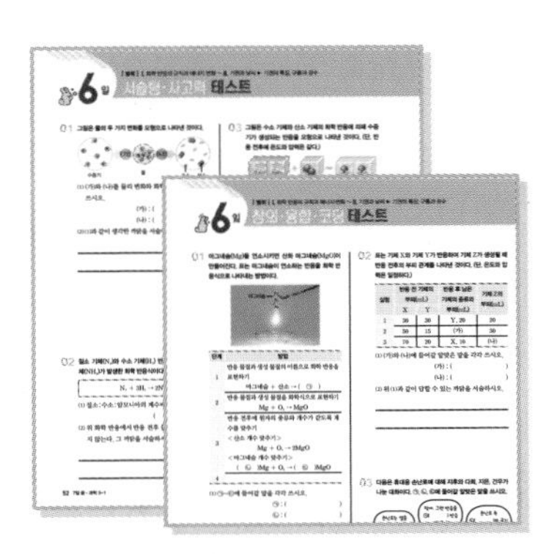

서술형·사고력 테스트
창의·융합·코딩 테스트

서술형·사고력 문제와 창의·융합·코딩 문제를 풀어 보면서 창의력과 문제 해결력을 길러 보세요.

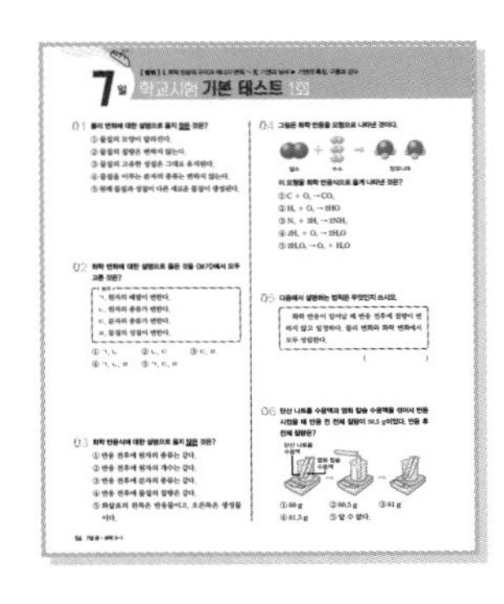

학교시험 기본 테스트

중간·기말고사 예상 문제를 최종으로 풀며 실전에 대비해 보세요.

틈틈이·짬짬이 공부하기

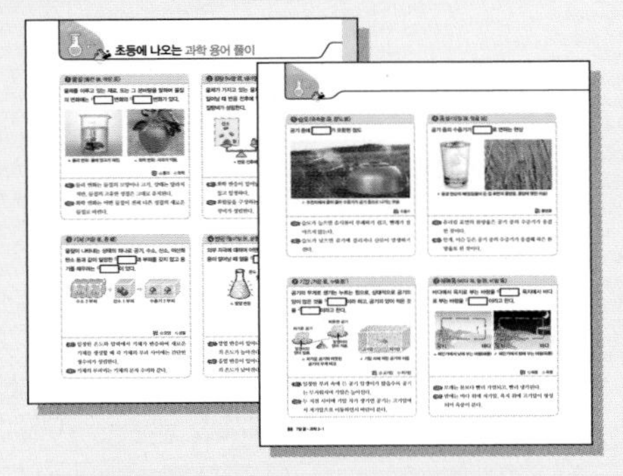

초등학교에서 배운 과학 용어로 선수 학습을 확인할 수 있어요.

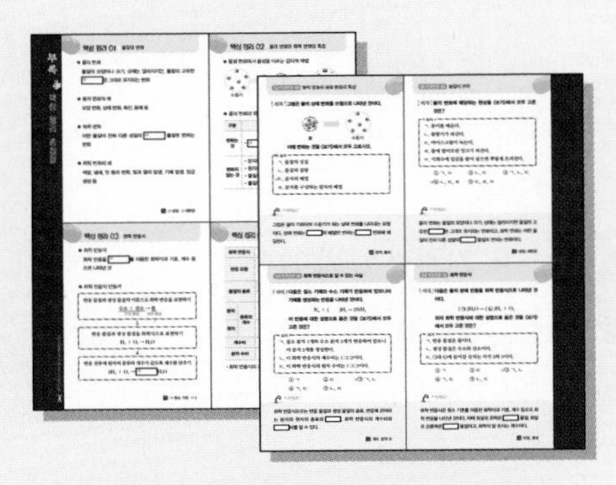

시험 직전이나 틈틈이 암기 카드를 휴대하여 활용해 보세요.

7일 끝 중학 과학 3-1

차례

6일

7일

7일 끝
과학 3-1과 내 교과서 비교하기

“학교 시험 범위와 내 교과서의 출판사명을 확인하고 7일 끝 교재 범위를 체크해 공부해요.
예를 들어, 〈천재교과서〉의 과학 교과서를 사용하는 내 학교의 1학기 중간고사 범위가 ‘Ⅰ. 화학 반응의 규칙과 에너지 변화 ~ Ⅱ. 기권과 날씨-기권의 특징’ (12~66쪽)까지라고 하면, 7일 끝 BOOK1 8~39쪽 을 학습하면 돼요!”

	대단원	일별 학습 주제	7일 끝 과학 3-1(쪽)
BOOK 1	Ⅰ. 화학 반응의 규칙과 에너지 변화	1일 물질 변화와 화학 반응식	8~15
		2일 화학 반응의 법칙	16~23
		3일 화학 반응에서의 에너지 출입	24~31
	Ⅱ. 기권과 날씨(1)	4일 기권의 특징	32~39
		5일 구름과 강수	40~47
BOOK 2	Ⅱ. 기권과 날씨(2)	1일 기압과 바람	8~15
	Ⅲ. 운동과 에너지	2일 운동	16~23
		3일 일과 에너지	24~31
	Ⅳ. 자극과 반응	4일 감각 기관	32~39
		5일 신경계	40~47

천재교과서(쪽)	비상교육(쪽)	미래엔(쪽)	동아출판(쪽)
12~23	10~20	12~25	12~20
26~40	24~35	26~37	22~33
42~48	38~45	38~45	34~38
56~66	53~61	54~63	48~56
70~82	64~75	64~73	58~68
84~99	78~91	74~85	70~82
108~119	98~109	96~113	92~104
122~134	112~121	116~127	106~116
142~153	128~137	136~147	126~138
156~171	140~153	148~162	140~158

1일 물질 변화와 화학 반응식

그림으로 개념 잡기

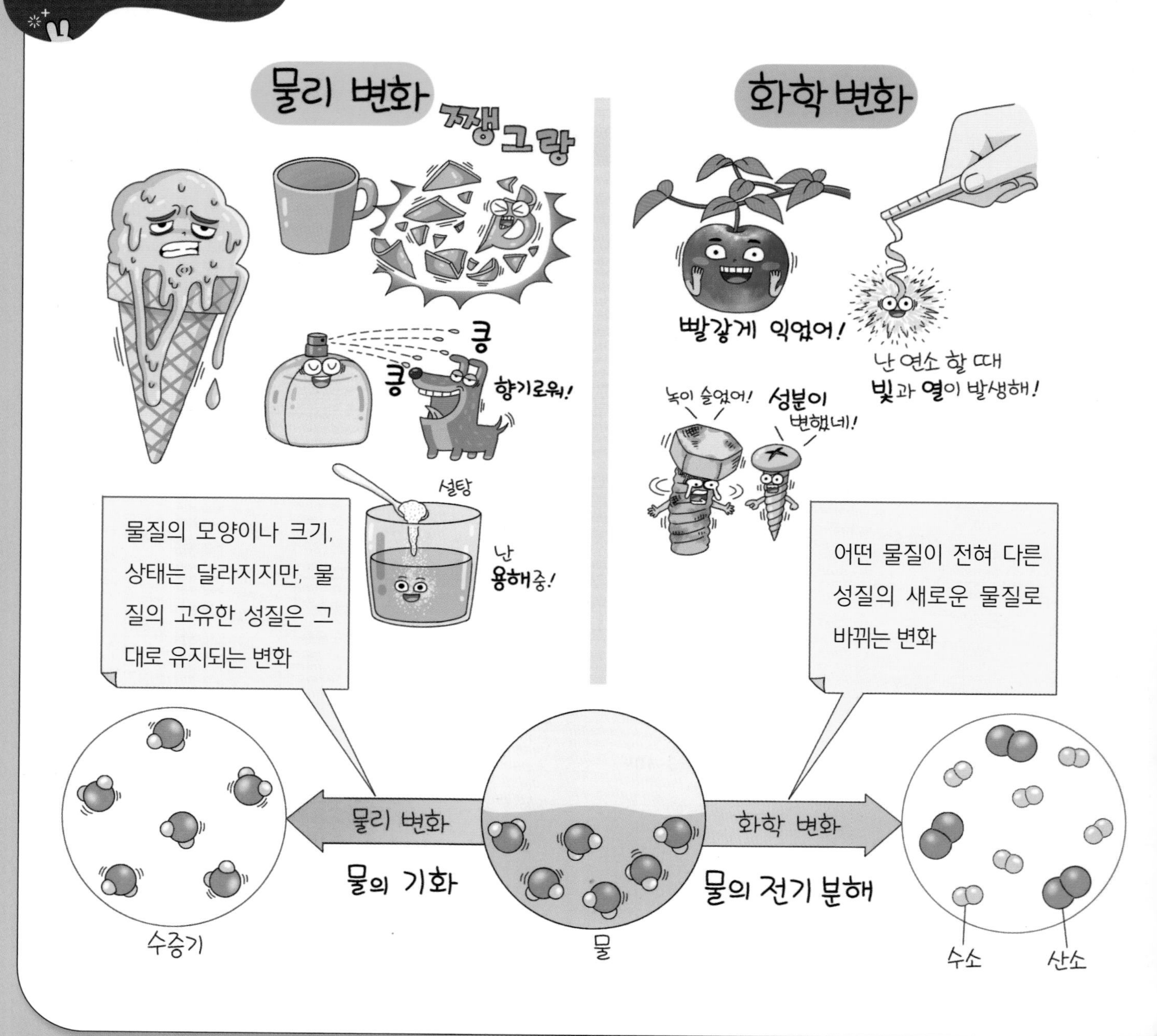

공부할 내용
❶ 물질의 변화
❷ 물리 변화와 화학 변화의 특징
❸ 화학 반응식
❹ 화학 반응식으로 알 수 있는 사실

화학 반응식 만들기

1단계 반응물과 생성물의 이름으로 화학 반응을 표현하기

수소 + 산소 → 물
반응물 생성물

반응 물질은 화살표 왼쪽에, 생성 물질은 화살표 오른쪽에 적고, 물질 사이는 +로 연결한다.

2단계 반응물과 생성 물질을 화학식으로 표현하기

$H_2 + O_2 \rightarrow H_2O$
수소 산소 물

수소의 화학식은 H_2, 산소의 화학식은 O_2, 물의 화학식은 H_2O이다.

3단계 반응 전후에 원자의 종류와 개수를 맞추기

$H_2 + O_2 \rightarrow 2H_2O$

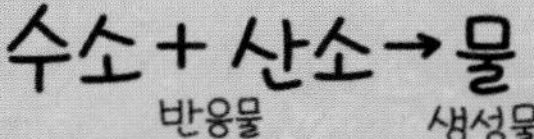

화학 반응 전후에 원자의 종류와 수가 같게 계수를 맞춘다. 단, 계수가 1일 때는 생략한다.

4단계 반응 전후에 원자의 종류와 개수가 같은지 확인하기

$2H_2 + O_2 \rightarrow 2H_2O$

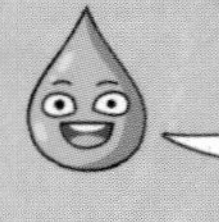

물 생성 반응의 화학 반응식 완성!

Quiz

1. ❶ (물리, 화학) 변화는 물질의 모양이나 상태만 변할 뿐 물질의 고유한 성질은 그대로 유지된다.
2. 화학 반응식으로 반응물과 생성물의 종류, 반응물을 이루는 원자의 ❷ (종류, 크기) 등을 알 수 있다.

답 ❶ 물리 ❷ 종류

교과서 핵심 정리 ①

개념 1 물질의 변화

1. 물리 변화 물질의 모양이나 크기, 상태는 달라지지만 물질의 고유한 ❶ ( ) 은 그대로 유지되는 변화

모양 변화	상태 변화	확산	용해
• 종이를 접는다. • 컵이 깨진다.	• ❷ ( ) 을 가열하면 수증기가 된다. (기화) • 아이스크림이 녹는다. (융해)	• 향기가 퍼진다. • 물에 잉크가 퍼진다.	• 설탕을 물에 넣으면 ❸ ( ) 된다.

2. 화학 변화 어떤 물질이 전혀 다른 성질의 새로운 물질로 바뀌는 변화

색깔, 냄새, 맛 등의 변화	빛과 열의 발생	기체 발생	앙금 생성
• 김치의 맛이 시어진다. • 철이 녹슬어 붉은색으로 변한다. • 과일이 익는다.	• 종이를 태운다. • 마그네슘이 연소할 때 ❹ ( ) 과 열이 발생한다.	• 물을 전기 분해하면 ❺ ( ) 기체와 수소 기체가 발생한다.	• 수돗물에 질산 은 수용액을 떨어뜨리면 흰색 앙금이 생성된다. • 석회수에 입김을 불어 넣으면 뿌옇게 흐려진다.

개념 2 물리 변화와 화학 변화의 특징

1. 물리 변화와 화학 변화에서 물질을 이루는 입자의 배열

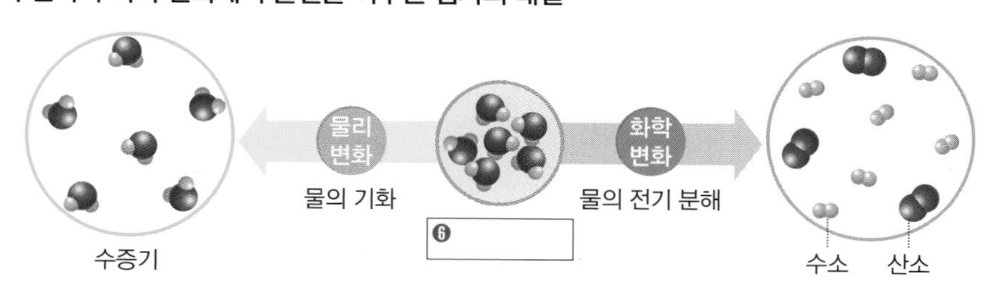

2. 물리 변화와 화학 변화 비교

구분	물리 변화	화학 변화
변하는 것	❼ ( ) 의 배열	원자의 배열, ❽ ( ) 의 종류, 물질의 성질
변하지 않는 것	분자의 종류, 물질의 성질, 원자의 종류, 원자의 개수, 물질의 질량	원자의 종류, 원자의 개수, 물질의 질량

원자의 종류, 원자의 개수, 물질의 질량: 물리 변화와 화학 변화에서 공통으로 변하지 않는다.

❶ 성질
❷ 물
❸ 용해
❹ 빛
❺ 산소
❻ 물
❼ 분자
❽ 분자

기초 확인 문제

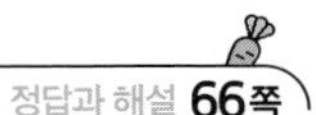

정답과 해설 66쪽

01 물리 변화와 화학 변화에 대한 설명에서 빈칸에 알맞은 말을 쓰시오.

(1) 물질의 고유한 성질이 바뀌지 않는 변화를 ㉠ (　　　　　), 물질이 전혀 다른 성질의 새로운 물질로 바뀌는 변화를 ㉡ (　　　　　) 라고 한다.

(2) (　　　　　)가 일어날 때 분자를 이루는 원자의 배열이 달라져 새로운 물질로 변한다.

02 물질의 변화 중 물리 변화는 '물리', 화학 변화는 '화학'이라고 쓰시오.

(1) 잉크가 물속에서 퍼진다. (　　　　)

(2) 양초가 빛과 열을 내면서 탄다. (　　　　)

(3) 사과가 익어 맛과 색깔이 변한다. (　　　　)

(4) 종이를 접어 동물 모양을 만든다. (　　　　)

03 〈보기〉에서 화학 변화를 모두 골라 기호를 쓰시오.

보기
ㄱ. 김치의 맛이 시어진다.
ㄴ. 설탕을 물에 넣어 녹인다.
ㄷ. 물을 가열하면 수증기가 된다.
ㄹ. 발포정을 물에 넣으면 기포가 발생한다.

(　　　　　　　)

04 그림은 물의 두 가지 변화를 모형으로 나타낸 것이다.

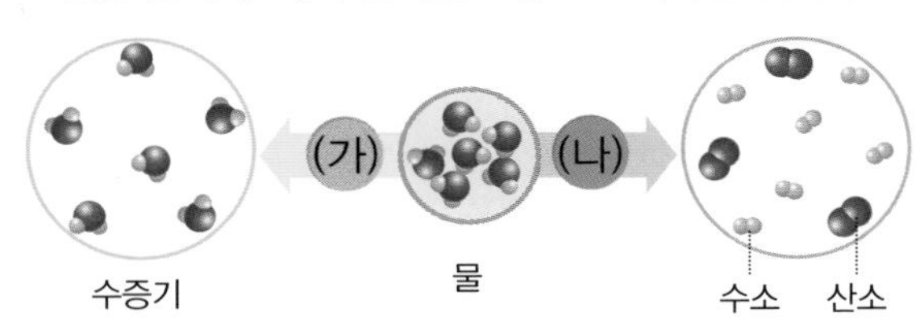

(가)와 (나) 중 화학 변화를 골라 기호를 쓰시오.

(　　　　　　　)

05 물리 변화와 화학 변화에 대한 설명으로 옳은 것은?

① 용해는 물리 변화이다.
② 물리 변화가 일어날 때 분자의 종류가 변한다.
③ 화학 변화가 일어날 때 원자의 종류가 변한다.
④ 화학 변화가 일어날 때 원자의 배열은 변하지 않는다.
⑤ 물리 변화와 화학 변화 모두 반응 전후 물질의 질량이 달라진다.

06 화학 변화가 일어날 때 변하는 것을 〈보기〉에서 모두 고르시오.

보기
ㄱ. 원자의 배열　　ㄴ. 원자의 종류
ㄷ. 물질의 성질　　ㄹ. 물질의 질량

(　　　　　　　)

1일 교과서 핵심 정리 ②

개념 3 화학 반응식

1. 화학 반응 화학 변화가 일어나 어떤 물질이 전혀 다른 성질의 새로운 물질로 변하는 반응

예 물을 전기 분해하면 수소 기체와 산소 기체가 발생한다.

2. 화학 반응식 화학 반응을 원소 기호를 이용한 화학식과 기호, 계수 등으로 나타낸 것

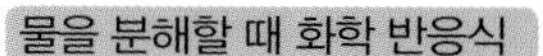

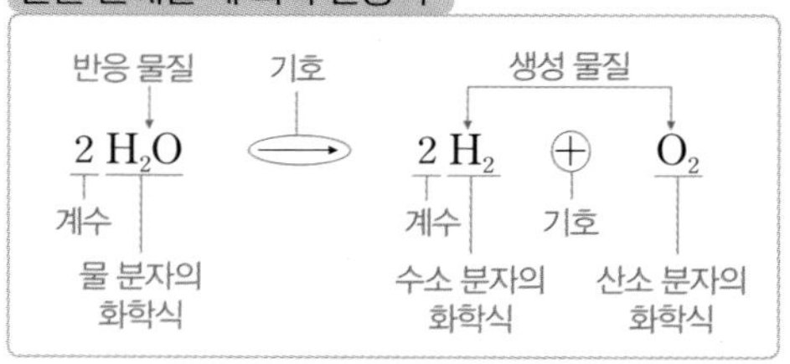

→ 화살표 왼쪽은 ❶ [ ] 물질, 화살표 오른쪽은 ❷ [ ] 물질, 화학식 앞에 쓰는 숫자는 계수이다.

3. 화학 반응식 만들기

① 1단계 : 반응 물질과 생성 물질의 이름으로 화학 반응을 표현한다. 예 수소 + 산소 → 물

② 2단계 : 반응 물질과 생성 물질을 화학식으로 표현한다. 예 $H_2 + O_2 \rightarrow H_2O$

③ 3단계 : 반응 전후에 원자의 종류와 ❸ [ ] 가 같도록 계수를 맞춘 다음, 한 번 더 확인한다. 단, 계수가 1일 때는 생략한다. 예 $2H_2 + O_2 \rightarrow 2H_2O$

4단계 : 반응 전후에 원자의 종류와 개수가 같은지 확인한다.

개념 4 화학 반응식으로 알 수 있는 사실

화학 반응식	$N_2 + 3H_2 \rightarrow 2NH_3$		
반응 모형	질소	수소	암모니아
반응 물질과 생성 물질의 종류	반응 물질		생성 물질
	❹ [ ]	수소	암모니아
분자의 종류와 개수	질소 분자 1개	수소 분자 3개	암모니아 분자 2개
원자의 종류와 개수	질소 원자 2개	❺ [ ] 원자 6개	질소 원자 2개 수소 원자 6개
계수비	1	❻ [ ]	2
분자 수비	1	3	❼ [ ]

화학 반응식의 계수비=분자 수비

❶ 반응 ❷ 생성 ❸ 개수 ❹ 질소 ❺ 수소 ❻ 3 ❼ 2

기초 확인 문제

정답과 해설 66쪽

07 다음에서 설명하는 것은 무엇인지 쓰시오.

> 화학 반응은 화학 변화가 일어나 어떤 물질이 전혀 다른 성질의 새로운 물질로 변하는 반응을 말한다. 이 화학 반응을 물질의 화학식과 기호, 계수 등으로 나타낸 것이다.

(　　　　　　　)

08 〈보기〉는 화학 반응식을 나타내는 방법을 순서 없이 나열한 것이다. 순서대로 기호를 나열하여 쓰시오.

보기
- ㄱ. 반응 물질과 생성 물질을 화학식으로 표현한다.
- ㄴ. 반응 전후에 원자의 종류와 개수가 같은지 확인한다.
- ㄷ. 반응 물질과 생성 물질의 이름으로 화학 반응을 표현한다.
- ㄹ. 반응 전후에 원자의 종류와 개수가 같도록 계수를 맞춘다. 단, 계수가 1일 때는 생략한다.

(　　　　　　　)

09 물을 분해할 때 화학 반응식이다. 빈칸에 들어갈 알맞은 숫자를 쓰시오.

$$2H_2O \rightarrow (\quad\quad)H_2 + O_2$$

(　　　　　　　)

10 마그네슘을 공기 중에서 연소시키면 산소와 반응하여 산화 마그네슘이 생성된다. 빈칸에 들어갈 알맞은 숫자는?

$$2Mg + O_2 \rightarrow (\quad\quad)MgO$$

① 1　② 2　③ 3　④ 4　⑤ 5

11 다음 화학 반응식에 대한 설명으로 옳지 않은 것은?

$$2H_2 + O_2 \rightarrow 2H_2O$$

① 반응 전후 물질의 질량은 같다.
② 반응 후 새로운 분자가 생성된다.
③ 반응 전후 물질의 성질이 달라진다.
④ 반응 전후 분자의 종류와 개수는 같다.
⑤ 반응 물질은 수소와 산소이며, 생성 물질은 물이다.

12 다음 화학 반응식에서 반응 물질과 생성 물질의 분자 수 비를 쓰시오.

$$2CO + O_2 \rightarrow 2CO_2$$

(　　　　　　　)

1일 내신 기출 베스트

대표 예제 1 물질의 변화

물질의 변화를 물리 변화와 화학 변화로 구분할 때 오른쪽과 같이 물에 잉크가 퍼지는 것과 같은 종류의 변화를 〈보기〉에서 모두 고르시오.

보기
ㄱ. 종이를 태운다.
ㄴ. 종이를 접는다.
ㄷ. 아이스크림이 녹는다.
ㄹ. 발포정을 물에 넣으면 기포가 발생한다.

( )

개념 가이드

물리 변화란 물질의 ☐이나 크기, 상태는 달라지지만 물질의 고유한 ☐은 그대로 유지되는 변화이다. 답 모양, 성질

대표 예제 2 물질의 변화

그림과 같이 사과가 익는 것처럼 새로운 물질로 바뀌는 변화를 〈보기〉에서 모두 고르시오.

보기
ㄱ. 향기가 퍼진다.
ㄴ. 설탕을 물에 넣으면 용해된다.
ㄷ. 마그네슘이 연소할 때 빛과 열이 발생한다.
ㄹ. 석회수에 입김을 불어 넣으면 뿌옇게 흐려진다.

( )

개념 가이드

☐ 변화란 어떤 물질이 전혀 다른 성질의 ☐ 물질로 바뀌는 변화이다. 답 화학, 새로운

대표 예제 3 물리 변화와 화학 변화의 특징

그림은 물리 변화와 화학 변화 중 무엇을 나타낸 모형인지 쓰시오. (단, 각각의 구는 원자를 나타낸다.)

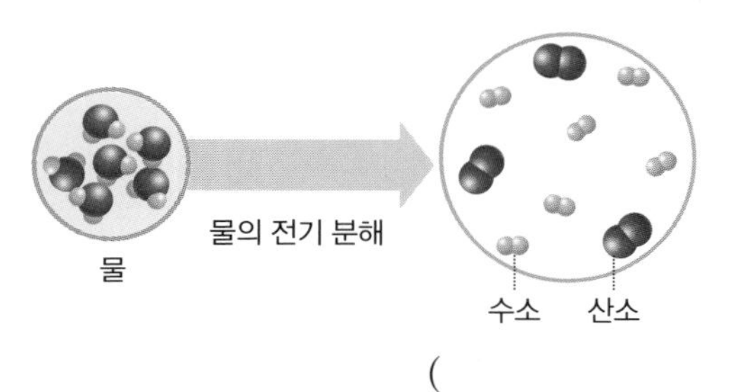

( )

개념 가이드

물리 변화는 ☐의 배열이 변하고, 화학 변화는 ☐의 배열이 변한다. 답 분자, 원자

대표 예제 4 물리 변화와 화학 변화의 특징

그림과 같이 물이 기화하여 수증기가 될 때 변하는 것은?

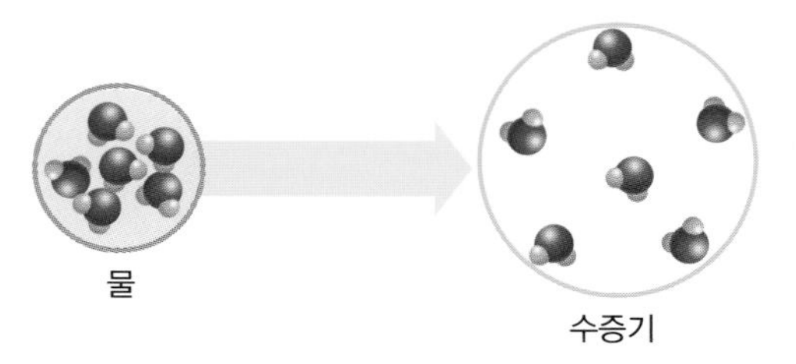

① 원자의 종류
② 원자의 배열
③ 분자의 배열
④ 물질의 성질
⑤ 물질의 질량

개념 가이드

물리 변화가 일어날 때 ☐의 배열은 변하고, 물질의 고유한 ☐은 유지된다. 답 분자, 성질

대표 예제 5 화학 반응

빈칸에 들어갈 알맞은 말을 쓰시오.

화학 반응이 일어날 때 원자의 종류와 수는 변하지 않고, (　　　　)의 배열이 달라져 반응 전 물질과 다른 새로운 물질이 생성된다.

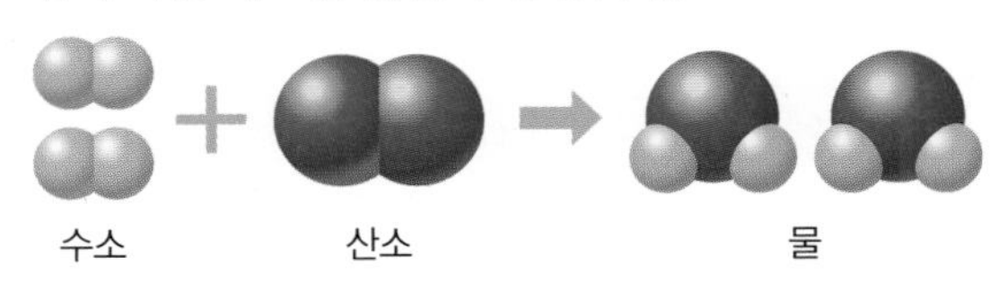

개념 가이드

화학 반응이란 [　　] 변화가 일어나 어떤 물질이 전혀 다른 새로운 [　　]로 변하는 반응을 말한다.　답 화학, 물질

대표 예제 6 화학 반응식

물을 분해할 때 화학 반응식을 나타낸 것이다. 빈칸에 들어갈 알맞은 말을 〈보기〉에서 골라 순서대로 쓰시오.

$$2H_2O \rightarrow 2H_2 + O_2$$

화살표 왼쪽은 ㉠ (　　　　) 물질, 화살표 오른쪽은 ㉡ (　　　　) 물질, 화학식 앞에 쓰는 숫자는 계수이다.

보기

반응, 화학, 물리, 생성, 기호

개념 가이드

화학 반응식이란 화학 반응을 [　　] 기호를 이용한 화학식과 기호, [　　] 등으로 나타낸 것이다.　답 원소, 계수

대표 예제 7 화학 반응식으로 나타내기

탄소(C)와 산소(O_2)가 반응하여 일산화 탄소(CO)가 만들어지는 화학 반응식으로 옳은 것을 〈보기〉에서 모두 고른 것은?

보기

ㄱ. $C + O_2 \rightarrow CO$

ㄴ. $2C + O_2 \rightarrow CO$

ㄷ. $2C + O_2 \rightarrow 2CO$

① ㄱ　② ㄴ　③ ㄷ
④ ㄱ, ㄴ　⑤ ㄱ, ㄷ

개념 가이드

반응 전후에 원자의 [　　]와 [　　]가 같은지 확인한다.　답 종류, 개수

대표 예제 8 화학 반응식으로 알 수 있는 사실

다음 화학 반응식에 대한 설명으로 옳지 않은 것은?

$$N_2 + 3H_2 \rightarrow 2NH_3$$

① 반응 물질은 질소와 수소이다.
② 생성 물질은 암모니아이다.
③ 계수비는 1∶3∶2이다.
④ 분자 수비는 1∶3∶1이다.
⑤ 반응 후 새로운 분자가 생성된다.

개념 가이드

화학 반응식의 [　　]로 [　　] 수비를 알 수 있다.　답 계수비, 분자

2일 화학 반응의 법칙

그림으로 개념 잡기

화학 반응의 법칙

질량 보존의 법칙

화학 반응이 일어날 때 반응 전후에 질량이 변하지 않고 일정하다.
→ 반응 물질의 총 질량은 생성 물질의 총 질량과 같다.

$$Na_2CO_3 + CaCl_2 \rightarrow CaCO_3 + 2NaCl$$

탄산 나트륨 염화 칼슘 탄산 칼슘(앙금) 염화 나트륨

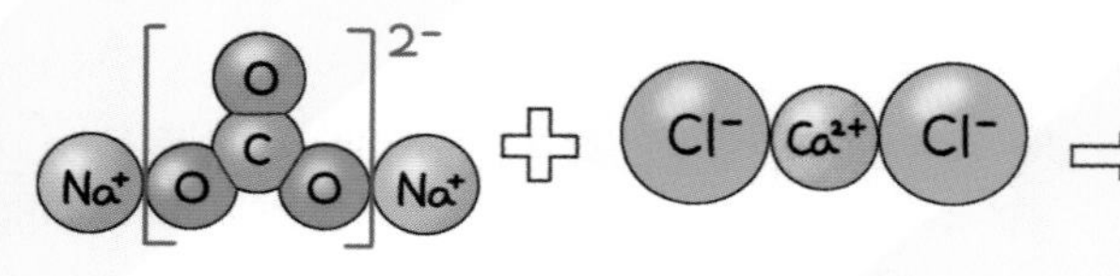

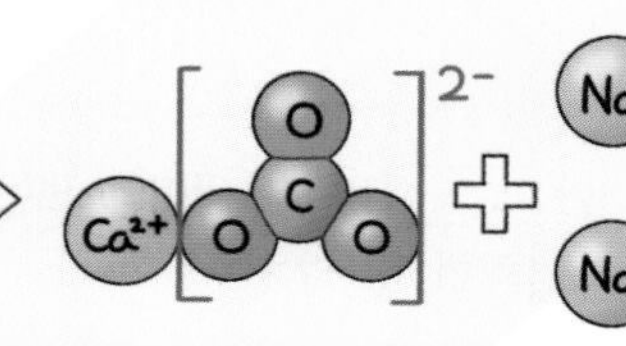

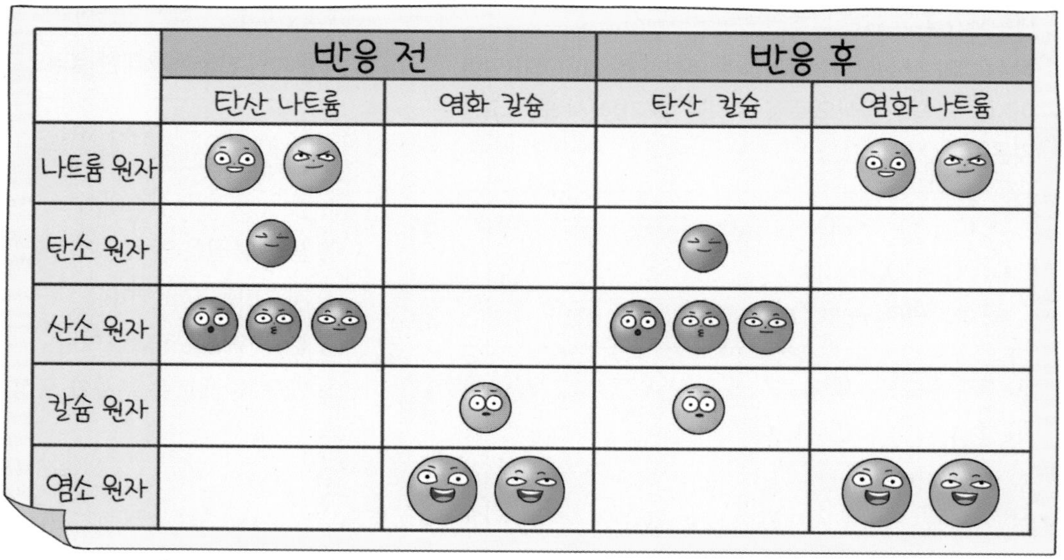

	반응 전		반응 후	
	탄산 나트륨	염화 칼슘	탄산 칼슘	염화 나트륨
나트륨 원자				
탄소 원자				
산소 원자				
칼슘 원자				
염소 원자				

〈입자 모형으로 나타낸 탄산 나트륨과 염화 칼슘의 앙금 생성 반응〉

공부할 내용
❶ 질량 보존 법칙
❷ 여러 가지 반응에서 질량 보존
❸ 일정 성분비 법칙
❹ 기체 반응 법칙

일정 성분비의 법칙

$2Cu + O_2 \rightarrow 2CuO$

질량비 4 : 1 : 5

$2H_2 + O_2 \rightarrow 2H_2O$

질량비 1 : 8 : 9

질량이 일정한 원자들이 일정한 개수비로 결합하여 화합물을 이루기 때문에 화합물의 구성 원소 사이의 질량비가 일정하다.

산화 구리(Ⅱ)

구리와 산소의 질량비는 4:1

물

수소와 산소의 질량비는 1:8

온도와 압력이 같은 모든 기체는 같은 부피 속에 들어 있는 분자의 개수가 같다.

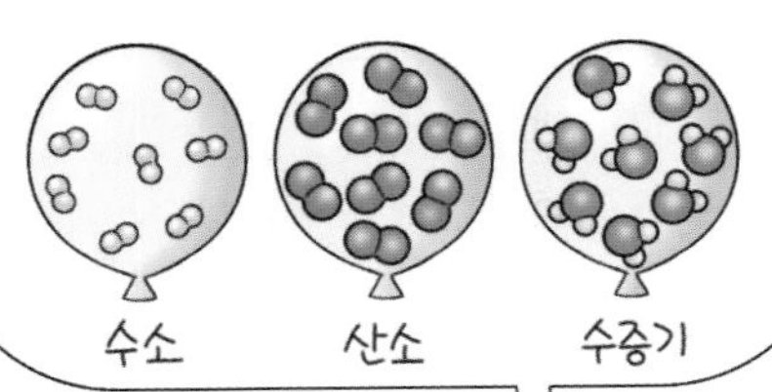

수소 산소 수증기

기체 반응의 법칙

일정한 온도와 압력에서 기체가 반응하여 새로운 기체를 생성할 때 반응하는 기체와 생성되는 기체의 부피비가 일정하다.

$2H_2 + 1O_2 \rightarrow 2H_2O$

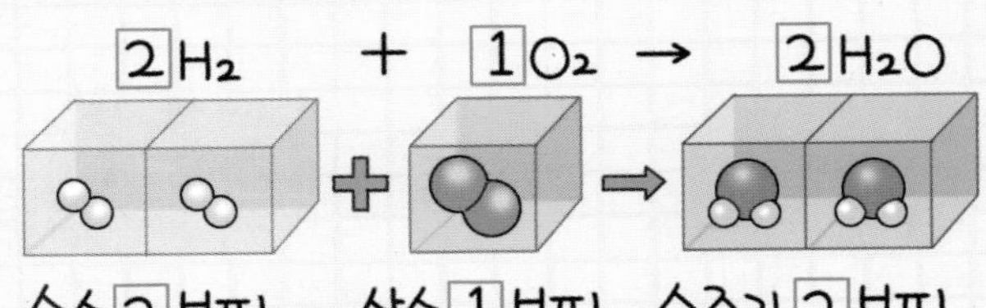

수소 2 부피 산소 1 부피 수증기 2 부피

Quiz

1. 화학 반응이 일어날 때 반응 전후에 질량이 ❶ (같다, 다르다).
2. 기체 물질의 경우, 온도와 압력이 같으면 기체의 종류에 관계없이 같은 부피 속에 들어 있는 분자의 개수가 ❷ (같다, 다르다).

답 ❶ 같다 ❷ 같다

2일 교과서 핵심 정리 ①

개념 1 질량 보존 법칙

1. 질량 보존 법칙 화학 반응이 일어날 때 반응 전후에 ❶ [ ]이 변하지 않고 일정하다.

물리 변화와 화학 변화에서 모두 성립한다.

반응 물질의 총 질량 = 생성 물질의 총 질량

2. 질량 보존 법칙이 성립하는 까닭 화학 반응 전후에 물질의 총 ❷ [ ]은 변하지 않고 보존된다. 화학 변화가 일어날 때 물질을 구성하는 원자들의 ❸ [ ]와 개수는 달라지지 않고 배열만 변하기 때문이다.

❶ 질량
❷ 질량
❸ 종류

개념 2 여러 가지 반응에서 질량 보존

1. 앙금 생성 반응 탄산 나트륨 수용액과 염화 칼슘 수용액이 반응하면 ❹ [ ] 앙금이 생성된다.

반응 모형	탄산 나트륨 + 염화 칼슘 → 탄산 칼슘 + 염화 나트륨
질량 관계	(탄산 나트륨 + ❺ [ ])의 질량 = (탄산 칼슘 + 염화 나트륨)의 질량

❹ 탄산 칼슘
❺ 염화 칼슘

2. 기체 발생 반응 달걀 껍데기(탄산 칼슘)와 묽은 염산을 반응시키면 ❻ [ ] 기체가 발생한다.

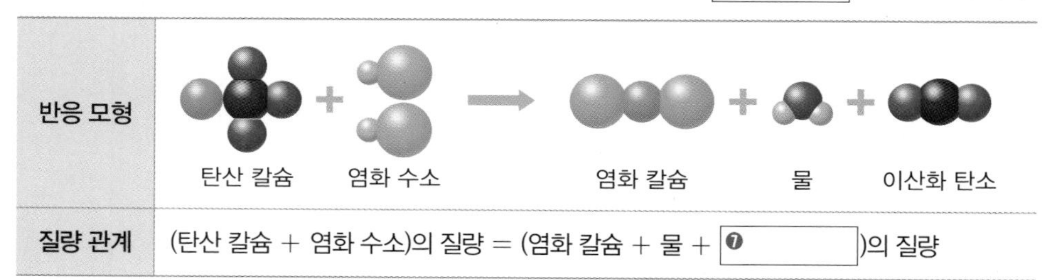

반응 모형	탄산 칼슘 + 염화 수소 → 염화 칼슘 + 물 + 이산화 탄소
질량 관계	(탄산 칼슘 + 염화 수소)의 질량 = (염화 칼슘 + 물 + ❼ [ ])의 질량

❻ 이산화 탄소
❼ 이산화 탄소

3. 연소 반응 강철 솜이 ❽ [ ]와 빠르게 반응하여 연소하면 산화 철(Ⅱ)이 생성된다.

반응	철 + 산소 → 산화 철(Ⅱ)
질량 관계	(철+산소)의 질량 = 산화 철(Ⅱ)의 질량

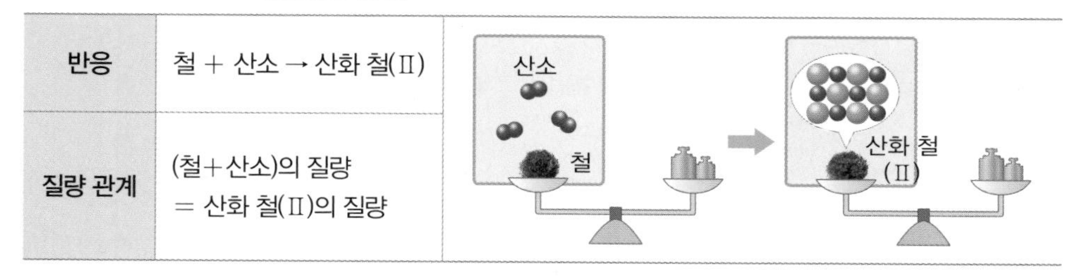

❽ 산소

기초 확인 문제

정답과 해설 67쪽

01 **질량 보존 법칙에 대한 설명에서 빈칸에 알맞은 말을 쓰시오.**

(1) 화학 반응에서 반응 물질의 총 질량과 생성 물질의 총 질량은 (　　　　　　).

(2) 화학 변화가 일어날 때 원자의 종류와 개수가 변하지 않아 (　　　　　　)이 보존된다.

02 **다음과 같이 탄산 나트륨 수용액과 염화 칼슘 수용액을 섞었을 때 일어나는 변화를 관찰하였다.**

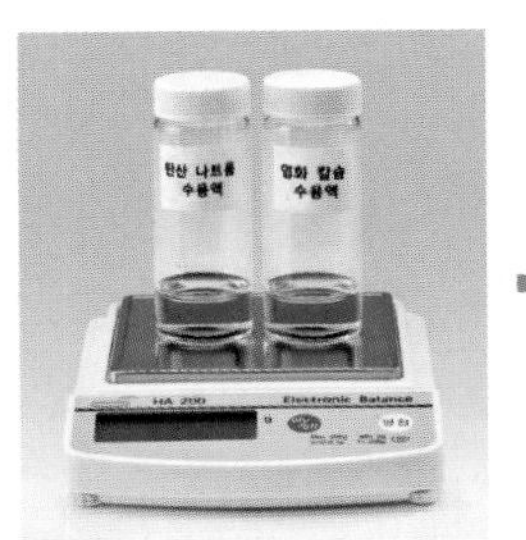

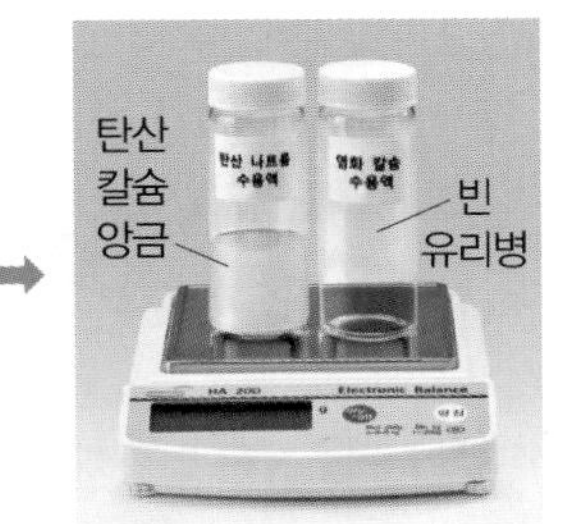

이에 대한 설명으로 옳은 것을 〈보기〉에서 모두 고르시오.

보기

ㄱ. 앙금 생성 반응이 일어날 때 반응 전의 총 질량과 반응 후의 총 질량은 같다.

ㄴ. 탄산 나트륨 수용액과 염화 칼슘 수용액을 섞으면 흰색 앙금인 탄산 칼슘이 생성된다.

ㄷ. 반응 전 수용액이 담긴 두 유리병의 총 질량이 120 g이면 반응 후 두 유리병의 총 질량은 130 g이다.

(　　　　　　　　)

03 **그림과 같이 달걀 껍데기(탄산 칼슘)가 들어 있는 유리병에 묽은 염산을 넣고 반응시켰다.**

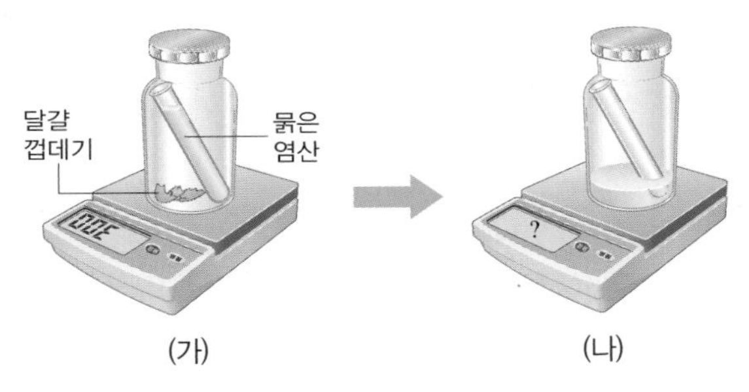

이에 대한 설명으로 옳은 것은?

① (가)와 (나)의 질량이 같다.

② (가)에서 흰색 앙금이 발생한다.

③ (나)에서 생성되는 기체는 수소이다.

④ (나)에서 반응이 끝난 후 질량을 측정하면 (가)보다 줄어든다.

⑤ (나)에서 반응이 끝난 후 뚜껑을 열고 질량을 측정하면 (가)보다 늘어난다.

04 **닫힌 공간에서 강철 솜 28 g을 연소시켰더니 산화 철(Ⅱ) 36 g이 생성되었다. 강철 솜과 반응한 산소의 질량은 몇 g인지 쓰시오.**

강철 솜	+	산소	⟶	산화 철(Ⅱ)
28 g		(　　　)g		36 g

05 **질량 보존 법칙이 성립하는 까닭에 대한 설명이다. 빈칸에 들어갈 알맞은 말을 쓰시오.**

화학 변화가 일어날 때 물질을 구성하는 원자들의 (　　　　　)와 개수는 달라지지 않고 배열만 변하기 때문이다.

교과서 **핵심 정리 ②**

개념 3 일정 성분비 법칙

1. 일정 성분비 법칙 화합물을 구성하는 성분 원소 사이에는 일정한 ❶ [   ]가 성립한다.

2. 일정 성분비 법칙이 성립하는 까닭 화합물을 이루는 원자가 항상 일정한 ❷ [   ]비로 결합하기 때문이다.

혼합물은 성분 물질이 섞이는 비율이 일정하지 않으므로 일정 성분비 법칙이 성립하지 않는다.

3. 일정 성분비 변형과 모형

① 구리와 산소의 반응에서 질량비(산화 구리(Ⅱ)의 생성) : 구리를 연소하면 구리와 산소가 4 : 1의 질량비로 결합하여 ❸ [   ]가 된다. → 구리 : 산소 : 산화 구리(Ⅱ) = 4 : 1 : 5

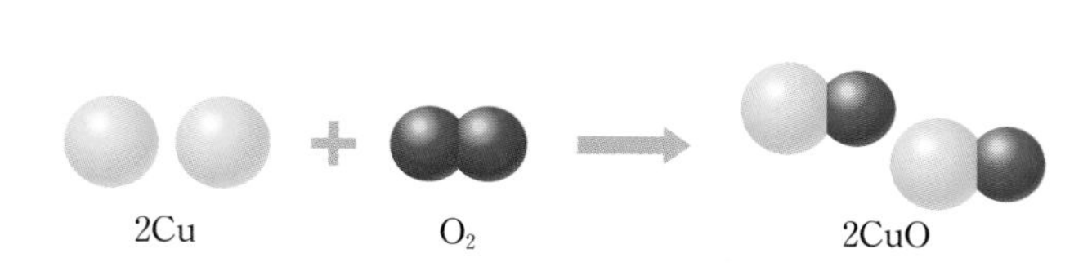

구리 : 산소의 질량비 = 4 : 1

산화 구리에서 산소의 질량(g): 0, 0.25, 0.50, 0.75, 1.00

산화 구리에서 구리의 질량(g): 0, 1.00, 2.00, 3.00, 4.00

② 화합물에서 성분 원소의 질량비

(원자의 상대적 질량 : 수소 = 1, 산소 = 16)

구분	모형	원자의 개수비	질량비(수소 : 산소)
물(H_2O)		수소 : 산소 = 2 : ❹ [ ]	(2×1) : 16 = 1 : 8

③ 볼트(B)와 너트(N)를 이용하여 화합물을 만들 때 질량비 : 볼트(B)와 너트(N)를 이용하여 화합물(BN_2)을 만들 때 B와 N은 항상 1 : 2의 ❺ [   ]비로 결합하므로 B의 질량이 5 g, N의 질량이 2 g일 때 질량비는 B : N = (5×1) g : (2×2) g = 5 : 4이다.

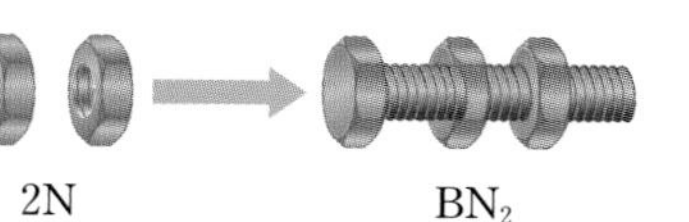

개념 4 기체 반응 법칙

1. 기체 반응 법칙 일정한 온도와 압력에서 기체가 반응하여 새로운 기체를 생성할 때 각 기체의 부피 사이에는 간단한 ❻ [   ]가 성립한다.

2. 기체 반응 법칙이 성립하는 까닭 온도와 압력이 같을 때 모든 기체는 같은 부피 속에 들어 있는 ❼ [   ]의 개수가 같기 때문이다.

3. 기체 반응 법칙과 화학 반응식

화학 반응식의 계수를 통해 기체 반응의 부피비, 분자 수비는 알 수 있지만 질량비는 알 수 없다.

기체의 부피비 = 기체의 ❽ [   ]수비 = 화학 반응식의 계수비

❶ 질량비
❷ 개수
❸ 산화 구리(Ⅱ)
❹ 1
❺ 개수
❻ 정수비
❼ 분자
❽ 분자

기초 확인 문제

정답과 해설 67쪽

06 다음에서 설명하는 것은 무엇인지 쓰시오.

> 화합물을 구성하는 성분 원소 사이에는 일정한 질량비가 성립한다.

( )

07 그림은 구리를 가열하여 산화 구리(Ⅱ)가 생성될 때, 반응한 구리와 생성된 산화 구리(Ⅱ)의 질량 관계를 나타낸 것이다.

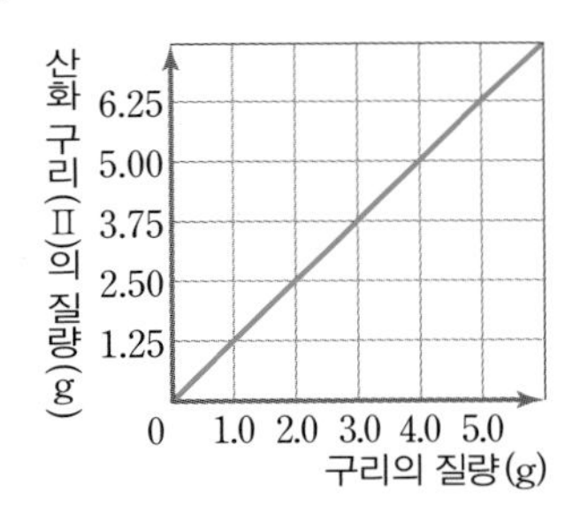

구리 20 g을 완전히 반응시켰을 때 얻을 수 있는 산화 구리(Ⅱ)의 질량을 쓰시오.

( )

08 그림은 볼트(B)와 너트(N)를 이용하여 화합물(BN_2)을 만드는 반응을 나타낸 것이다.

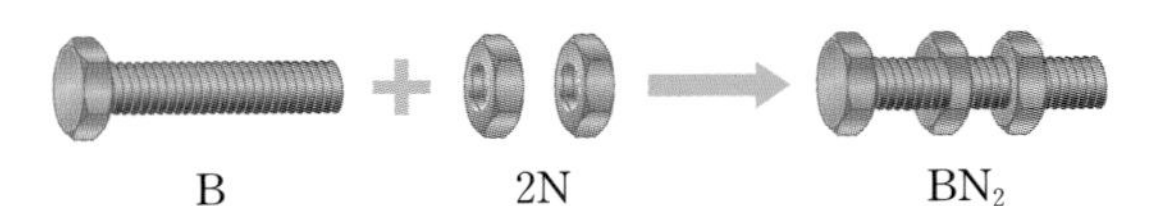

볼트 1개의 질량은 5 g이고, 너트 1개의 질량은 2 g이라고 할 때, 화합물 BN_2를 이루는 볼트와 너트의 질량비(B:N)를 구하여 쓰시오.

( )

09 다음 기체 반응 법칙에 대한 설명에서 빈칸에 들어갈 알맞은 말을 쓰시오.

(1) 일정한 온도와 압력에서 기체가 반응하여 새로운 기체를 생성할 때 각 기체의 (   ) 사이에는 간단한 정수비가 성립한다.

(2) 기체 반응 법칙이 성립하는 까닭은 온도와 압력이 같을 때 모든 기체는 같은 부피 속에 들어 있는 (   )의 개수가 같기 때문이다.

10 그림은 질소 기체와 수소 기체가 반응하여 암모니아 기체가 생성될 때의 부피 관계를 나타낸 것이다.

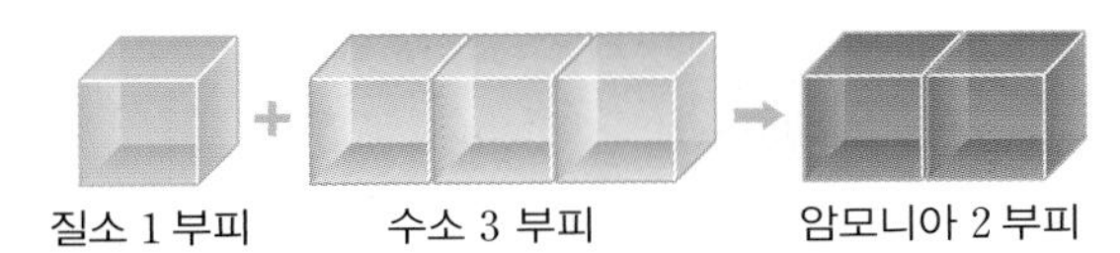

기체의 분자 수비를 쓰시오.

( )

11 그림은 수소 기체와 산소 기체가 반응하여 수증기가 생성되는 반응을 모형으로 나타낸 것이다.

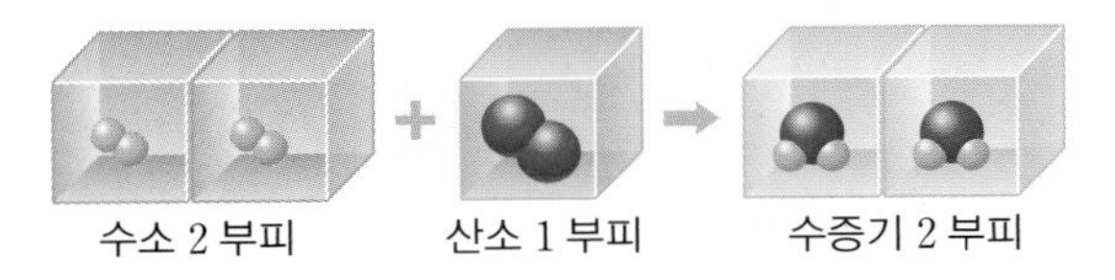

이에 대한 설명으로 옳지 않은 것은? (단, 반응 전후에 온도와 압력은 같다.)

① 기체 반응 법칙이 성립한다.
② 일정 성분비 법칙이 성립한다.
③ 기체 사이의 반응 부피비가 일정하다.
④ 수소 : 산소 : 수증기의 부피비는 2 : 1 : 3이다.
⑤ 반응 전후의 원자 종류와 개수는 변하지 않는다.

2일 내신 기출 베스트

대표 예제 1 질량 보존 법칙

빈칸에 들어갈 알맞은 말을 쓰시오.

화학 반응이 일어날 때 반응 전후에 (　　　)이 일정한 까닭은 화학 변화가 일어날 때 물질을 구성하는 원자들의 종류와 개수는 달라지지 않고 배열만 변하기 때문이다.

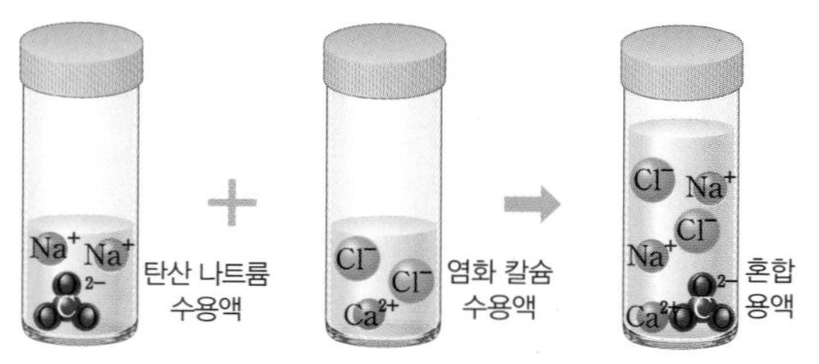

개념 가이드

화학 반응이 일어날 때 반응 물질과 [　　] 물질을 구성하는 [　　]의 종류와 개수는 변하지 않는다.　답 생성, 원자

대표 예제 2 여러 가지 반응에서 질량 보존

그림은 탄산 나트륨 수용액과 염화 칼슘 수용액을 반응시켰을 때 반응 모형이다.

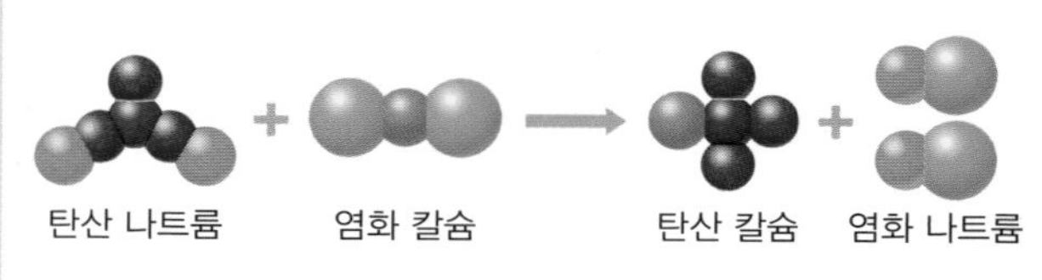

○에 부등호와 등호로 질량 관계를 쓰시오.

(탄산 나트륨 + 염화 칼슘)의 질량 ○ (탄산 칼슘 + 염화 나트륨)의 질량

개념 가이드

화학 반응이 일어날 때 반응 전후에 [　　]이 변하지 않고 [　　]하다.　답 질량, 일정

대표 예제 3 여러 가지 반응에서 질량 보존

달걀 껍데기(탄산 칼슘)와 묽은 염산을 반응시키면 이산화 탄소 기체가 발생한다. 반응 전 (가)의 질량이 300 g이었다면, 반응 후 (나)의 질량은 몇 g인지 쓰시오.

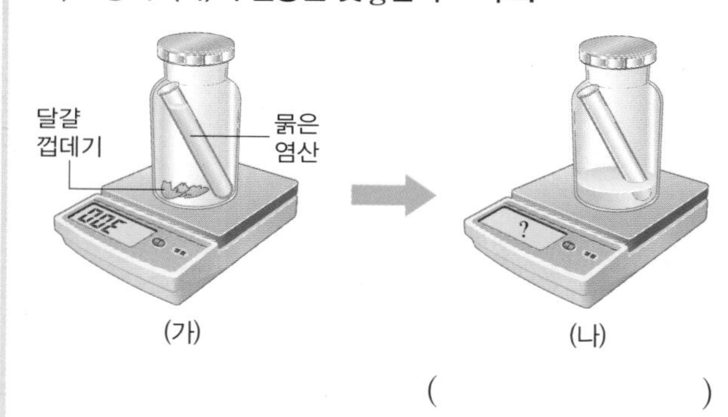

(　　　　　)

개념 가이드

반응 물질의 총 [　　]은 생성 물질의 총 질량과 [　　].　답 질량, 같다

대표 예제 4 여러 가지 반응에서 질량 보존

강철 솜을 연소시키면 산소와 결합하여 산화 철(Ⅱ)이 생성된다. 이에 대한 설명으로 옳은 것을 <보기>에서 고르시오.

보기

ㄱ. (철+산소)의 질량 = 산화 철(Ⅱ)의 질량과 같다.
ㄴ. (철+산소)의 질량이 산화 철(Ⅱ)의 질량보다 작다.
ㄷ. (철+산소)의 질량이 산화 철(Ⅱ)의 질량보다 크다.

(　　　　　)

개념 가이드

강철 솜을 연소시키면 결합한 [　　]의 양만큼 질량이 [　　]한다.　답 산소, 증가

정답과 해설 68쪽

대표 예제 5 일정 성분비 법칙

구리를 연소하면 구리와 산소가 4 : 1의 질량비로 결합하여 산화 구리(Ⅱ)가 된다.

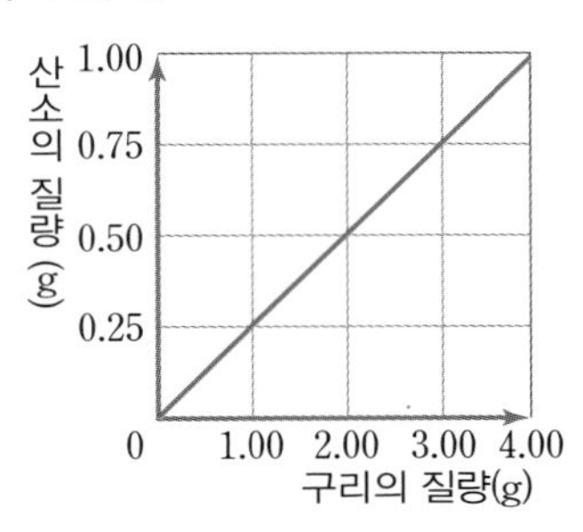

반응 전후 구리 : 산소 : 산화 구리(Ⅱ)의 질량비를 쓰시오.

(　　　　　　　　)

개념 가이드

화합물을 구성하는 성분 [　　] 사이에는 일정한 [　　]가 성립한다. 답 원소, 질량비

대표 예제 6 화합물에서 성분 원소의 질량비

질소 기체 14 g과 수소 기체 3 g이 모두 반응하여 암모니아 기체가 생성되었다.

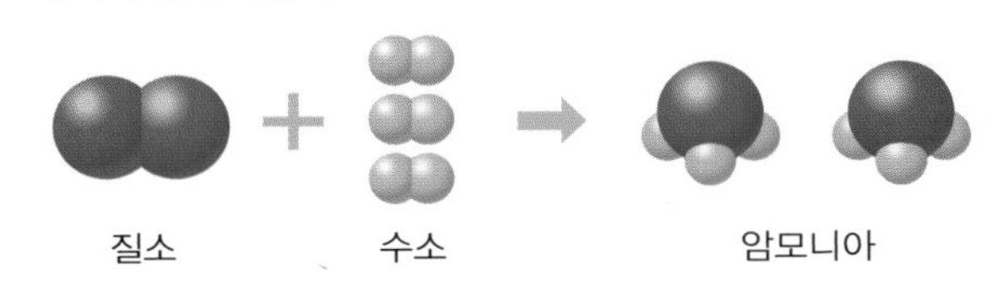

생성된 암모니아의 질량은 몇 g인지 쓰시오.

(　　　　　　　　)

개념 가이드

질량 보존 법칙이란 화합 반응 전후에 물질의 총 [　　]은 변하지 않고 [　　]된다. 답 질량, 보존

대표 예제 7 기체 반응 법칙

빈칸에 들어갈 알맞은 말을 쓰시오.

일정한 온도와 압력에서 수소 기체와 산소 기체가 반응하여 수증기가 생성될 때 반응하는 수소 기체와 산소 기체, 수증기의 (　　　　)는 항상 2:1:2이다.

개념 가이드

기체가 반응하여 새로운 [　　]를 생성할 때 반응하는 기체와 생성되는 기체의 부피비가 [　　]. 답 기체, 일정하다

대표 예제 8 기체 반응 법칙과 화학 반응식

일정한 온도와 압력에서 수소 기체 20 mL와 산소 기체 10 mL를 반응시켰을 때 생성된 수증기의 부피는 얼마인지 쓰시오.

$$2H_2 + O_2 \rightarrow 2H_2O$$

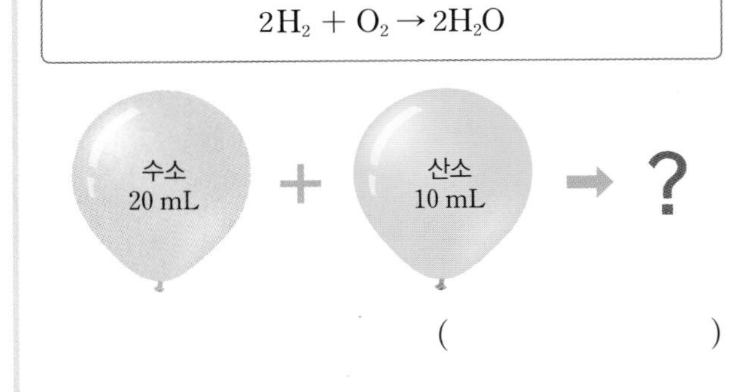

(　　　　　　　　)

개념 가이드

기체의 [　　] = 기체의 분자 수비 = 화학 반응식의 [　　]이다. 답 부피비, 계수비

3일 화학 반응에서의 에너지 출입

공부할 내용 ❶ 에너지를 방출하는 반응 ❷ 에너지를 흡수하는 반응

Quiz

1. 열에너지를 방출하는 화학 반응이 일어나면 주위의 온도가 ❶ (낮아진다, 높아진다).
2. 열에너지를 흡수하는 화학 반응이 일어나면 주위의 온도가 ❷ (낮아진다, 높아진다).

답 ❶ 높아진다 ❷ 낮아진다

3일 교과서 **핵심 정리 ①**

개념 1 에너지를 방출하는 반응

1. 발열 반응 화학 반응이 일어날 때 주위로 열에너지를 ❶ ______ 하는 반응

열에너지 방출

2. 발열 반응이 일어날 때 주위 온도 변화 발열 반응이 일어나면 열에너지를 ❷ ______ 하므로 주위의 온도가 ❸ ______ 아진다.

반응 물질 → 생성 물질 + 에너지

3. 발열 반응의 예 연소 반응, 금속이 녹스는 반응, 금속과 산의 반응, 산과 염기의 반응 등

기타 발열 반응의 예 : 산화 칼슘과 물의 반응

연소 반응	철이 녹스는 반응	마그네슘과 묽은 염산의 반응
		마그네슘 / 묽은 염산
메테인과 같은 연료가 산소와 반응하면 ❹ ______ 와 수증기가 생성되면서 열에너지를 방출한다.	철이 공기 중의 ❺ ______ 와 반응하면 천천히 녹슬면서 열에너지를 방출한다.	묽은 염산에 마그네슘을 넣으면 수소 기체가 발생하면서 열에너지를 ❻ ______ 한다.

4. 발열 반응의 이용

이용 예	이용 원리
휴대용 손난로	손난로 속의 철 가루가 공기 중의 산소와 반응할 때 방출하는 열에너지로 주위가 ❼ ______ 해진다.
조리용 발열 팩	발열 팩 속의 금속 물질과 ❽ ______ 이 반응할 때 방출하는 열에너지로 음식을 데운다.
제설제	제설제로 사용하는 염화 칼슘은 ❾ ______ 에 녹을 때 열에너지를 방출하므로 눈이 쌓인 도로에 뿌리면 눈이 빨리 녹는다.
자체 발열 용기	산화 칼슘과 물이 반응할 때 ❿ ______ 하는 열에너지로 음식을 데운다.

열에 약한 구제역 바이러스를 제거할 때도 이용된다.

❶ 방출
❷ 방출
❸ 높
❹ 이산화 탄소
❺ 산소
❻ 방출
❼ 따뜻
❽ 물
❾ 물
❿ 방출

기초 확인 문제

정답과 해설 69쪽

01 그림은 에너지 출입이 일어나는 반응 모습을 나타낸 것이다.

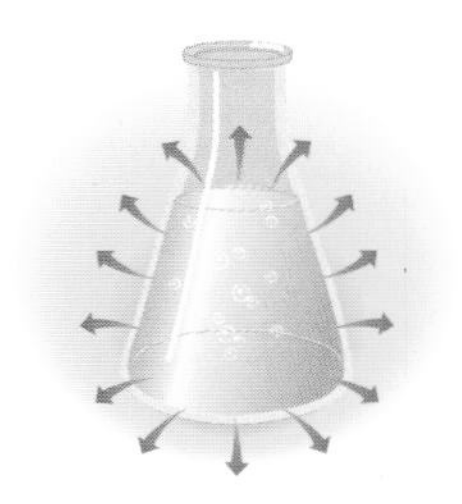

위와 같은 에너지 출입이 일어나는 반응에 대한 설명에서 빈칸에 들어갈 알맞은 말을 쓰시오.

(1) 화학 반응이 일어날 때 열을 ㉠(　　　　)하는 ㉡(　　　　) 반응이다.

(2) 위와 같은 화학 반응이 일어나면 주위의 온도는 (　　　　)아진다.

02 발열 반응에 대한 설명으로 옳은 것을 〈보기〉 모두 고르시오.

보기

ㄱ. 화학 반응이 일어날 때 주위로 열에너지를 방출하는 반응이다.

ㄴ. 발열 반응이 일어나면 주위의 온도가 낮아진다.

ㄷ. 철이 녹슬 때와 에너지 출입 방향이 같다.

(　　　　　　　)

03 메테인의 연소 반응에 대한 설명이다. 괄호 안에서 알맞은 말을 고르시오.

메테인과 같은 연료가 산소와 반응하면 이산화탄소와 수증기가 생성되면서 열에너지를 ㉠(방출, 흡수)하므로 주위의 온도가 ㉡(높, 낮)아진다.

04 화학 반응이 일어날 때 열에너지를 방출하는 반응을 〈보기〉에서 모두 고르시오.

보기

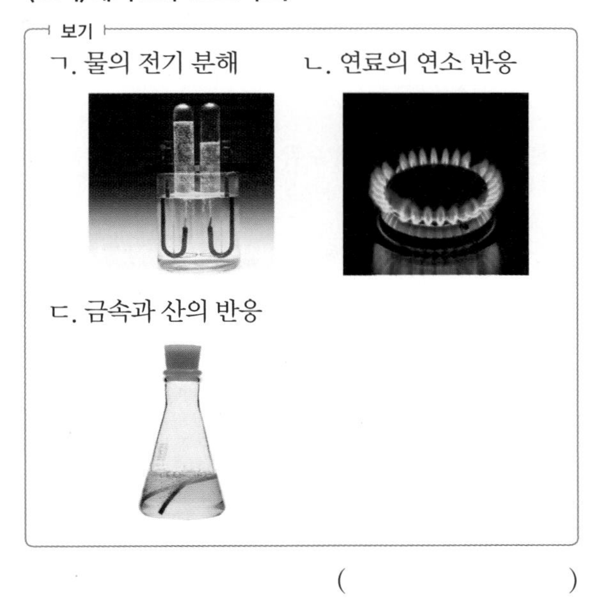

(　　　　　　　)

05 일상생활에서 이용되는 발열 반응에 대한 설명이다. 빈칸에 들어갈 알맞은 말을 쓰시오.

(1) 눈이 쌓인 도로에 제설제를 뿌리면 제설제의 주성분인 염화 칼슘이 물에 녹으면서 열에너지를 (　　　　)하므로 눈이 빨리 녹는다.

(2) 추운 날 사용하는 휴대용 손난로는 손난로 속의 철 가루가 공기 중의 산소와 반응할 때 방출하는 열에너지로 주위가 (　　　　)해진다.

(3) 음식을 데우거나 열에 약한 구제역 바이러스를 제거할 때는 산화 칼슘과 물이 반응할 때 방출하는 (　　　　)를 이용한다.

(4) 야외에서 간단하게 사용할 수 있는 조리용 발열 팩은 금속 물질과 물이 반응할 때 (　　　　)하는 열에너지로 음식을 데운다.

3일 교과서 핵심 정리 ②

개념 2 에너지를 흡수하는 반응

1. 흡열 반응 화학 반응이 일어날 때 주위로부터 열에너지를 ❶ [ ] 하는 반응

2. 흡열 반응이 일어날 때 주위 온도 변화 흡열 반응이 일어나면 열에너지를 ❷ [ ] 하므로 주위의 온도가 ❸ [ ] 아진다.

반응 물질 + 에너지 → 생성 물질

3. 흡열 반응의 예 – 기타 흡열 반응의 예 : 소금과 물의 반응, 질산 암모늄과 물의 반응, 식물의 광합성 등

탄산수소 나트륨의 분해 반응	수산화 바륨과 염화 암모늄의 반응	물의 전기 분해
	수산화 바륨 + 염화 암모늄	물
빵 반죽에 넣은 탄산수소 나트륨이 열을 ❹ [ ] 하면 분해되어 이산화 탄소 기체가 발생하여 빵이 부풀어 오른다.	수산화 바륨과 염화 암모늄을 섞으면 반응이 일어나면서 열에너지를 흡수하여 주위의 온도가 ❺ [ ] 아진다.	물이 ❻ [ ] 에너지를 흡수하여 수소와 산소로 분해된다.

4. 흡열 반응의 이용 빵 만들 때, 휴대용 냉각 팩(냉찜질 팩) 등

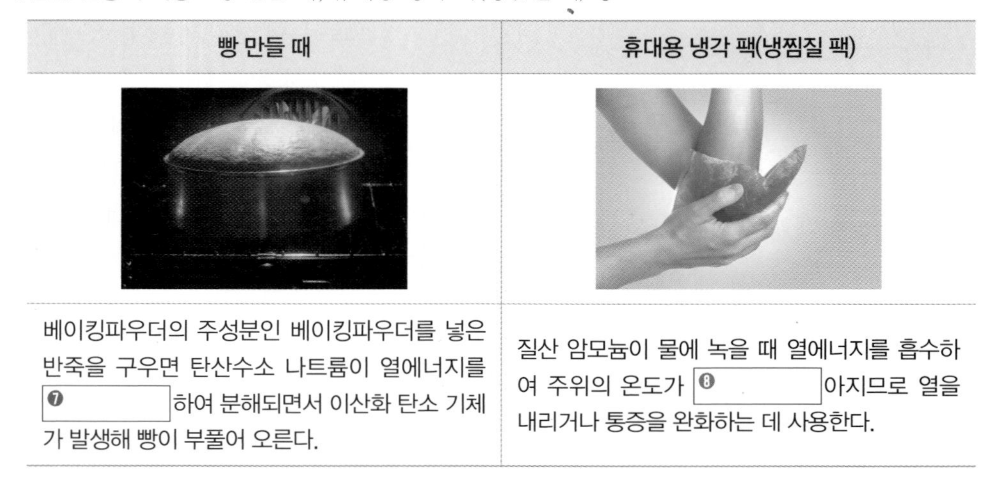

빵 만들 때	휴대용 냉각 팩(냉찜질 팩)
베이킹파우더의 주성분인 베이킹파우더를 넣은 반죽을 구우면 탄산수소 나트륨이 열에너지를 ❼ [ ] 하여 분해되면서 이산화 탄소 기체가 발생해 빵이 부풀어 오른다.	질산 암모늄이 물에 녹을 때 열에너지를 흡수하여 주위의 온도가 ❽ [ ] 아지므로 열을 내리거나 통증을 완화하는 데 사용한다.

❶ 흡수
❷ 흡수
❸ 낮
❹ 흡수
❺ 낮
❻ 전기
❼ 흡수
❽ 낮

기초 확인 문제

정답과 해설 69쪽

06 그림은 에너지 출입이 일어나는 반응 모습을 나타낸 것이다.

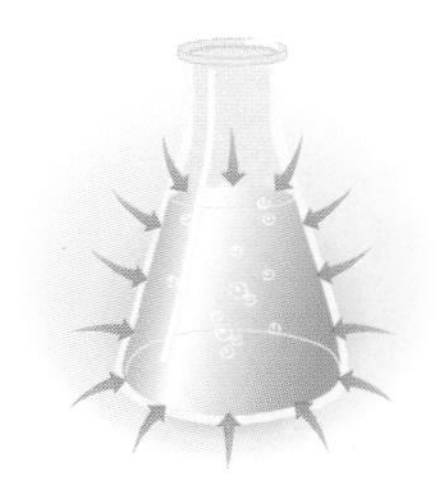

위와 같은 에너지 출입이 일어나는 반응에 대한 설명에서 빈칸에 들어갈 알맞은 말을 쓰시오.

(1) 화학 반응이 일어날 때 열을 ㉠(　　　　)하는 ㉡(　　　　) 반응이다.

(2) 위와 같은 화학 반응이 일어나면 주위의 온도가 (　　)아진다.

07 흡열 반응에 대한 설명으로 옳은 것을 〈보기〉 모두 고르시오.

보기

ㄱ. 화학 반응이 일어날 때 주위로부터 열에너지를 흡수하는 반응이다.

ㄴ. 흡열 반응이 일어나면 주위의 온도가 낮아진다.

ㄷ. 묽은 염산과 수산화 나트륨 수용액이 반응할 때와 에너지 출입 방향이 같다.

(　　　　　　　)

08 수산화 바륨과 염화 암모늄의 반응에 대한 설명이다. 괄호 안에서 알맞은 말을 고르시오.

수산화 바륨과 염화 암모늄을 섞으면 반응이 일어나면서 열에너지를 ㉠(방출, 흡수)하여 주위의 온도가 ㉡(높, 낮)아진다.

09 화학 반응이 일어날 때 에너지를 흡수하는 반응을 〈보기〉에서 모두 고르시오.

보기

ㄱ. 철이 녹스는 반응

ㄴ. 물의 전기 분해

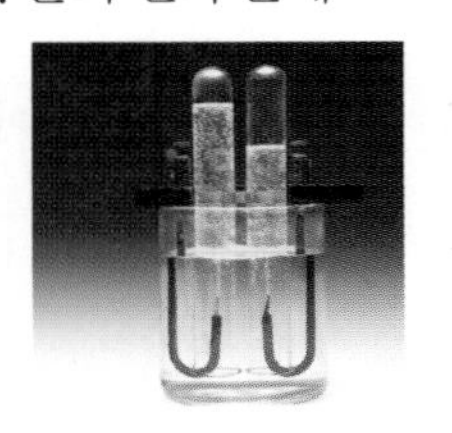

ㄷ. 탄산수소 나트륨의 분해 반응

(　　　　　　　)

10 일상생활에서 이용되는 흡열 반응에 대한 설명이다. 빈칸에 들어갈 알맞은 말을 쓰시오.

(1) 빵을 만들 때 반죽에 넣는 베이킹파우더의 주성분은 탄산수소 나트륨이다. 탄산수소 나트륨을 가열하면 열에너지를 ㉠(　　　　)하여 분해되면서 ㉡(　　　　) 기체가 발생하므로, 베이킹파우더를 넣은 반죽을 구우면 빵이 부풀어 오른다.

(2) 열이 나거나 통증이 있을 때 사용하는 냉찜질 팩은 질산 암모늄이 물에 녹을 때 열에너지를 흡수하여 주위의 온도가 (　　　　)아지는 원리를 이용한다.

3일 내신 기출 베스트

대표 예제 1 발열 반응의 특징

발열 반응에 대한 설명으로 옳은 것을 〈보기〉에서 모두 고른 것은?

보기
ㄱ. 화학 반응이 일어날 때 열에너지를 방출하는 반응이다.
ㄴ. 발열 반응이 일어나면 주위의 온도가 높아진다.
ㄷ. 물의 전기 분해 반응과 열의 출입 방향이 같다.

① ㄱ ② ㄴ ③ ㄷ
④ ㄱ, ㄴ ⑤ ㄴ, ㄷ

개념 가이드
발열 반응이 일어나면 주위로 열에너지를 [ ]하므로 주위의 온도가 [ ]아진다. 답 방출, 높

대표 예제 2 발열 반응의 예

화학 반응이 일어날 때 에너지를 방출하는 반응을 〈보기〉에서 모두 고르시오.

보기
ㄱ. 철이 녹슬 때
ㄴ. 물을 전기 분해할 때
ㄷ. 탄산수소 나트륨을 가열할 때
ㄹ. 묽은 염산에 마그네슘 조각을 넣을 때
ㅁ. 식물이 광합성을 하여 양분을 만들 때

(   )

개념 가이드
발열 반응에는 연소 반응, 금속이 [ ]는 반응, [ ]과 산의 반응, 산과 염기의 반응 등이 있다. 답 녹스, 금속

대표 예제 3 발열 반응의 이용

화학 반응이 일어날 때 출입하는 에너지를 이용하는 원리가 나머지 넷과 다른 하나는?

① 제설제
② 모닥불
③ 휴대용 손난로
④ 휴대용 냉각 팩
⑤ 조리용 발열 팩

개념 가이드
제설제, 모닥불, 휴대용 손난로, 조리용 발열 팩은 [ ] 반응을, 휴대용 냉각 팩은 [ ] 반응을 이용한다. 답 발열, 흡열

대표 예제 4 흡열 반응의 특징

흡열 반응에 대한 설명으로 옳은 것을 〈보기〉에서 모두 고르시오.

보기
ㄱ. 주위로부터 에너지를 흡수할 때 일어난다.
ㄴ. 흡열 반응이 일어나도 주위의 온도가 변하지 않는다.
ㄷ. 묽은 염산에 아연 조각을 넣을 때 일어나는 반응과 열의 출입 방향이 같다.

(   )

개념 가이드
흡열 반응이 일어나면 주위로부터 열에너지를 [ ]하므로 주위의 온도가 [ ]아진다. 답 흡수, 낮

정답과 해설 70쪽

대표 예제 5 흡열 반응의 예

흡열 반응에 해당하는 것을 〈보기〉에서 모두 고른 것은?

보기
ㄱ. 물의 전기 분해
ㄴ. 마그네슘과 묽은 염산의 반응
ㄷ. 수산화 바륨과 염화 암모늄의 반응
ㄹ. 묽은 염산과 수산화 나트륨 수용액의 반응

① ㄱ, ㄴ　② ㄱ, ㄷ　③ ㄴ, ㄷ
④ ㄷ, ㄹ　⑤ ㄱ, ㄷ, ㄹ

개념 가이드

물의 전기 분해, 수산화 바륨과 염화 암모늄의 반응, 식물의 [　　] 등은 [　　] 반응이다.　답 광합성, 흡열

대표 예제 6 흡열 반응의 이용

냉각 장치를 만들 때 이용할 수 있는 반응은?

① 숯의 연소 반응
② 철 가루와 산소의 반응
③ 산화 칼슘과 물의 반응
④ 질산 암모늄과 물의 반응
⑤ 묽은 염산과 수산화 나트륨 수용액의 반응

개념 가이드

질산 암모늄과 물을 섞으면 [　　] 반응이 일어나면서 주위의 온도가 [　　]아진다.　답 흡열, 낮

대표 예제 7 열에너지 출입 이용 예

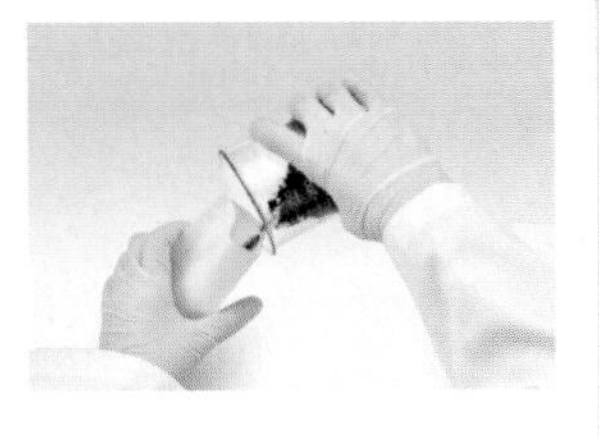

부직포 주머니에 철 가루, 숯가루, 소금, 물을 넣고 밀봉한 후 흔들면, 부직포 주머니가 따뜻해진다. 이에 대한 설명으로 옳은 것을 〈보기〉에서 모두 고르시오.

보기
ㄱ. 흡열 반응이 일어난다.
ㄴ. 철 가루와 산소가 반응한다.
ㄷ. 소금이 물과 반응하면서 열을 방출한다.

(　　　　　　)

개념 가이드

부직포 주머니를 흔들면 [　　]와 공기 중의 산소가 반응하여 열에너지를 [　　]한다.　답 철 가루, 방출

대표 예제 8 열에너지 출입 이용 예

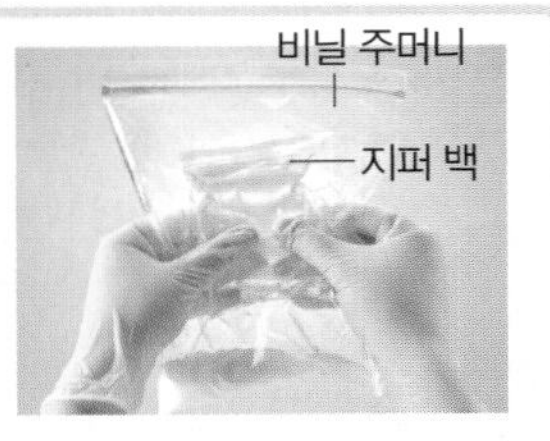

질산 암모늄이 들어 있는 비닐 주머니에 물이 들어 있는 지퍼 백을 넣고 비닐 주머니를 밀봉한 후, 그림과 같이 물이 들어 있는 지퍼 백을 눌러 물이 나오게 하였다. 이에 대한 설명으로 옳은 것을 〈보기〉에서 모두 고르시오.

보기
ㄱ. 질산 암모늄과 물이 반응한다.
ㄴ. 비닐 주머니가 따뜻해진다.
ㄷ. 이 반응을 이용해 휴대용 냉각 팩을 만들 수 있다.

(　　　　　　)

개념 가이드

질산 암모늄과 물이 반응하면 주위로부터 열에너지를 [　　]하므로 주위의 온도가 [　　]아진다.　답 흡수, 낮

4일 기권의 특징

그림으로 개념 잡기
나도 지구처럼 대기를 가지고 싶어.
달
지구와 달은 내 에너지를 받아라. 얍!!
태양 복사 에너지
대기의 기온 변화
열권
중간권
성층권
대류권
태양 복사 에너지
태양 복사 에너지를 받으면 지구의 온도가 계속 상승하지는 않을까?
아니야, 저걸 봐~ 지구는 태양 복사 에너지를 받은 만큼 지구 복사 에너지를 방출해.
지구 복사 에너지

공부할 내용

❶ 기권의 구조와 특징
❷ 지구의 복사 평형
❸ 온실 효과
❹ 지구 온난화

Quiz

1. 높이에 따른 기온 분포에 따라 기권을 4개의 층으로 나눌 때, 오존층이 존재하는 층은 ❶ (대류권, 성층권, 열권)이다.
2. 물체가 흡수하는 복사 에너지양과 방출하는 복사 에너지양이 같으면 물체의 온도는 ❷ (상승, 하강, 일정)하게 된다.

답 ❶ 성층권 ❷ 일정

4일 교과서 핵심 정리 ①

개념 1 기권의 구조와 특징

1. 기권 지표면 ~ 높이 약 1000 km까지의 공기층

① 기권의 구분 기준 : 높이에 따른 ❶ [   ] 변화

② 기권의 구분 : 지표에서부터 대류권 → ❷ [   ] → 중간권 → 열권

2. 기권 각 층의 특징

구분	특징
열권	• 공기가 희박하여 낮과 밤의 기온 차이가 매우 큼. • 고위도 지역에서 ❸ [ ]가 나타남. • 인공위성의 궤도로 이용되기도 함.
중간권	• 대류 현상은 있지만 공기가 희박하고 수증기가 거의 없어 기상 현상이 나타나지 않음. • ❹ [ ]이 나타남. • 기권에서 최저 기온이 나타남.
성층권	• 대기가 안정하여 대류 현상이 없음. → 장거리 비행기의 항로로 이용됨. • ❺ [ ]이 태양의 자외선을 흡수하므로 지상의 생명체를 보호함.
대류권	• 지구 전체 대기의 약 75 %가 존재함. • 수증기가 있고, 대류 현상이 일어나기 때문에 ❻ [ ] 현상이 나타남.

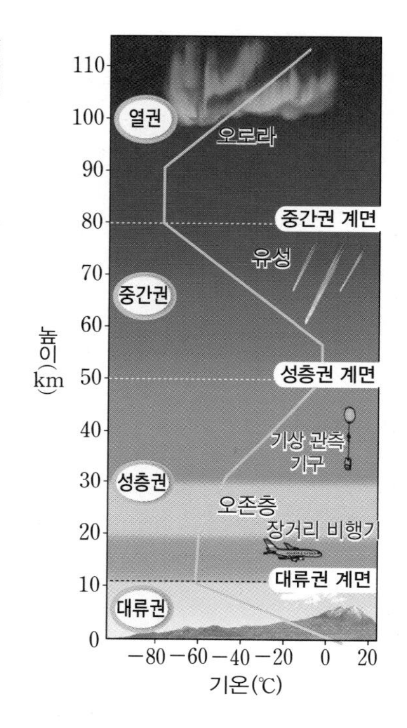

❶ 기온
❷ 성층권
❸ 오로라
❹ 유성
❺ 오존층
❻ 기상

개념 2 지구의 복사 평형

1. 복사 에너지 – 온도가 높은 물체일수록 더 많은 복사 에너지 방출

태양 복사 에너지	태양이 방출하는 복사 에너지
지구 복사 에너지	지구가 방출하는 복사 에너지

2. 복사 평형 – (흡수하는 복사 에너지양 = 방출하는 복사 에너지)인 상태

흡수하는 복사 에너지양 > 방출하는 복사 에너지양	물체의 온도 상승
흡수하는 복사 에너지양 < 방출하는 복사 에너지양	물체의 온도 하강
흡수하는 복사 에너지양 = 방출하는 복사 에너지양	물체의 온도 ❼ [ ]

❼ 일정

기초 확인 문제

정답과 해설 71쪽

[01~02] 그림은 기권의 구조를 나타낸 것이다.

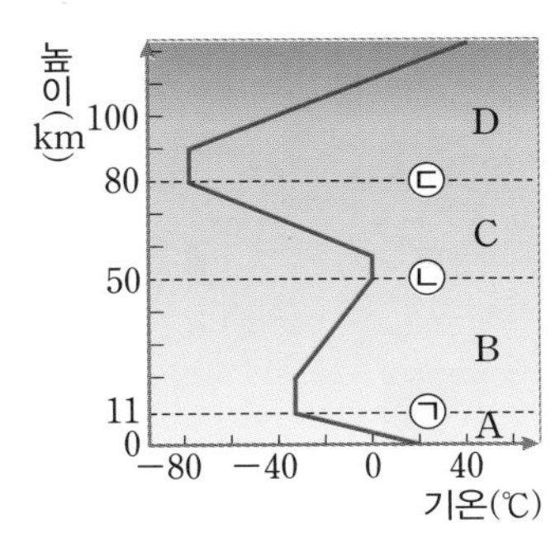

01 지구의 기권을 4개의 층으로 구분하는 기준은?

① 높이에 따른 기압 변화
② 높이에 따른 밀도 변화
③ 높이에 따른 기온 변화
④ 높이에 따른 수증기량 변화
⑤ 높이에 따른 대기 조성비 변화

02 A~D층의 이름과 각 층을 구분하는 경계면인 ㉠, ㉡, ㉢의 이름을 각각 쓰시오.

구분	층의 이름	구분	경계면의 이름
A		㉠	
B		㉡	
C		㉢	
D			

03 빈칸에 들어갈 알맞은 말을 쓰시오.

> 높이 약 20~30 km에 분포하는 (   )은 태양 복사 에너지 중 해로운 자외선을 흡수함으로써 지구의 생명체를 보호해 준다.

04 기권의 각 층과 각 층에서 나타나는 현상을 선으로 연결하시오.

(1) 대류권 •
(2) 성층권 •
(3) 중간권 •
(4) 열권 •

• ㉠ 공기가 희박하여 낮과 밤의 기온 차가 매우 크다.
• ㉡ 구름, 눈, 비 등의 기상 현상이 나타난다.
• ㉢ 대기층이 안정하여 장거리 비행기의 항로로 이용된다.
• ㉣ 대류 현상은 일어나지만, 기상 현상은 나타나지 않는다.

05 다음에 주어진 기권에서 일어나는 현상을 높이가 낮은 곳에서 높은 곳 순으로 나열하시오.

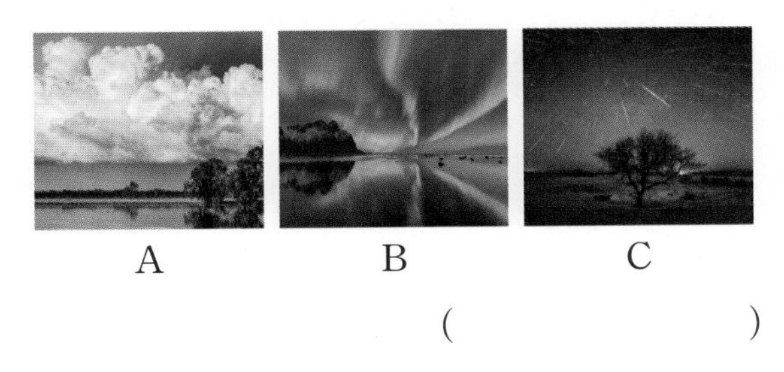
A B C

(   )

06 빈칸에 들어갈 알맞은 말을 쓰시오.

(1) 물체가 표면에서 복사에 의해 방출하는 에너지를 (   )라고 한다.
(2) 태양이 방출하는 복사 에너지는 ㉠(   ) 에너지라 하고, 지구가 방출하는 복사 에너지는 ㉡(   ) 에너지라고 한다.
(3) 온도가 높은 물체일수록 복사 에너지를 (   ) 방출한다.

4일 교과서 핵심 정리 ②

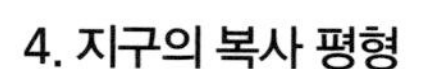

3. 복사 평형 실험 복사 평형 실험에서 알루미늄 컵 속 공기의 온도는 처음에는 점점 올라가다가 시간이 지나면 일정해진다. ➡ 알루미늄 컵이 흡수하는 복사 에너지양 = 방출하는 복사 에너지양
➡ ❶ [　　　] 을 이루며 온도가 일정

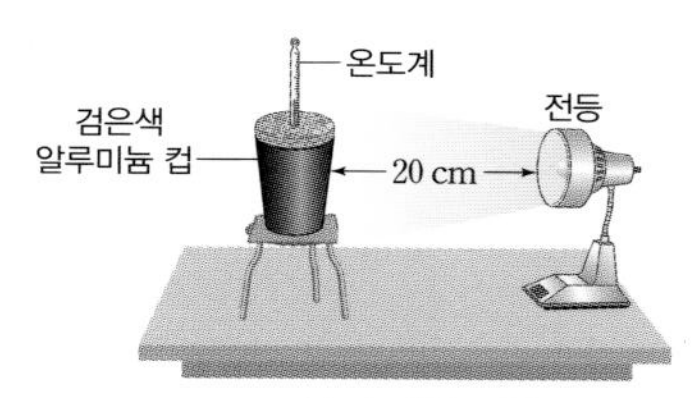

▲ 복사 평형 실험

4. 지구의 복사 평형

① 지구가 태양으로부터 흡수한 태양 복사 에너지양 : ❷ [　　　] %

② 지구가 우주 공간으로 방출하는 지구 복사 에너지양 : ❸ [　　　] %

③ 지구의 연평균 기온: 지구는 복사 평형을 이루므로 연평균 기온이 거의 ❹ [　　　] 하다.

▲ 지구의 복사 평형

❶ 복사 평형
❷ 70
❸ 70
❹ 일정

개념 3 온실 효과와 지구 온난화

1. 온실 효과 지구의 대기가 지구 복사 에너지의 일부를 흡수하였다가 다시 지표로 내보내면서 지구의 평균 기온이 높게 유지되는 효과 – 달 표면 온도 < 지구 표면 온도

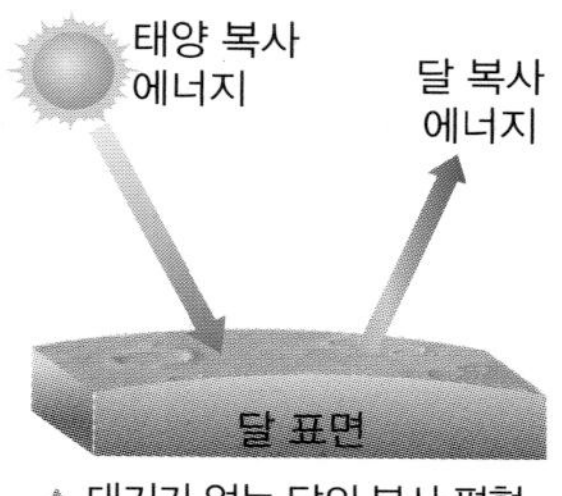

▲ 대기가 없는 달의 복사 평형

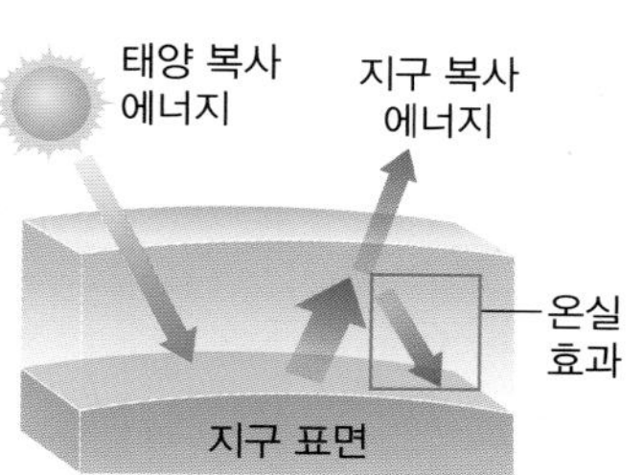

▲ 대기가 있는 지구의 복사 평형

2. 온실 기체 ❺ [　　　] 를 일으키는 기체 (예) 수증기, 이산화 탄소, 메테인 등

3. 지구 온난화 지구의 평균 기온이 점점 ❻ [　　　] 하는 현상

① 지구 온난화의 원인 : 산업 활동이 활발해지면서 ❼ [　　　] 사용량 증가 ➡ 대기 중 온실 기체의 농도 증가로 ❽ [　　　] 효과 강화 ➡ 지구의 평균 기온 상승, 지구 온난화 발생

② 지구 온난화의 영향 : 이상 기후 발생, 해수면 상승, 생태계 교란, 식량 생산이나 수자원 공급에 문제 발생 등

③ 지구 온난화 대응책 : 화석 연료 사용량 줄이기, 친환경 에너지 개발, 온실 기체의 양을 줄이기 위한 국제적 협력

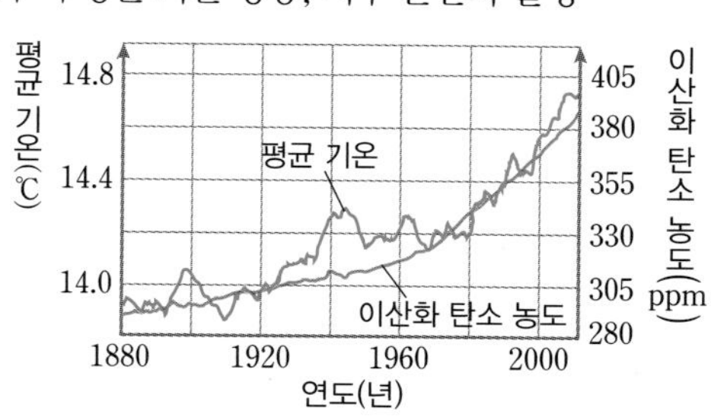

❺ 온실 효과
❻ 상승
❼ 화석 연료
❽ 온실

기초 확인 문제

07 빈칸에 들어갈 알맞은 말을 쓰시오.

(1) 물체가 흡수하는 복사 에너지양과 방출하는 복사 에너지양이 같은 상태를 (　　　　)이라고 한다.

(2) 지구는 흡수하는 태양 복사 에너지양과 방출하는 지구 복사 에너지양이 같아 복사 평형을 이루므로 연평균 (　　　　)이 거의 일정하다.

08 복사 에너지에 대한 설명으로 옳은 것을 〈보기〉에서 모두 고르시오.

보기

ㄱ. 고온의 물체일수록 많은 복사 에너지를 방출한다.

ㄴ. 온도가 일정한 물체는 흡수하는 복사 에너지양이 0이다.

ㄷ. 지구가 흡수하는 태양 복사 에너지를 지구 복사 에너지라고 한다.

(　　　　　　)

09 다음은 지구 복사 에너지에 대한 설명이다. 빈칸에 들어갈 알맞은 말을 쓰시오.

지표면이 방출하는 지구 복사 에너지 중 일부는 대기에 흡수되어 다시 지표면 쪽으로 재방출된다. 그 결과 지구에 대기가 없을 때보다 지구의 평균 기온이 높아지게 되는데 이러한 현상을 (　　　　)라고 한다.

10 그림은 복사 평형 실험을 나타낸 것이다.

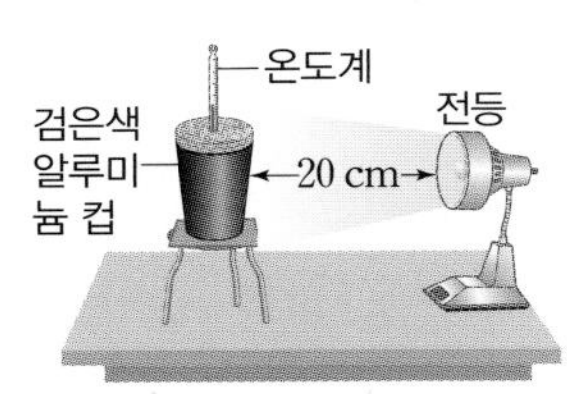

이에 대한 설명으로 옳은 것을 〈보기〉에서 모두 고르시오.

보기

ㄱ. 전등은 태양, 알루미늄 컵은 지구에 비유된다.

ㄴ. 처음에는 온도가 점점 올라가다가 시간이 지나면 일정해진다.

ㄷ. 알루미늄 컵이 흡수하는 복사 에너지양과 방출하는 복사 에너지양이 같으면 온도가 일정해진다.

(　　　　　　)

11 지구에 도달하는 태양 복사 에너지양을 100 %라 할 때, 반사한 에너지양이 30 %라면 지구가 방출하는 지구 복사 에너지양 A는 얼마인지 쓰시오.

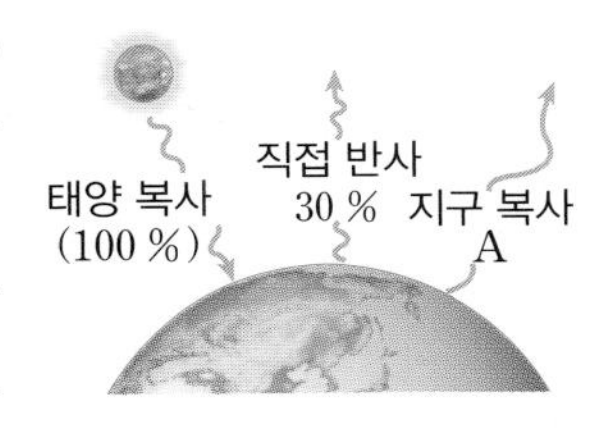

(　　　　　　)

12 지구 온난화를 일으키는 온실 기체를 〈보기〉에서 모두 고르시오.

보기

ㄱ. 질소　　　　ㄴ. 산소

ㄷ. 메테인　　　ㄹ. 이산화 탄소

(　　　　　　)

4일 내신 기출 베스트

대표 예제 1 기권의 구조와 각 층의 특징

지구의 기권 중에서 구름, 비, 눈 등과 같은 기상 현상이 대류권에서 나타나는 까닭은?

① 높이 올라갈수록 기압이 높아지기 때문
② 기권 중 태양 에너지를 가장 많이 받기 때문
③ 공기층이 안정하여 대류 현상이 생기기 때문
④ 기층이 불안정하고 대기 중에 수증기가 있기 때문
⑤ 높이 올라갈수록 지표면이 방출하는 에너지를 많이 받기 때문

개념 가이드

대류권에서는 [ ] 현상이 활발하고, 수증기를 포함하고 있어 눈, 비 등의 [ ] 현상이 나타난다. 답 대류, 기상

대표 예제 2 기권의 구조와 각 층의 특징

지구의 기권을 높이에 따른 기온 분포로 구분할 때 다음에서 설명하는 대기의 층은?

- 대기가 매우 희박하다.
- 오로라 현상이 나타난다.
- 높이 올라갈수록 기온이 높아진다.
- 낮과 밤의 기온 차이가 매우 심하다.

① 대류권 ② 성층권
③ 중간권 ④ 열권
⑤ 오존층

개념 가이드

열권은 [ ]가 매우 희박하여 낮과 밤의 기온 차가 심하고, 높이 올라갈수록 기온이 [ ]한다. 답 대기, 상승

대표 예제 3 복사 평형 실험

그림과 같이 전등을 켜고 2분 간격으로 컵 속 공기의 온도를 측정하는 실험을 하였다. 시간에 따른 온도 변화로 옳은 것은?

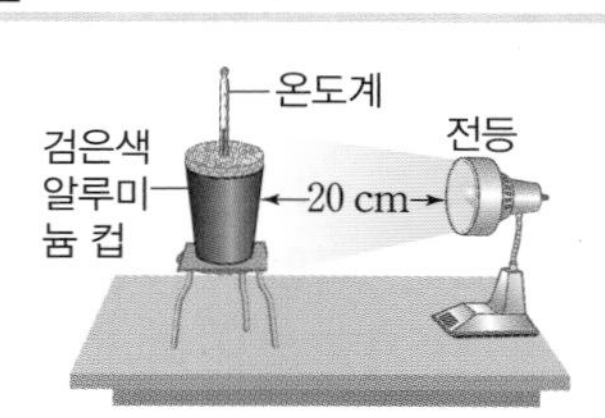

① 온도 O 시간

②
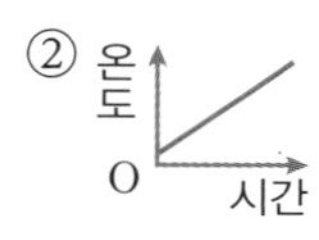

③
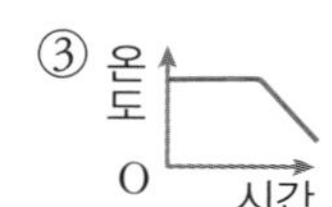

④ 온도 O 시간

⑤

개념 가이드

물체가 흡수하는 복사 에너지양이 방출하는 복사 에너지양보다 많으면 물체의 온도는 [ ]한다. 답 상승

대표 예제 4 지구의 복사 평형

그림은 지구의 복사 평형을 나타낸 것이다.

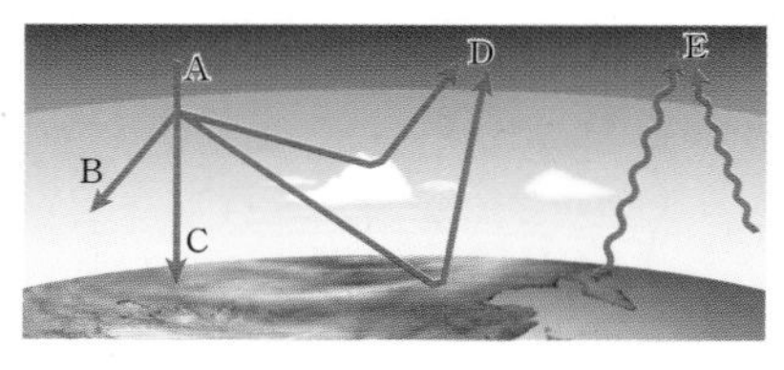

이에 대한 설명으로 옳은 것을 〈보기〉에서 모두 고르시오.

보기

ㄱ. A는 태양 복사 에너지, E는 지구 복사 에너지이다.
ㄴ. B와 C의 합은 D와 같다.
ㄷ. D와 E는 같다.

( )

개념 가이드

지구가 태양으로부터 [ ]하는 에너지양과 지구가 우주로 [ ]하는 에너지양은 같다. 답 흡수, 방출

정답과 해설 72쪽

대표 예제 5 온실 효과와 복사 평형

그림 (가)와 (나)는 지구와 달의 복사 평형 원리를 순서 없이 나타낸 것이다.

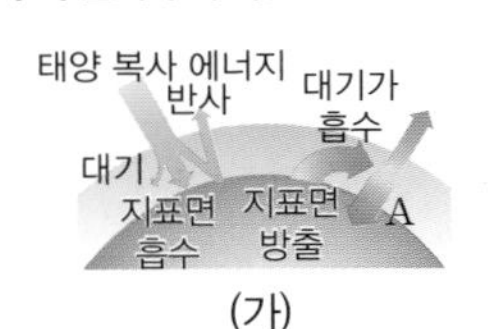

(가)

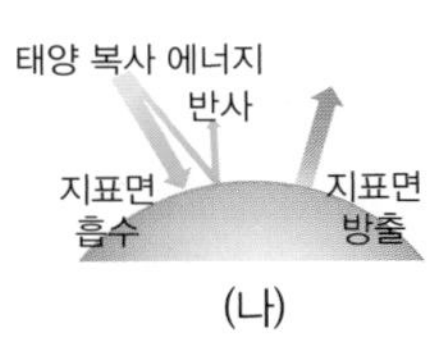

(나)

이에 대한 설명으로 옳은 것을 〈보기〉에서 모두 고르시오.

보기
ㄱ. (가)는 지구, (나)는 달을 나타낸다.
ㄴ. (가)는 (나)보다 지표면의 평균 온도가 높다.
ㄷ. A가 감소하면 (가)의 온도는 점차 상승한다.

( )

개념 가이드

☐는 대기가 있고, ☐은 대기가 없으며, 대기가 있으면 온실 효과가 나타난다. 답 지구, 달

대표 예제 6 온실 기체

그림은 대기 중 이산화 탄소의 농도 변화를 나타낸 것이다. 대기 중 이산화 탄소의 농도가 급증하게 된 원인으로 옳은 것을 〈보기〉에서 모두 고르시오.

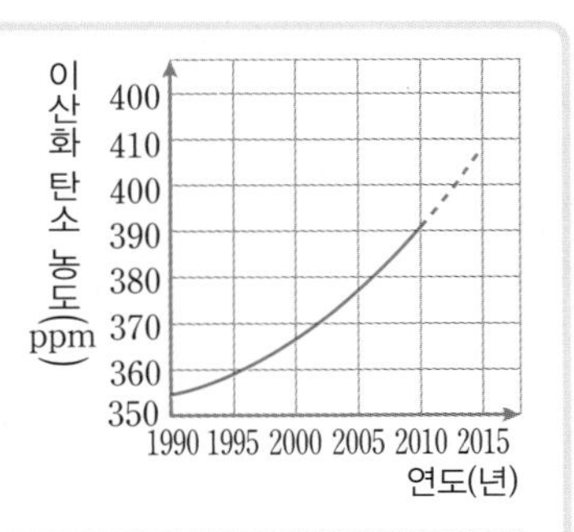

보기
ㄱ. 산업 혁명
ㄴ. 사막화 현상
ㄷ. 화석 연료의 사용량 증가

( )

개념 가이드

☐는 산업 혁명에 따른 ☐ 사용량의 증가로 대기 중 농도가 증가하였다. 답 이산화 탄소, 화석 연료

대표 예제 7 지구 온난화의 영향

지구 온난화의 영향으로 나타나는 현상이 아닌 것은?

① 해수면이 상승한다.
② 식물의 서식지가 변화한다.
③ 집중 호우와 홍수가 발생한다.
④ 가뭄과 사막화 현상 등이 일어난다.
⑤ 대기 중 이산화 탄소의 양이 감소한다.

개념 가이드

대기 중 이산화 탄소의 양이 ☐하면 지구의 온도가 상승하는 현상인 ☐가 일어난다. 답 증가, 지구 온난화

대표 예제 8 지구 온난화 대응책

지구 온난화로 인해 세계 곳곳에서는 여러 가지 문제가 발생하고 있다. 빈칸에 지구 온난화의 대응책에 대한 예시로 알맞은 말을 쓰시오.

- ㉠ ( ) 연료 사용량 줄이기
- ㉡ ( ) 에너지 개발
- ㉢ ( ) 기체의 양을 줄이기 위한 국제적 협력

개념 가이드

☐ 사용 시 발생하는 ☐ 기체의 양을 줄이고 친환경 에너지를 개발하면 지구 온난화를 줄일 수 있다. 답 화석 연료, 온실

5일 구름과 강수

그림으로 개념 잡기
20 ℃
난 온도가 높아서
많이 품을 수 있어.
와글
와글
수증기
10 ℃
난 온도가 낮아서
많이 품을 수 없어……..
어서 와!
서두르지 마.
천천히 올라갈게.
빨리
빨리~
아! 더워.
어서 빨리 위로
올라가자.
앗, 뜨거워!

공부할 내용

❶ 포화 수증기량, 이슬점
❷ 상대 습도
❸ 구름의 생성 원리
❹ 강수 이론

Quiz

1. 기온이 높을수록 포화 수증기량은 ❶ (증가, 감소)하고, 현재 수증기량이 많을수록 이슬점이 ❷ (높다, 낮다).
2. 공기 덩어리가 단열 팽창하면 기온이 ❸ (상승, 하강)한다.

답 ❶ 증가 ❷ 높다 ❸ 하강

5일 교과서 **핵심 정리 ①**

개념 1 포화 수증기량과 이슬점

1. 포화 공기가 수증기를 최대한 포함한 상태 – (증발량 = 응결량)인 상태

2. 포화 수증기량 포화 상태의 공기 1 kg에 들어 있는 수증기의 양을 g으로 나타낸 것 ➡ 기온이 높을수록 포화 수증기량은 ❶ ☐ 한다.

① 포화 상태의 공기 : 현재 수증기량 = 포화 수증기량 ➡ 포화 수증기량 곡선상에 있는 공기

② 불포화 상태의 공기 : 현재 수증기량 < 포화 수증기량 ➡ 포화 수증기량 곡선 아래에 있는 공기

③ 불포화 상태의 공기를 포화 상태로 만드는 방법 : 온도를 낮추거나 수증기를 공급한다.

3. 이슬점 공기 중의 수증기가 ❷ ☐ 하기 시작하는 온도 ➡ 불포화 상태의 공기가 ❸ ☐ 될 때 포화 상태에 도달하여 응결이 일어나기 시작하는 온도

① 이슬점의 변화 요인 : ❹ ☐ – 현재 수증기량이 많을수록 이슬점이 높다.

② 이슬점에서의 포화 수증기량 : 현재 수증기량과 같다.

4. 응결량 공기를 냉각시킬 때 응결되는 수증기의 양은 (현재 수증기량 − 냉각된 온도에서의 ❺ ☐)이다.

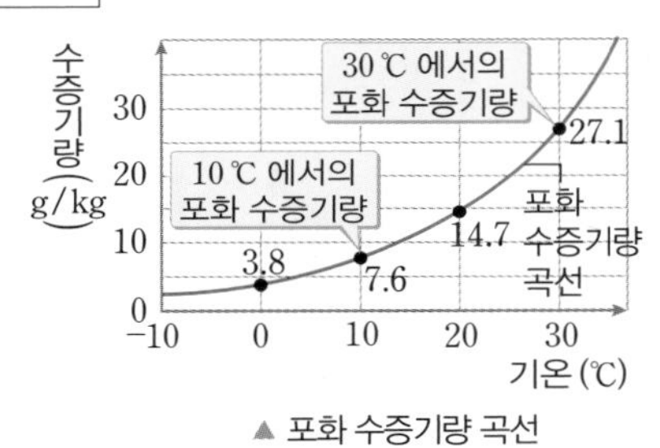

▲ 포화 수증기량 곡선

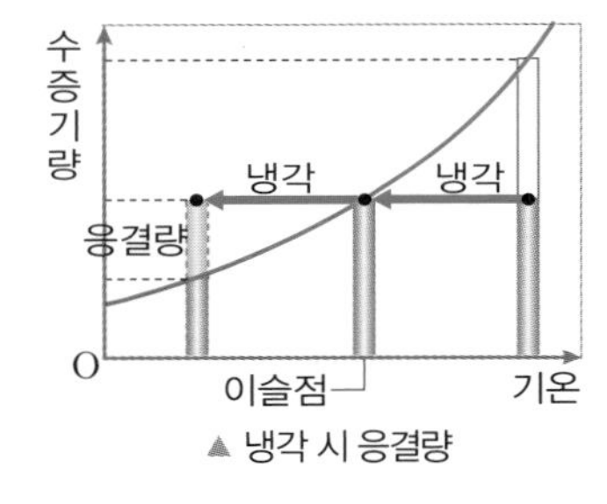

▲ 냉각 시 응결량

개념 2 상대 습도

1. 상대 습도 공기의 건조하고 습한 정도를 %로 나타낸 것

$$\text{상대 습도} = \frac{\text{현재 수증기량}}{\text{현재 온도에서의 포화 수증기량}} \times 100$$

$$= \frac{❻ \square \text{에서의 포화 수증기량}}{\text{현재 온도에서의 포화 수증기량}} \times 100$$

2. 맑은 날 기온, 상대 습도, 이슬점의 변화 맑은 날 기온과 상대 습도의 변화 경향은 서로 반대로 나타난다.

① ❼ ☐ : 하루 중 새벽에 가장 낮으며, 오후 2~3시경에 가장 높다.

② ❽ ☐ : 하루 중 새벽에 가장 높으며, 오후 2~3시경에 가장 낮다.

③ ❾ ☐ : 맑은 날에는 대기 중에 포함된 수증기량이 거의 일정하므로 이슬점은 크게 변하지 않으며 거의 일정하게 유지된다.

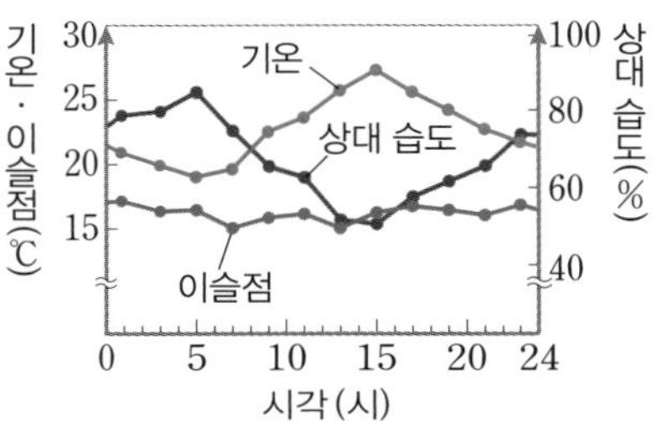

❶ 증가
❷ 응결
❸ 냉각
❹ 현재 수증기량
❺ 포화 수증기량
❻ 이슬점
❼ 기온
❽ 상대 습도
❾ 이슬점

기초 확인 문제

정답과 해설 74쪽

01 빈칸에 들어갈 알맞은 말을 쓰시오.

(1) (　　　　　　)는 어떤 온도에서 공기가 수증기를 최대한으로 포함한 상태이다.

(2) (　　　　　　)이란 포화 상태의 공기 1 kg에 포함된 수증기량을 의미한다.

(3) 불포화 상태의 공기가 냉각될 때 포화 상태에 도달하여 수증기가 응결되기 시작하는 온도를 (　　　　　　)이라고 한다.

(4) 공기의 건조하고 습한 정도를 %로 나타낸 것을 (　　　　　　)라고 한다.

02 그림은 포화 수증기량 곡선을 나타낸 것이다.

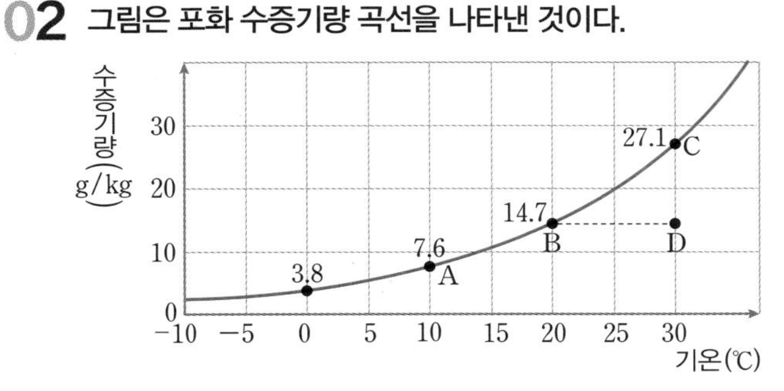

(1) A~D 중 포화 상태의 공기를 모두 고르시오.
(　　　　　　)

(2) A~D 공기의 포화 수증기량을 각각 쓰시오.
(　　　　　　)

(3) A~D 공기의 이슬점을 각각 쓰시오.
(　　　　　　)

(4) A~D 공기의 상대 습도를 각각 쓰시오.
(　　　　　　)

(5) D 공기 1 kg을 10 ℃까지 냉각시켰을 때 수증기의 응결량을 구하시오.
(　　　　　　)

03 표는 기온에 따른 포화 수증기량을 나타낸 것이다. 현재 기온이 25 ℃인 방 안 공기 1 kg 속에 수증기가 12.0 g 포함되어 있을 때 다음을 각각 구하시오.

기온(℃)	10	15	20	25	30
포화 수증기량 (g/kg)	7.6	12.0	14.7	20.0	27.1

(1) 이 공기의 이슬점을 쓰시오.
(　　　　　　)

(2) 이 공기의 포화 수증기량을 쓰시오.
(　　　　　　)

(3) 이 공기의 상대 습도를 구하시오.
(　　　　　　)

04 그림은 맑은 날 하루 동안의 날씨 변화를 나타낸 것이다.

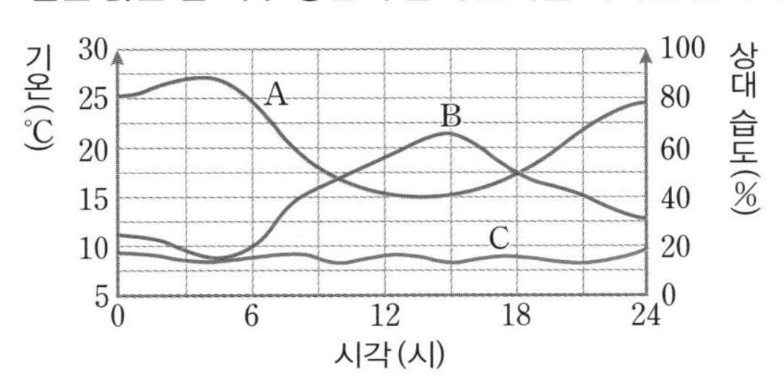

이 그래프에 대한 해석으로 옳지 않은 것은?

① A는 기온, B는 상대 습도, C는 이슬점이다.
② 하루 중 해 뜨기 전 새벽 무렵이 가장 습하다.
③ C는 공기 중에 포함된 수증기량과 관련이 있다.
④ 상대 습도의 변화는 기온과 이슬점의 변화에 영향을 받는다.
⑤ 낮에는 기온이 높아져서 포화 수증기량이 증가하므로 상대 습도가 낮아진다.

5일 교과서 핵심 정리 ②

개념 3 구름의 생성

1. 단열 팽창 주변과 열 교환 없이 기압이 감소하여 공기 덩어리의 부피가 늘어나면서 기온이 ❶[   ]하는 현상 → 단열 압축 시 기온 상승

2. 구름의 생성 과정

공기 덩어리 상승 → 단열 팽창 → 온도 하강 → ❷[   ] 도달, 수증기의 응결 → 구름 생성

3. 구름 발생 실험 – 향의 연기의 역할 : 응결핵

과정	페트병 내부 모습 변화	페트병 내부의 온도 변화
페트병을 압축시킬 때	변화 없음.	❸[ ]
페트병을 팽창시킬 때	뿌옇게 흐려짐.	❹[ ]

4. 구름의 종류 구름은 모양에 따라 적운형 구름과 층운형 구름으로 분류

구분	공기의 상승 운동	특징	비
적운형 구름	❺[ ]할 때 생성	수직으로 발달	소나기
층운형 구름	약할 때 생성	옆으로 넓게 퍼짐.	❻[ ]

개념 4 강수 이론(병합설과 빙정설)

병합설(따뜻한 비 이론)	빙정설(찬 비 이론)
• 구름 속 온도가 0 ℃ 이상일 때 • 구름 속 물방울끼리 서로 충돌하여 뭉쳐서 비로 내린다. → ❼[ ] 약 100만 개가 병합하여 빗방울 한 개를 형성한다.	• 구름 속 온도가 0 ℃ 이하일 때 • 과냉각 물방울에서 증발(기화)한 수증기가 ❽[ ]에 달라붙어(승화) 커져서 떨어지면 눈, 떨어지다 녹으면 비가 내린다.

❶ 하강
❷ 이슬점
❸ 상승
❹ 하강
❺ 강
❻ 이슬비
❼ 물방울
❽ 빙정

기초 확인 문제

정답과 해설 74쪽

05 공기 덩어리가 상승하면 주위의 기압이 낮아져 부피가 팽창하는데, 이때 외부와의 열 교환 없이 부피가 팽창하면서 온도가 낮아지는 현상을 무엇이라고 하는지 쓰시오.

( )

06 다음은 구름의 생성 과정을 나타낸 것이다.

> 공기 덩어리 상승 → (㉠) → 공기 덩어리의 온도 (㉡) → (㉢) 도달 → 수증기의 (㉣) → 구름 생성

빈칸에 들어갈 알맞은 말을 순서대로 옳게 나열한 것은?

	㉠	㉡	㉢	㉣
①	단열 팽창	상승	이슬점	응결
②	단열 팽창	하강	끓는점	기화
③	단열 팽창	하강	이슬점	응결
④	단열 압축	상승	끓는점	응결
⑤	단열 압축	하강	이슬점	응결

07 구름이 발생하는 경우가 아닌 경우는?

① 산비탈을 타고 공기가 상승할 때
② 찬 공기와 따뜻한 공기가 만날 때
③ 저기압 중심으로 공기가 모여들 때
④ 고기압 중심에서 하강 기류가 발달할 때
⑤ 지표면의 불균등 가열로 공기가 상승할 때

08 다음은 공기의 상승 운동에 따른 구름의 종류를 설명한 글이다. 빈칸에 들어갈 알맞은 말을 쓰시오.

> 공기의 상승 운동이 약할 때는 구름이 옆으로 퍼지는 ㉠ ( )형 구름이 만들어지고, 공기의 상승 운동이 강할 때는 구름이 수직으로 발달하는 ㉡ ( )형 구름이 만들어진다.

09 온대나 한대 지방에서 내리는 눈의 생성 과정을 옳게 설명한 것은?

① 물방울이 얼어붙어서 만들어진다.
② 얼음 알갱이가 충돌하여 만들어진다.
③ 물방울에 수증기가 달라붙어서 만들어진다.
④ 얼음 알갱이에 수증기가 달라붙어서 만들어진다.
⑤ 물방울에 얼음 알갱이가 달라붙어서 만들어진다.

10 그림은 어느 강우 이론에 의해 비가 내리는 원리를 표현한 것이다. 이 강우 이론과 관련된 내용을 〈보기〉에서 모두 고르시오.

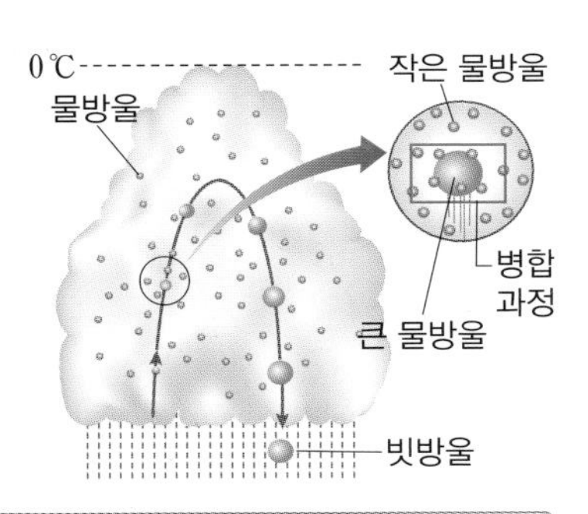

보기
ㄱ. 따뜻한 비　　ㄴ. 찬 비
ㄷ. 온대나 한대 지방　　ㄹ. 열대 지방

( )

5일 내신 기출 베스트

대표 예제 1 포화 수증기량 곡선

그림은 기온과 포화 수증기량의 관계를 나타낸 것이다. 이에 대한 설명으로 옳은 것을 〈보기〉에서 모두 고르시오.

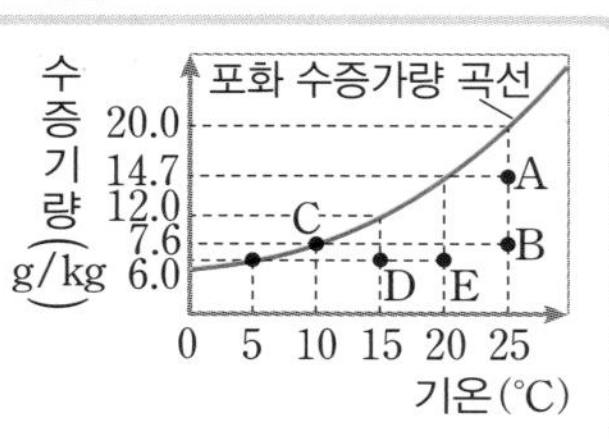

보기

ㄱ. 기온이 높을수록 포화 수증기량이 증가한다.

ㄴ. A와 B는 포화 수증기량이 같다.

ㄷ. C는 (현재 수증기량 = 포화 수증기량)이다.

ㄹ. D는 E보다 이슬점이 낮다.

(　　　　　　　　)

개념 가이드

수증기를 첨가하여 [　　] 상태로 만들었을 때의 수증기량이 [　　]이다.

답 포화, 포화 수증기량

대표 예제 2 이슬점 측정 실험

현재 기온이 30 ℃인 실험실에서 그림과 같이 장치하고 컵 표면이 뿌옇게 흐려지기 시작했을 때의 온도를 측정하였더니 20 ℃였다. 이 실험실 공기의 이슬점은?

① 0 ℃　② 5 ℃　③ 10 ℃　④ 20 ℃　⑤ 25 ℃

개념 가이드

공기를 [　　]시킬 때 최초로 수증기가 [　　]하기 시작하는 온도를 이슬점이라고 한다.

답 냉각, 응결

대표 예제 3 수증기가 응결되는 양

그림은 온도와 포화 수증기량의 관계를 나타낸 것이다.

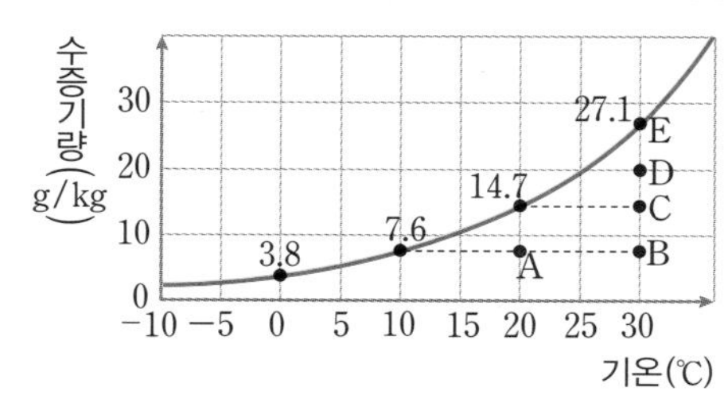

A~E 중에서 10 ℃까지 냉각시켰을 때 응결량이 가장 많은 공기를 쓰시오.

(　　　　　　　　)

개념 가이드

공기를 냉각시켰을 때 응결량은 ([　　] 수증기량 − 냉각된 온도에서의 [　　])이다.

답 현재, 포화 수증기량

대표 예제 4 상대 습도

표는 기온에 따른 포화 수증기량을 나타낸 것이다.

기온(℃)	5	10	15	20	25
포화 수증기량(g/kg)	6.0	7.6	12.0	14.7	20.0

현재 기온이 20 ℃인 공기 3 kg 속에 36 g의 수증기가 포함되어 있을 때 이 공기의 이슬점과 상대 습도를 각각 구하시오.

(1) 이슬점 : (　　　　　　　　)

(2) 상대 습도 : (　　　　　　　　)

개념 가이드

상대 습도는 [　　]에 대한 [　　]의 비를 백분율로 나타낸 것이다.

답 포화 수증기량, 현재 수증기량

대표 예제 5 단열 팽창

단열 변화에 대한 설명으로 옳은 것은?

① 외부와 열을 주고받는 변화이다.
② 단열 팽창은 부피가 감소하는 변화이다.
③ 단열 팽창은 공기가 하강할 때 일어난다.
④ 단열 압축되면 압축된 공기의 온도는 상승한다.
⑤ 단열 팽창이 일어나면 팽창한 공기의 온도와 이슬점의 차이는 점차 커진다.

개념 가이드

공기 덩어리가 [ ]하면 주변 기압이 낮아지므로 공기 덩어리가 단열 [ ]한다. 답 상승, 팽창

대표 예제 6 구름의 생성

공기 덩어리가 상승할 때 공기 덩어리 내부의 변화로 옳은 것을 〈보기〉에서 모두 고른 것은?

보기
ㄱ. 부피는 팽창한다.
ㄴ. 온도는 하강한다.
ㄷ. 상대 습도는 감소한다.
ㄹ. 포화 수증기량은 감소한다.

① ㄱ, ㄴ ② ㄴ, ㄹ ③ ㄱ, ㄴ, ㄷ
④ ㄱ, ㄴ, ㄹ ⑤ ㄴ, ㄷ, ㄹ

개념 가이드

공기 덩어리가 단열 팽창하면 온도가 [ ]하므로 포화 수증기량은 [ ]한다. 답 하강, 감소

대표 예제 7 구름 생성 실험

그림과 같이 페트병에 약간의 물과 액정 온도계, 향의 연기를 넣고 압축 펌프로 페트병의 입구를 막았다. 그 후 펌프를 여러 번 누른 뒤 뚜껑을 열면 페트병 내부의 기온은 어떻게 되는지 쓰시오.

( )

개념 가이드

공기를 [ ]시키면 공기의 온도는 상승하고, [ ]시키면 공기의 온도는 하강한다. 답 단열 압축, 단열 팽창

대표 예제 8 강수 이론

그림은 고위도 지방에서 수직으로 발달한 구름의 단면을 나타낸 것이다. 빙정에 수증기가 달라붙어 커지면 눈이 되고, 녹으면 비가 된다는 이 강수 이론의 이름을 쓰시오.

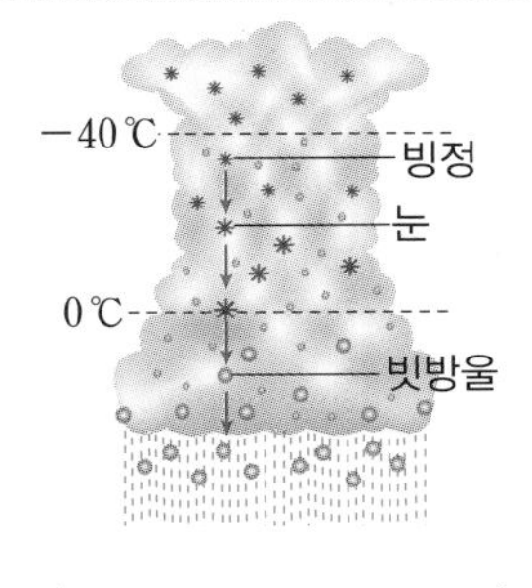

( )

개념 가이드

[ ]은 저위도 지방, [ ]은 고위도 지방에서 내리는 비를 설명하는 이론이다. 답 병합설, 빙정설

6일 누구나 100점 테스트 1회

01 다음은 세 학생이 물리 변화와 화학 변화에 대해 이야기를 나눈 것이다.

옳게 말한 학생을 모두 골라 놓은 것은?

① 혜원 ② 도현 ③ 은수
④ 혜원, 도현 ⑤ 도현, 은수

02 화학 변화가 일어날 때 변하는 것을 〈보기〉에서 모두 고른 것은?

보기	
ㄱ. 원자의 배열	ㄴ. 분자의 종류
ㄷ. 물질의 성질	ㄹ. 원자의 종류

① ㄱ, ㄴ ② ㄴ, ㄷ ③ ㄱ, ㄹ
④ ㄱ, ㄴ, ㄷ ⑤ ㄱ, ㄴ, ㄹ

03 수소와 산소가 반응하여 물이 생성되는 화학 반응식으로 옳은 것은?

① $H + O \rightarrow HO$
② $H_2 + O_2 \rightarrow H_2O$
③ $2H_2 + O_2 \rightarrow H_2O$
④ $2H_2 + O_2 \rightarrow 2H_2O$
⑤ $2H_2 + 2O_2 \rightarrow 2H_2O$

04 다음 화학 반응식으로 알 수 있는 것에 대한 설명으로 옳지 않은 것은?

$$N_2 + 3H_2 \rightarrow 2NH_3$$

① 생성 물질은 암모니아이다.
② 반응 물질은 질소와 수소이다.
③ 반응 전후 분자의 종류는 같다.
④ 반응 전후 전체 원자 수는 변하지 않는다.
⑤ 화학 반응식의 계수비와 분자 수비는 1:3:2이다.

05 질량 보존 법칙이 성립하는 까닭으로 옳은 것은?

① 분자 배열이 달라지기 때문이다.
② 반응 후 새로운 원자가 생성되기 때문이다.
③ 반응 후 새로운 분자가 생성되기 때문이다.
④ 반응 후 물질을 이루는 원자의 질량이 변하기 때문이다.
⑤ 물질의 이루는 원자의 종류와 개수가 변하지 않기 때문이다.

06 탄산 나트륨 수용액과 염화 칼슘 수용액을 반응시킬 때 일어나는 변화를 관찰하였다.

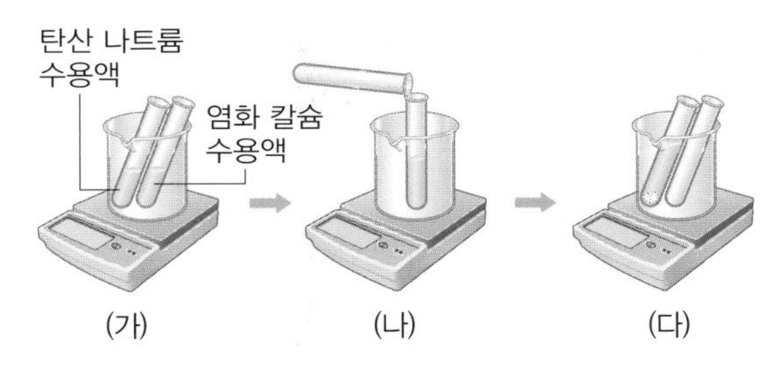

이에 대한 설명으로 옳지 않은 것은?

① 이 반응은 화학 변화이다.
② 질량 보존 법칙이 성립한다.
③ (가)와 (다)의 질량은 같다.
④ (나)에서 이산화 탄소가 발생한다.
⑤ (다)에서 흰색 앙금이 생성된다.

07 그림은 구리와 산소가 반응하여 산화 구리(Ⅱ)가 생성될 때 구리와 산화 구리(Ⅱ)의 질량 관계를 나타낸 것이다.

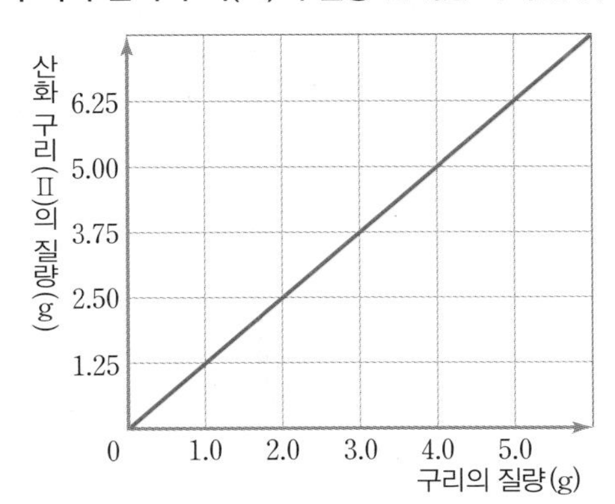

산화 구리(Ⅱ)가 생성될 때 반응하는 구리와 산소의 질량비는?

① 1:2 ② 2:1 ③ 4:5
④ 1:3 ⑤ 4:1

08 그림은 질소 기체와 수소 기체가 반응하여 암모니아 기체가 발생한 반응을 모형으로 나타낸 것이다.

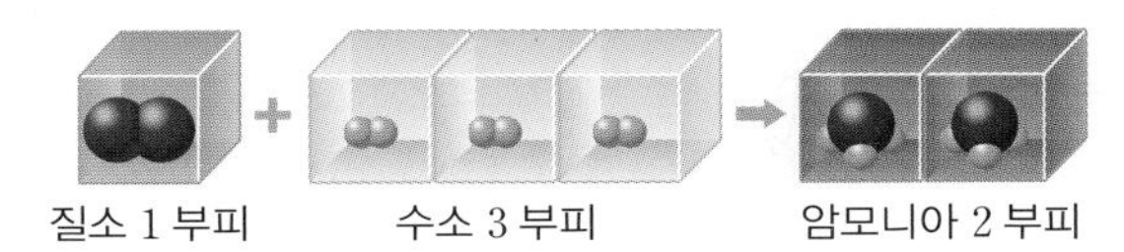

질소 기체 20 mL와 수소 기체 60 mL를 밀폐된 용기에 넣고 암모니아를 만들 때 암모니아의 부피는?

① 20 mL ② 30 mL ③ 40 mL
④ 50 mL ⑤ 60 mL

09 화학 반응에서 일어나는 에너지 출입에 대한 설명으로 옳은 것을 〈보기〉에서 모두 고른 것은?

보기
ㄱ. 열을 방출하는 반응은 발열 반응이다.
ㄴ. 에너지가 출입하지 않는 화학 반응도 있다.
ㄷ. 에너지를 흡수하는 반응이 일어나면 주위의 온도가 높아진다.

① ㄱ ② ㄴ ③ ㄷ
④ ㄱ, ㄷ ⑤ ㄴ, ㄷ

10 화학 반응이 일어날 때 에너지를 방출하는 반응을 모두 고르면? (정답 2개)

① 철이 녹스는 반응
② 식물의 광합성 반응
③ 질산 암모늄과 물의 반응
④ 마그네슘과 묽은 염산의 반응
⑤ 수산화 바륨과 염화 암모늄의 반응

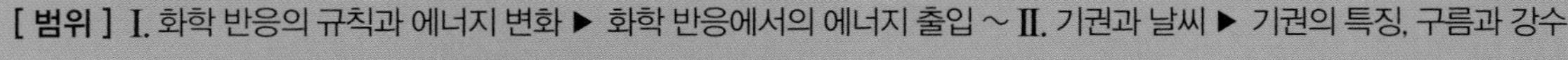

누구나 100점 테스트 2회

01 묽은 염산에 아연 조각을 넣으면 수소 기체가 발생한다. 이 반응에 대한 설명으로 옳은 것을 〈보기〉에서 모두 고른 것은?

보기
ㄱ. 열에너지를 흡수한다.
ㄴ. 주위의 온도가 높아진다.
ㄷ. 철이 녹스는 반응과 열의 출입 방향이 같다.

① ㄱ　② ㄴ　③ ㄷ
④ ㄱ, ㄷ　⑤ ㄴ, ㄷ

02 에너지를 흡수하는 화학 반응을 활용하는 예를 〈보기〉에서 모두 고른 것은?

보기
ㄱ. 제설제　ㄴ. 휴대용 손난로
ㄷ. 휴대용 냉각 팩

① ㄱ　② ㄴ　③ ㄷ
④ ㄱ, ㄴ　⑤ ㄴ, ㄷ

03 만약 성층권 내의 오존층이 없다면 기권의 기온 분포는 어떻게 될지 옳게 예측한 것은?

①
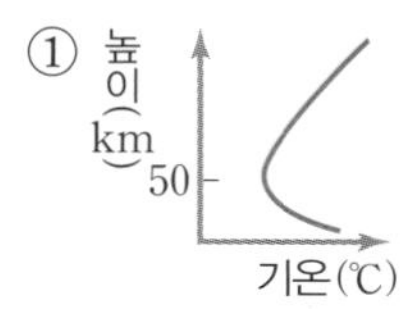

②
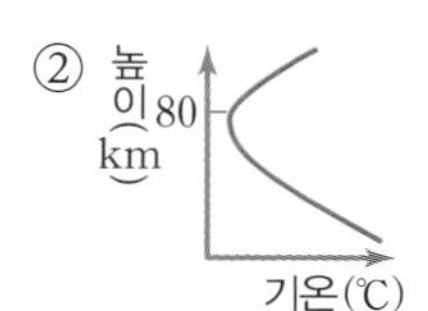

③
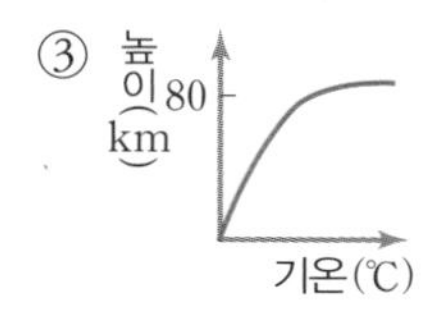

④
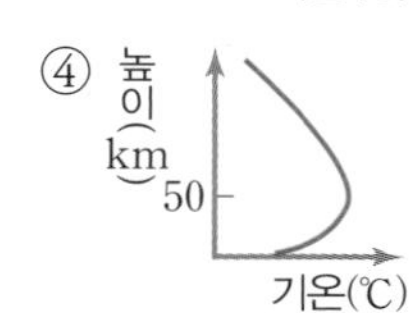

⑤
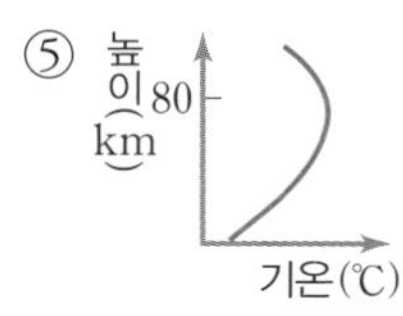

04 그림 (가)와 같이 검은색 알루미늄 컵에 온도계를 꽂은 후 전등을 켜고 온도 변화를 관찰하였더니 결과가 (나)와 같았다.

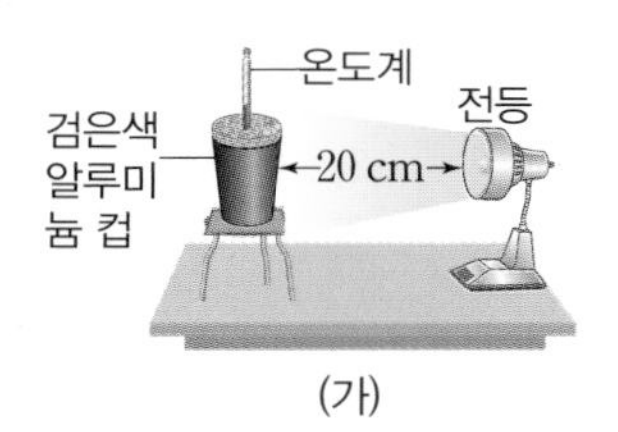

(가)

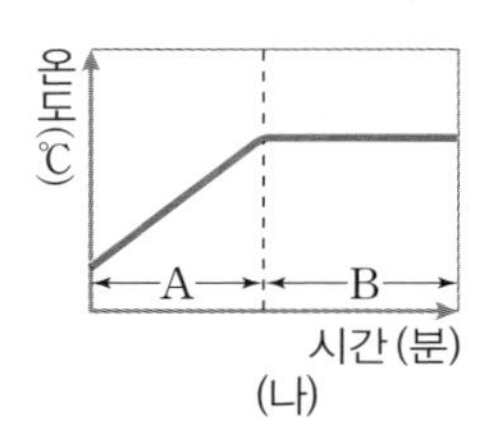

(나)

이 실험에 대한 설명으로 옳은 것은?

① 지구의 복사 평형과 비교할 때 전등은 지구, 컵은 태양에 비유된다.
② A 구간은 복사 평형 상태이다.
③ A 구간에서는 컵이 흡수하는 에너지양이 방출하는 에너지양보다 적다.
④ B 구간에서는 흡수하는 에너지양이 0이다.
⑤ B 구간에서는 컵이 흡수하는 복사 에너지양과 방출하는 복사 에너지양이 같다.

05 지구의 연평균 기온이 일정한 까닭은?

① 지구에 대기와 물이 존재하므로
② 태양 복사 에너지를 계속 흡수하므로
③ 지구 표면의 온도가 계속 변하고 있으므로
④ 지구가 방출하는 복사 에너지가 매우 적으므로
⑤ 지구가 흡수하는 태양 복사 에너지양과 방출하는 지구 복사 에너지양이 같으므로

06 다음은 세 학생이 대기 중의 수증기에 대해 이야기를 나눈 것이다.

옳게 말한 학생을 모두 고른 것은?

① 혜원 ② 도현 ③ 지아
④ 혜원, 도현 ⑤ 도현, 지아

07 상대 습도가 가장 낮은 것은?

	기온	이슬점		기온	이슬점
①	15 ℃	14 ℃	②	15 ℃	15 ℃
③	20 ℃	15 ℃	④	25 ℃	4 ℃
⑤	30 ℃	30 ℃			

08 페트병에 간이 펌프를 장치한 다음 펌프를 누른 후 페트병의 뚜껑을 열었을 때 나타나는 변화로 옳은 것은?

① 페트병 내부는 맑아진다.
② 페트병 내부는 뿌옇게 흐려진다.
③ 페트병 속 공기의 온도는 상승한다.
④ 페트병 속의 공기는 단열 압축된다.
⑤ 페트병 내부의 포화 수증기량은 증가한다.

09 그림과 같이 지표면의 공기 덩어리가 위로 상승하는 과정에서 일어나는 변화로 옳지 않은 것은?

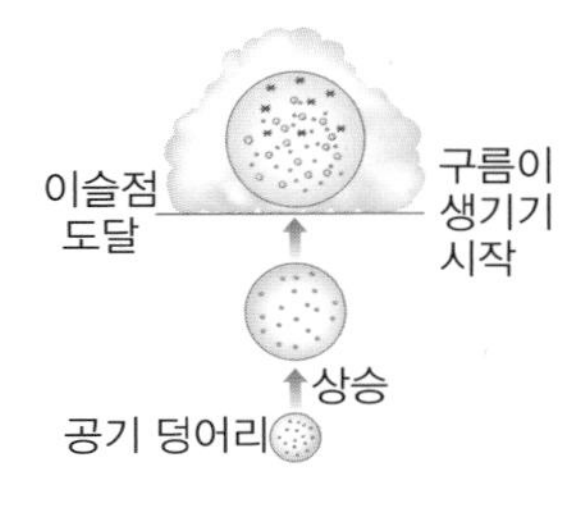

① 주변 기압의 하강
② 공기 덩어리의 온도 하강
③ 공기 덩어리의 단열 팽창
④ 공기 덩어리의 상대 습도 증가
⑤ 공기 덩어리의 포화 수증기량 증가

10 그림은 어느 지역에 발달한 구름을 나타낸 것이다.

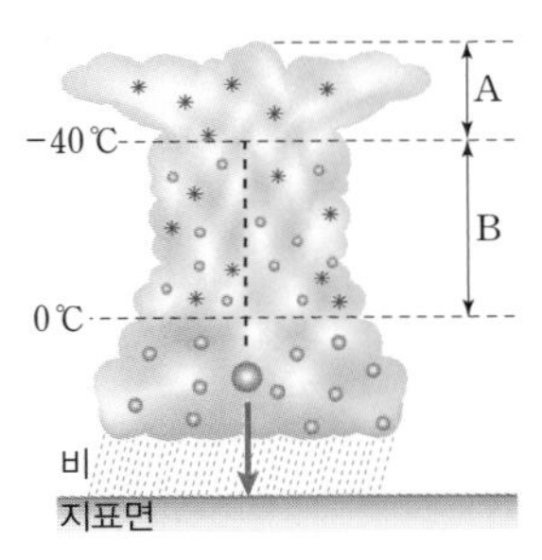

이에 대한 설명으로 옳은 것을 〈보기〉에서 모두 고른 것은?

보기
ㄱ. 온대나 한대 지방에서 내리는 비를 설명하는 그림이다.
ㄴ. A층에서는 빙정에 수증기가 달라붙어 커진다.
ㄷ. B층에 있는 과냉각 물방울의 크기는 점점 커진다.

① ㄱ ② ㄷ ③ ㄱ, ㄴ
④ ㄴ, ㄷ ⑤ ㄱ, ㄴ, ㄷ

6일 서술형·사고력 테스트

01 그림은 물의 두 가지 변화를 모형으로 나타낸 것이다.

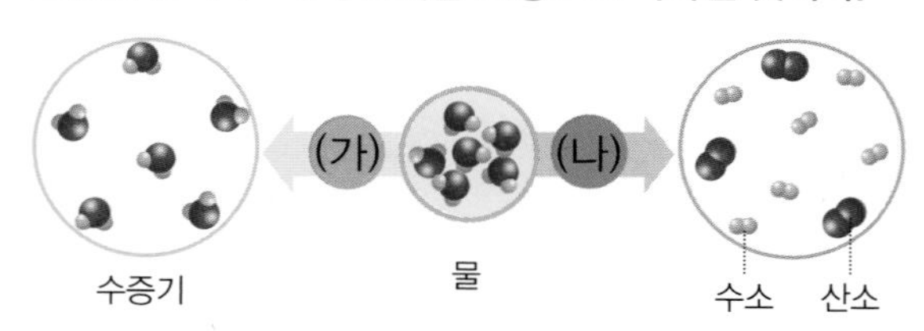

(1) (가)와 (나)를 물리 변화와 화학 변화로 구분하여 쓰시오.

(가) : (　　　　　　　　)

(나) : (　　　　　　　　)

(2) (1)과 같이 생각한 까닭을 서술하시오.

02 질소 기체(N_2)와 수소 기체(H_2) 반응하여 암모니아 기체(NH_3)가 발생한 화학 반응식이다.

$$N_2 + 3H_2 \rightarrow 2NH_3$$

(1) 질소 : 수소 : 암모니아의 계수비를 쓰시오.

(　　　　　　　　)

(2) 위 화학 반응에서 반응 전후 물질의 질량은 변하지 않는다. 그 까닭을 서술하시오.

03 그림은 수소 기체와 산소 기체의 화학 반응에 의해 수증기가 생성되는 반응을 모형으로 나타낸 것이다. (단, 반응 전후에 온도와 압력은 같다.)

(1) 위 반응을 화학 반응식으로 나타낼 경우 (　　) 안에 들어갈 숫자를 쓰시오.

(　　)$H_2 + O_2 \rightarrow$ (　　)H_2O

(2) 수소 기체 40 mL와 산소 기체 20 mL를 반응시켰을 때 생성되는 수증기의 부피와 그 까닭을 서술하시오.

04 표는 화학 반응을 에너지 출입 방향에 따라 (가)와 (나)로 분류한 것이다.

(가)	(나)
• 질산 암모늄과 물의 반응 • 수산화 바륨과 염화 암모늄의 반응	• 연료의 연소 반응 • 마그네슘과 묽은 염산의 반응

(1) (가)와 (나)를 발열 반응과 흡열 반응으로 구분하여 쓰시오.

(가) : (　　　　　　　　) 반응

(나) : (　　　　　　　　) 반응

(2) (가)와 (나) 반응이 일어날 때 주위의 온도 변화를 서술하시오.

05 그림은 기온과 포화 수증기량의 관계를 나타낸 것이다.

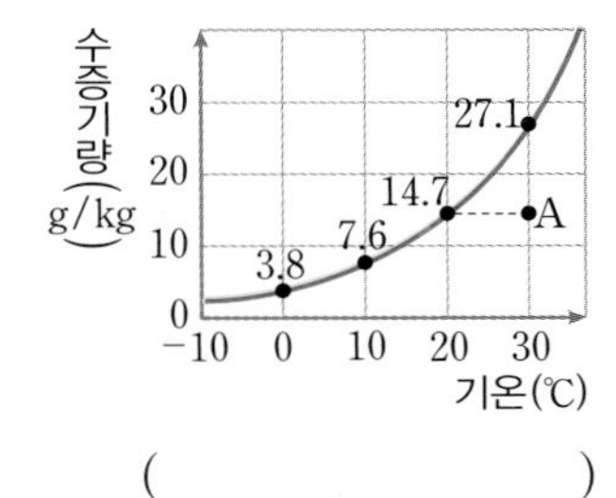

(1) A 공기의 상대 습도를 구하시오.

( )

(2) A 공기 5 kg을 10 ℃까지 냉각시킬 때 응결량을 구하시오.

( )

(3) A 공기 5 kg을 포화 상태로 만드는 방법을 서술하시오.

06 다음은 친구들의 대화를 나타낸 것이다.

방 안의 기온이 25 ℃이고, 물방울이 맺히기 시작할 때의 온도가 10 ℃이며, 방 안에 있는 공기의 총 질량이 15 kg이라면, 방 안에 있는 수증기의 총 질량을 구하는 방법을 서술하시오.

07 그림은 서로 다른 지역의 구름 속에서 비나 눈이 내리는 과정을 나타낸 것이다.

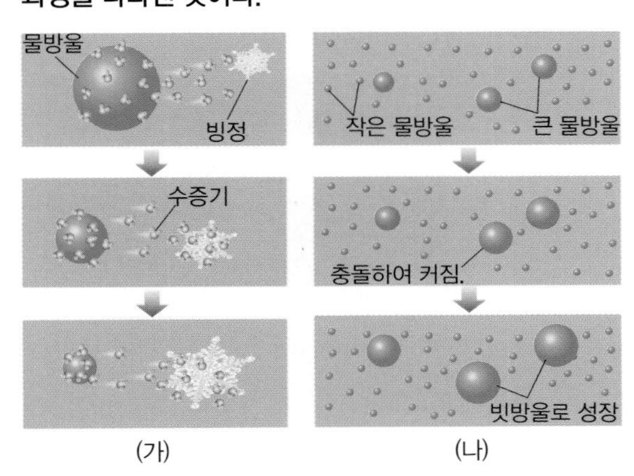

(가) (나)

(1) (가)와 (나)로 비나 눈이 내리는 것을 설명하는 지방은 각각 어디인지 쓰시오.

(가) : ( ) 지방

(나) : ( ) 지방

(2) (가)에서 눈이나 비가 내리는 과정을 다음 용어를 모두 포함하여 서술하시오.

과냉각 물방울, 빙정, 승화, 증발

(3) (나)에서 비가 내리는 과정을 서술하시오.

6일 창의·융합·코딩 테스트

창의 융합

01 마그네슘(Mg)을 연소시키면 산화 마그네슘(MgO)이 만들어진다. 표는 마그네슘이 연소하는 반응을 화학 반응식으로 나타내는 방법이다.

단계	방법
1	반응 물질과 생성 물질의 이름으로 화학 반응을 표현하기 마그네슘 + 산소 → ((가))
2	반응 물질과 생성 물질을 화학식으로 표현하기 $Mg + O_2 \rightarrow MgO$
3	반응 전후에 원자의 종류와 개수가 같도록 계수를 맞추기 <산소 개수 맞추기> $Mg + O_2 \rightarrow 2MgO$ <마그네슘 개수 맞추기> ((나))$Mg + O_2 \rightarrow$ ((다))MgO
4	

(1) (가)~(다)에 들어갈 말을 각각 쓰시오.

(가) : (　　　　　　　)

(나) : (　　　　　　　)

(다) : (　　　　　　　)

(2) 위 4단계에 들어갈 알맞은 방법을 서술하고, 완성된 화학 반응식을 쓰시오.

코딩

02 표는 기체 X와 기체 Y가 반응하여 기체 Z가 생성될 때 반응 전후의 부피 관계를 나타낸 것이다. (단, 온도와 압력은 일정하다.)

실험	반응 전 기체의 부피(mL)		반응 후 남은 기체의 종류와 부피(mL)	기체 Z의 부피(mL)
	X	Y		
1	30	30	Y, 20	20
2	50	15	(가)	30
3	70	20	X, 10	(나)

(1) (가)와 (나)에 들어갈 알맞은 말을 각각 쓰시오.

(가) : (　　　　　　　)

(나) : (　　　　　　　)

(2) 위 (1)과 같이 답할 수 있는 까닭을 서술하시오.

창의

03 다음은 휴대용 손난로에 대해 지후와 다희, 지은, 건우가 나눈 대화이다. ㉠, ㉡, ㉢에 들어갈 알맞은 말을 쓰시오.

융합

04 다음 글은 지구 온난화에 대한 설명이다.

18세기 중엽 영국에서 시작된 산업 혁명으로 인해 화석 연료의 사용량이 많아지고, 그 결과 대기 중 이산화 탄소(CO_2)의 양이 증가하게 되었다. 이와 같이 대기 중 이산화 탄소(온실 기체)의 농도 증가로 온실 효과가 강화되어 지구의 평균 기온이 상승하는 현상을 지구 온난화라고 한다.

지구 온난화는 집중 호우, 홍수 등의 기상 이변을 일으킬 뿐만 아니라 가뭄, 사막화, 빙하 면적 감소 등의 현상이 일어나는 데 영향을 주게 된다.

(1) 지구 온난화가 점점 심화될 때, 해수면의 높이 변화를 쓰시오.

( )

(2) 대기 중 이산화 탄소의 양이 증가하면 왜 지구 온난화가 점점 심해지는지 서술하시오.

창의

05 다음은 어머니와 홍림이의 대화를 나타낸 것이다.

어머니가 장마철에 보일러를 튼 까닭을 서술하시오.

[범위] Ⅰ. 화학 반응의 규칙과 에너지 변화 ~ Ⅱ. 기권과 날씨 ▶ 기권의 특징, 구름과 강수

7일 학교시험 기본 테스트 1회

01 물리 변화에 대한 설명으로 옳지 않은 것은?

① 물질의 모양이 달라진다.
② 물질의 질량은 변하지 않는다.
③ 물질의 고유한 성질은 그대로 유지된다.
④ 물질을 이루는 분자의 종류는 변하지 않는다.
⑤ 원래 물질과 성질이 다른 새로운 물질이 생성된다.

02 화학 변화에 대한 설명으로 옳은 것을 〈보기〉에서 모두 고른 것은?

보기
ㄱ. 원자의 배열이 변한다.
ㄴ. 원자의 종류가 변한다.
ㄷ. 분자의 종류가 변한다.
ㄹ. 물질의 성질이 변한다.

① ㄱ, ㄴ　② ㄴ, ㄷ　③ ㄷ, ㄹ
④ ㄱ, ㄴ, ㄹ　⑤ ㄱ, ㄷ, ㄹ

03 화학 반응식에 대한 설명으로 옳지 않은 것은?

① 반응 전후에 원자의 종류는 같다.
② 반응 전후에 원자의 개수는 같다.
③ 반응 전후에 분자의 종류는 같다.
④ 반응 전후에 물질의 질량은 같다.
⑤ 화살표의 왼쪽은 반응물이고, 오른쪽은 생성물이다.

04 그림은 화학 반응을 모형으로 나타낸 것이다.

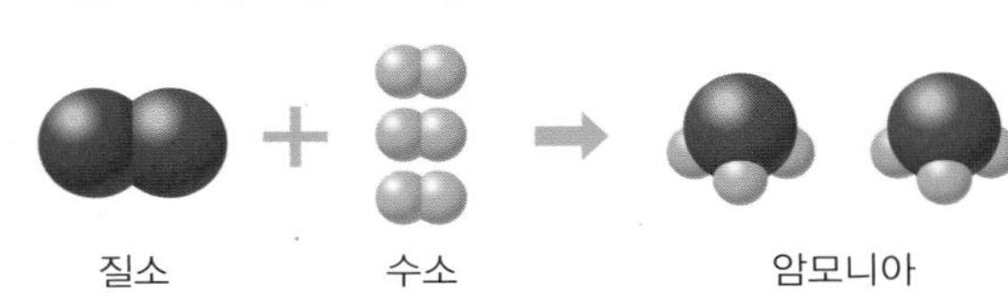

이 모형을 화학 반응식으로 옳게 나타낸 것은?

① $C + O_2 \rightarrow CO_2$
② $H_2 + O_2 \rightarrow 2HO$
③ $N_2 + 3H_2 \rightarrow 2NH_3$
④ $2H_2 + O_2 \rightarrow 2H_2O$
⑤ $2H_2O_2 \rightarrow O_2 + H_2O$

05 다음에서 설명하는 법칙은 무엇인지 쓰시오.

화학 반응이 일어날 때 반응 전후에 질량이 변하지 않고 일정하다. 물리 변화와 화학 변화에서 모두 성립한다.

(　　　　　　)

06 탄산 나트륨 수용액과 염화 칼슘 수용액을 섞어서 반응시켰을 때 반응 전 전체 질량이 80.5 g이었다.

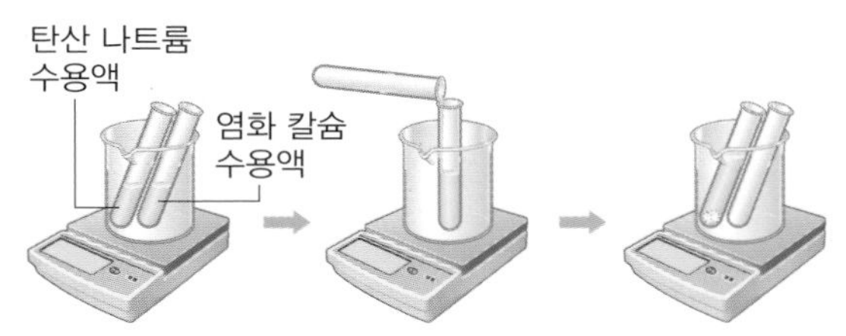

반응 후 전체 질량은?

① 80 g　② 80.5 g　③ 81 g
④ 81.5 g　⑤ 알 수 없다.

07 볼트(B) 5 개의 질량은 20 g이고, 너트(N) 10 개의 질량은 20 g이다. 이 볼트와 너트를 모두 사용하여 화합물 모형을 만들었더니 최대 3 개를 만들고, 볼트 2 개와 너트 1 개가 남았다. 이 화합물의 모형과 이 화합물을 이루는 B:N의 질량비를 옳게 짝 지은 것은?

	모형	질량비
①	BN_2	1:2
②	BN_2	1:3
③	BN_3	1:3
④	BN_3	2:3
⑤	B_2N_3	2:3

08 그림은 수소와 산소가 반응하여 수증기가 생성되는 반응을 모형으로 나타낸 것이다.

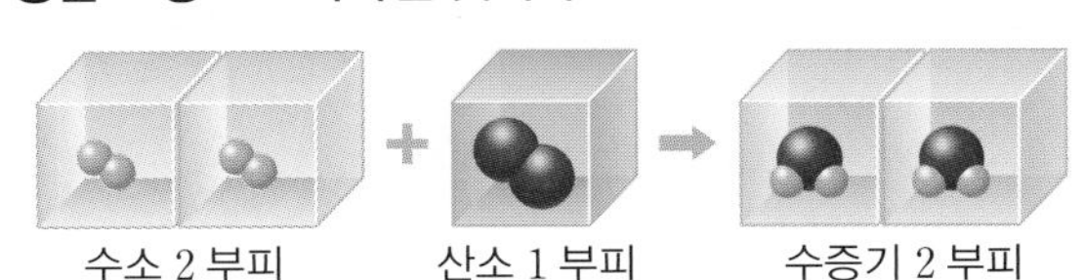

수소 10 mL와 산소 5 mL가 완전히 반응했을 때 생성된 수증기의 부피는 얼마인지 계산 과정을 서술하시오. (단, 온도와 압력은 같다.)

09 화학 반응에서 일어나는 에너지 출입에 대한 설명으로 옳지 않은 것은?

① 화학 반응이 일어날 때는 항상 에너지가 출입한다.
② 발열 반응이 일어나면 주위의 온도가 높아진다.
③ 에너지를 흡수하는 반응이 일어나면 주위의 온도가 낮아진다.
④ 연료가 연소하는 반응에서는 열에너지를 방출한다.
⑤ 질산 암모늄이 물에 녹으면 주위의 온도가 높아진다.

10 (가)와 (나)에서 일어나는 반응에 대한 설명으로 옳은 것을 〈보기〉에서 골라 옳게 짝 지은 것은?

(가) 수산화 바륨과 염화 암모늄을 섞는다.
(나) 묽은 염산에 마그네슘 조각을 넣는다.

보기
ㄱ. 발열 반응이다.
ㄴ. 흡열 반응이다.
ㄷ. 반응이 일어나면 주위의 온도가 높아진다.
ㄹ. 반응이 일어나면 주위의 온도가 낮아진다.
ㅁ. 반응이 일어나도 주위의 온도가 변하지 않는다.

	(가)	(나)
①	ㄱ, ㄷ	ㄴ, ㄹ
②	ㄱ, ㄹ	ㄴ, ㄷ
③	ㄴ, ㄷ	ㄱ, ㄹ
④	ㄴ, ㄹ	ㄱ, ㄷ
⑤	ㄴ, ㅁ	ㄱ, ㅁ

7일 학교시험 기본 테스트 1회

11 화학 반응이 일어날 때 에너지 출입 방향이 다른 하나는?

① 물을 전기 분해한다.
② 질산 암모늄을 물에 녹인다.
③ 도시가스를 이용하여 난방을 한다.
④ 식물의 엽록소에서 광합성이 일어난다.
⑤ 베이킹파우더를 이용하여 빵을 부풀린다.

12 흡열 반응을 활용하는 예를 모두 고르면? (정답 2개)

① 제설제　② 냉찜질 팩
③ 휴대용 손난로　④ 구제역 바이러스 제거
⑤ 빵 반죽에 넣는 베이킹파우더

13 그림은 높이에 따라 기권을 4개의 층으로 구분한 것이다. A~D 각 층에 대한 설명으로 옳지 않은 것은?

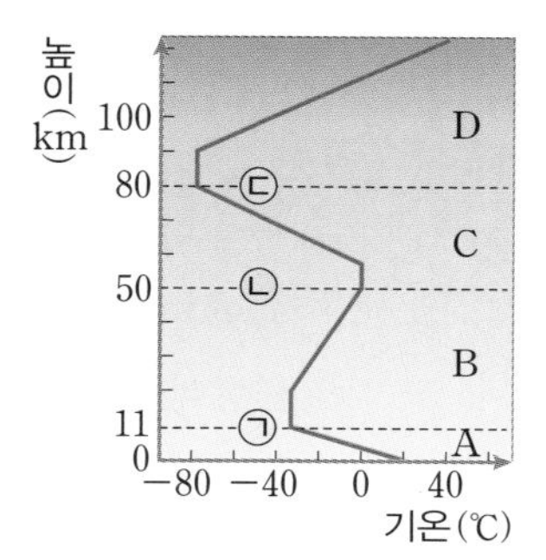

① A층에서는 기상 현상이 나타난다.
② ㉠은 대류권 계면, ㉡은 성층권 계면, ㉢은 중간권 계면이다.
③ B층은 태양 복사 에너지 중 자외선을 흡수하므로 높이 올라갈수록 기온이 상승한다.
④ C층의 상부는 기권 중 기온이 가장 낮은 곳이다.
⑤ D층은 공기가 매우 희박하여 낮과 밤의 기온 차가 거의 나타나지 않는다.

14 장거리 비행기는 보통 성층권의 하부를 항로로 선택한다. 이는 성층권에서는 구름이 형성되지 않으며, 비행기의 흔들림도 거의 없기 때문이다. 성층권에서 구름이 생기지 않고, 대류 현상도 거의 일어나지 않는 까닭과 가장 관계가 깊은 것은?

① 위로 올라갈수록 기온이 상승하므로
② 위로 올라갈수록 기온이 하강하므로
③ 위로 올라갈수록 공기의 밀도가 높아지므로
④ 위로 올라갈수록 공기의 밀도가 낮아지므로
⑤ 위로 올라갈수록 수증기의 양이 적어지므로

15 그림은 지구의 복사 평형을 나타낸 것이다.

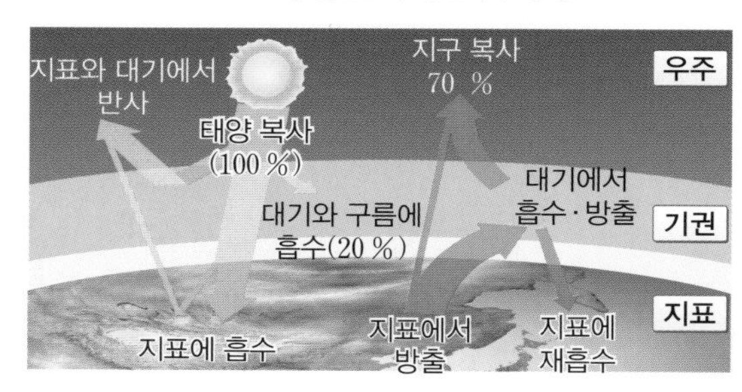

이에 대한 설명으로 옳은 것을 〈보기〉에서 모두 고른 것은?

보기
ㄱ. 지구에 입사하는 태양 복사 에너지 중 50 %는 지표에 흡수된다.
ㄴ. 지구에 입사하는 태양 복사 에너지 중 30 %는 지구 밖으로 반사된다.
ㄷ. 지구가 흡수하는 태양 복사 에너지양은 방출하는 지구 복사 에너지양보다 많다.

① ㄱ　② ㄴ　③ ㄷ
④ ㄱ, ㄴ　⑤ ㄴ, ㄷ

16 포화 수증기량이 가장 많은 것은?

	기온	이슬점		기온	이슬점
①	15 ℃	14 ℃	②	16 ℃	17 ℃
③	20 ℃	15 ℃	④	25 ℃	4 ℃
⑤	30 ℃	30 ℃			

17 구름이 생성될 수 없는 경우는?

①

②

③
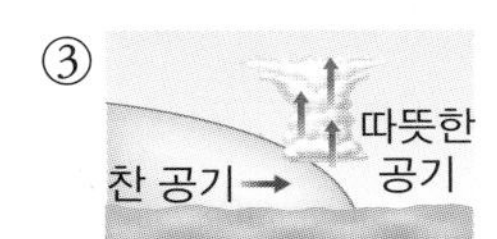

④

⑤
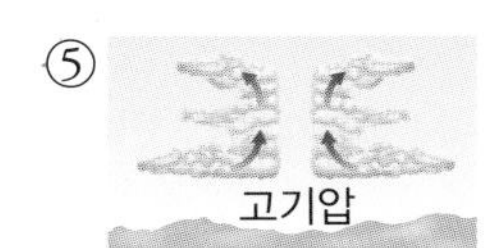

18 그림과 같이 알루미늄 컵에 물을 넣은 후 얼음이 든 시험관을 컵에 넣고 저어 주면서 컵의 표면에 물방울이 생기기 시작하는 온도를 측정하였다. 이 실험은 무엇을 측정하기 위한 실험인지 쓰시오.

(   )

19 그림은 지표면에서 공기 덩어리가 상승하면서 구름이 만들어지는 과정을 나타낸 것이다. 높이에 따른 공기 덩어리의 성질 변화로 옳은 것을 〈보기〉에서 모두 고른 것은?

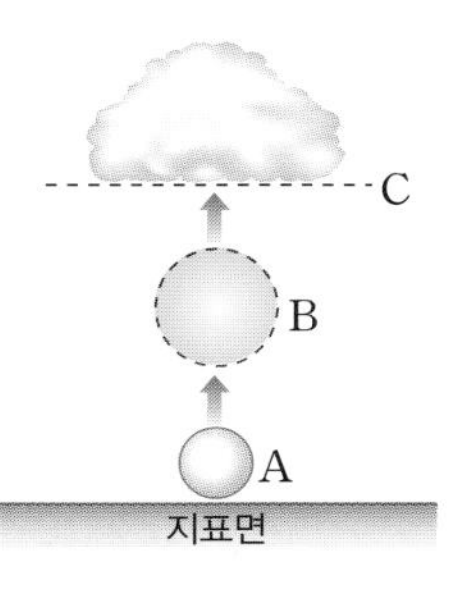

보기
ㄱ. A에서 C로 갈수록 주변 기압이 높아진다.
ㄴ. B는 A보다 상대 습도가 높다.
ㄷ. C에서는 공기 덩어리의 상대 습도가 100 %이다.

① ㄱ ② ㄴ ③ ㄷ
④ ㄱ, ㄴ ⑤ ㄴ, ㄷ

20 그림은 어느 지방에서 비가 내리는 과정을 나타낸 것이다.

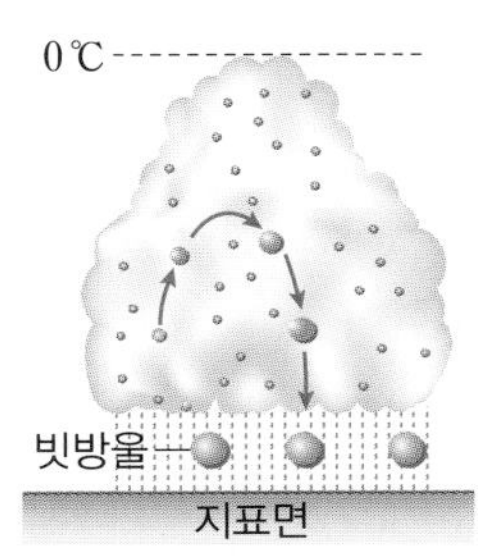

이에 대한 설명으로 옳은 것은?

① 구름 속에는 작은 빙정이 많이 포함되어 있다.
② 온대나 한대 지방에서 내리는 비를 설명하는 것이다.
③ 구름 속의 빙정에 수증기가 달라붙어 빙정이 성장한다.
④ 구름 속의 빙정에 물방울이 얼어붙어 빙정이 성장한다.
⑤ 구름 속의 크고 작은 물방울이 충돌에 의해 커져 비가 내린다.

[범위] I. 화학 반응의 규칙과 에너지 변화 ~ II. 기권과 날씨 ▶ 기권의 특징, 구름과 강수

7일 학교시험 기본 테스트 2회

01 물질 변화의 종류가 나머지 넷과 다른 하나는?

① 철이 녹슨다.
② 꽃향기가 퍼진다.
③ 김치 맛이 시어진다.
④ 발포정을 물에 넣으면 기포가 발생한다.
⑤ 석회수에 입김을 불어 넣으면 뿌옇게 흐려진다.

02 화학 변화와 물리 변화에 대한 설명으로 옳지 않은 것은?

① 물리 변화에서 질량은 변하지 않는다.
② 화학 변화에서 원자의 종류가 변한다.
③ 화학 변화에서 새로운 분자가 생성된다.
④ 물리 변화가 일어나도 물질이 가진 성질이 변하지 않는다.
⑤ 화학 변화가 일어나면 분자의 종류와 물질의 성질이 변한다.

03 질소 기체와 수소 기체가 반응하여 암모니아 기체가 생성되는 반응을 나타낸 것이다.

$$N_2 + (\quad)H_2 \rightarrow (\quad)NH_3$$

빈칸에 들어갈 숫자를 순서대로 나열한 것은?

① 1, 2　② 2, 3　③ 1,3
④ 3, 2　⑤ 3, 1

04 화학 반응식에 대한 설명으로 옳지 않은 것은?

$$2H_2O_2 \rightarrow 2H_2O + O_2$$

① 분자 수비는 2 : 2 : 2이다.
② 생성 물질은 물과 산소이다.
③ 반응 물질의 원자는 두 종류이다.
④ 반응 전후 분자의 종류는 변한다.
⑤ 반응 전후 원자의 종류는 변하지 않는다.

05 질량 보존 법칙이 성립하는 까닭으로 옳은 것은?

① 분자 배열이 달라지기 때문이다.
② 반응 후 새로운 원자가 생성되기 때문이다.
③ 반응 후 새로운 분자가 생성되기 때문이다.
④ 반응 후 물질을 이루는 원자의 질량이 변하기 때문이다.
⑤ 물질의 이루는 원자의 종류와 개수가 변하지 않기 때문이다.

06 탄산 나트륨 수용액과 염화 칼슘 수용액을 섞기 전과 섞은 후의 질량을 각각 측정하였다.

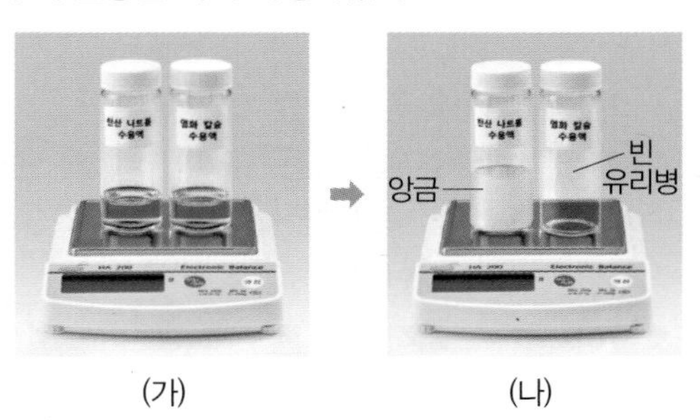

섞기 전 (가)의 질량이 100 g일 경우, 섞은 후 (나)의 질량은 몇 g인지 쓰시오.

(　　　　　　)

07 그림은 구리와 산소가 반응하여 산화 구리(Ⅱ)가 생성될 때의 질량 관계를 나타낸 것이다.

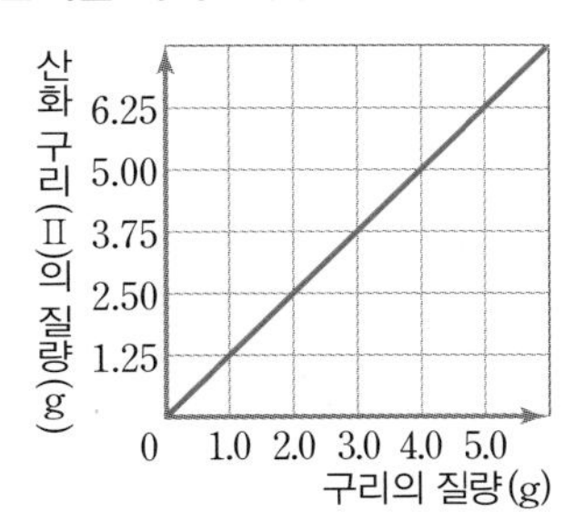

이에 대한 설명으로 옳지 않은 것은?

① 반응하는 구리와 산소의 질량비는 4 : 5이다.
② 산화 구리(Ⅱ) 5 g에 들어 있는 산소의 질량은 1 g이다.
③ 구리가 산소와 반응할 때 결합한 산소의 질량만큼 질량이 증가한다.
④ 구리 6 g을 산소와 모두 반응시키면 7.5 g의 산화 구리(Ⅱ)가 생성된다.
⑤ 충분한 양의 산소가 공급될 때 구리의 질량이 증가하면 생성되는 산화 구리(Ⅱ)의 질량도 증가한다.

08 질소 기체와 수소 기체를 사용하여 암모니아 기체가 생성되는 실험을 할 때 암모니아 기체 40 mL를 생성하려면 필요한 질소 기체는 몇 mL인가? (단, 반응 전후에 온도와 압력은 같다.)

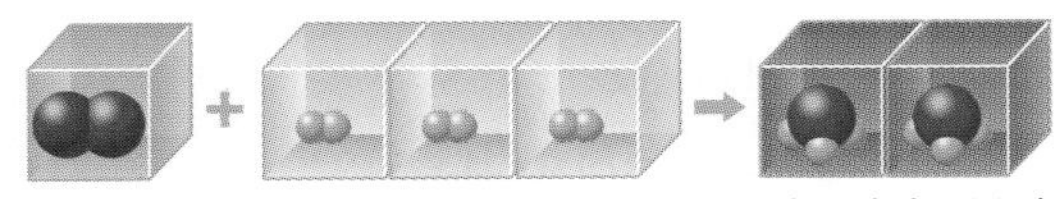

① 10 mL ② 20 mL ③ 30 mL
④ 40 mL ⑤ 알 수 없다.

09 주위로 에너지를 방출하는 반응을 〈보기〉에서 모두 고른 것은?

보기
ㄱ. 철이 녹슨다.
ㄴ. 질산 암모늄을 물에 녹인다.
ㄷ. 묽은 염산에 수산화 나트륨 수용액을 넣는다.

① ㄱ ② ㄴ ③ ㄷ
④ ㄱ, ㄷ ⑤ ㄴ, ㄷ

10 그림은 철 가루를 이용한 휴대용 손난로에 대해 학생 A, B, C가 발표하는 모습을 나타낸 것이다.

발표 내용이 옳은 학생만을 모두 골라 놓은 것은?

① A ② B ③ C
④ A, B ⑤ A, C

11 탄산수소 나트륨에 열을 가할 때 일어나는 반응에 대한 설명으로 옳은 것을 〈보기〉에서 모두 고른 것은?

보기
ㄱ. 흡열 반응이 일어난다.
ㄴ. 주위의 온도가 높아진다.
ㄷ. 제습제를 사용할 때와 열의 출입 방향이 같다.

① ㄱ ② ㄴ ③ ㄷ
④ ㄱ, ㄷ ⑤ ㄴ, ㄷ

학교시험 기본 테스트 2회

12 다음은 질산 암모늄과 물을 이용한 실험이다.

질산 암모늄이 들어 있는 비닐 주머니에 물이 들어 있는 지퍼 백을 넣고 비닐 주머니를 밀봉한 후, 그림과 같이 물이 들어 있는 지퍼 백을 눌러 물이 나오게 하였다.

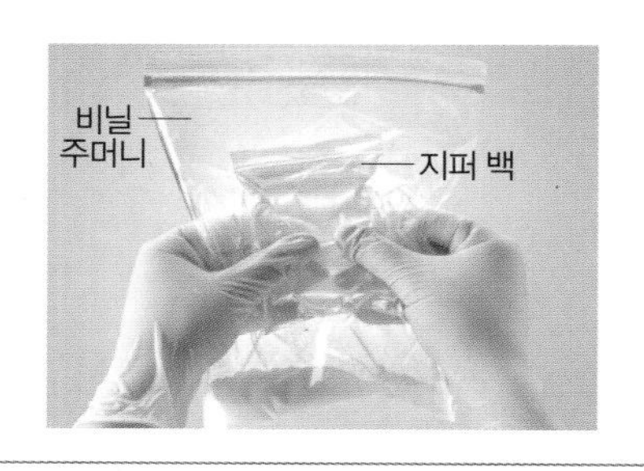

이 실험에 대한 설명으로 옳지 않은 것은?

① 질산 암모늄과 물이 반응한다.
② 주위에서 열에너지를 흡수한다.
③ 비닐 주머니가 따뜻해진다.
④ 수산화 바륨과 염화 암모늄의 반응과 열의 출입 방향이 같다.
⑤ 이 반응을 활용하여 냉찜질 팩을 만들 수 있다.

13 에베레스트산과 같이 높은 산을 등반하는 산악인은 산소 마스크를 끼고, 두꺼운 방한복을 입는다. 이를 통해 알 수 있는 내용으로 옳은 것을 <보기>에서 모두 고른 것은?

보기
ㄱ. 위로 갈수록 공기가 점점 희박해진다.
ㄴ. 위로 갈수록 오존의 양이 점차 많아진다.
ㄷ. 대류권에서는 위로 갈수록 기온이 낮아진다.

① ㄱ ② ㄴ ③ ㄷ
④ ㄱ, ㄴ ⑤ ㄱ, ㄷ

14 그림은 지구의 복사 평형을 알아보기 위한 실험 장치이다.

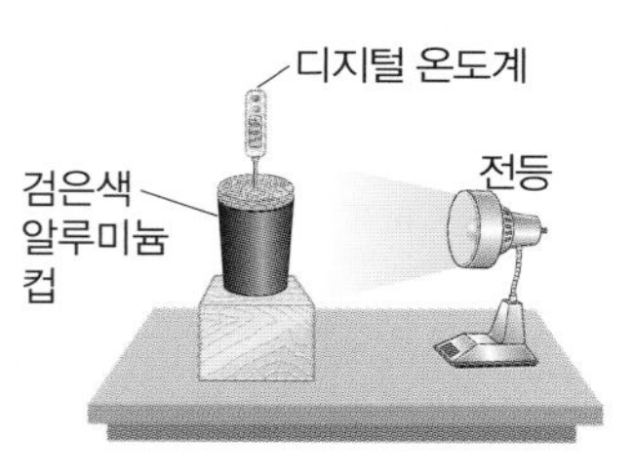

알루미늄 컵과 전등은 각각 무엇에 비유되는지 쓰시오.

(1) 알루미늄 컵 : (   )
(2) 전등 : (   )

15 그림은 지구의 평균 기온 변화와 이산화 탄소의 농도 변화를 나타낸 것이다.

이에 대한 설명으로 옳은 것을 <보기>에서 모두 고른 것은?

보기
ㄱ. 이산화 탄소는 온실 기체 중 하나이다.
ㄴ. 이산화 탄소의 급격한 증가는 화석 연료의 사용과 관련이 있다.
ㄷ. 이산화 탄소의 농도가 증가하면 지구의 기온은 대체로 상승한다.

① ㄱ ② ㄴ ③ ㄷ
④ ㄱ, ㄴ ⑤ ㄱ, ㄴ, ㄷ

16 그림은 기온에 따른 포화 수증기량 곡선을 나타낸 것이다.

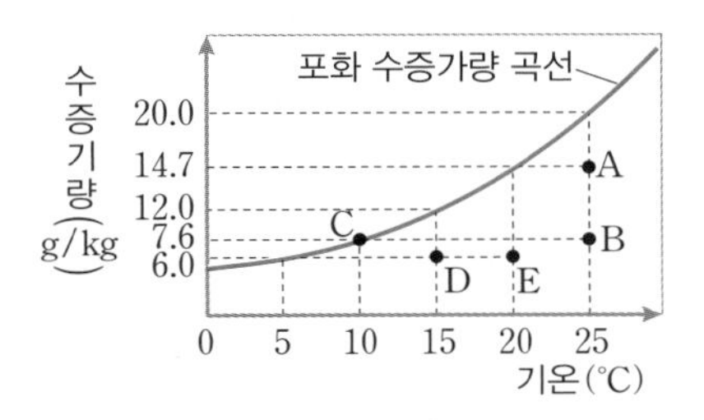

이에 대한 설명으로 옳은 것은?

① A는 포화 상태이다.
② A와 B는 이슬점이 같다.
③ C의 상대 습도는 100 %이다.
④ 이슬점이 가장 높은 공기는 C이다.
⑤ D와 E는 포화 수증기량이 같다.

[17~18] 그림은 페트병에 물과 향의 연기를 조금 넣고 간이 펌프를 장치한 것이다. 이 실험에서 간이 펌프를 여러 번 누른 후 다시 열었다.

→
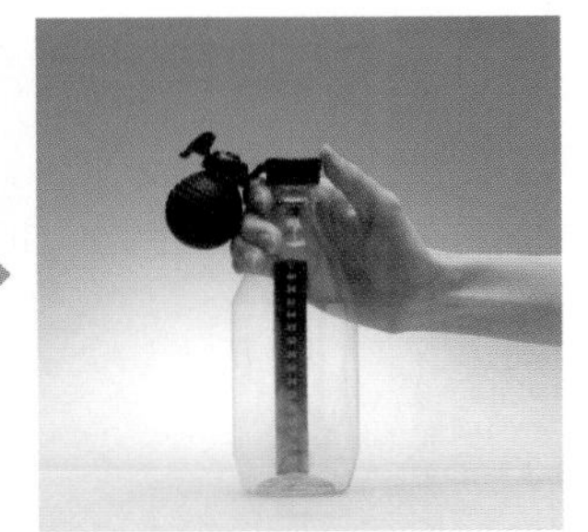

17 간이 펌프를 열었을 때 페트병 내부 공기의 기압, 기온, 상대 습도의 변화를 서술하시오.

____

____

18 위 실험에서 향의 연기를 넣어주는 까닭은?

① 수증기의 응결을 도와주기 위해서
② 수증기의 증발을 도와주기 위해서
③ 페트병 속의 온도를 높이기 위해서
④ 페트병 속의 온도를 낮추기 위해서
⑤ 페트병 속의 기압을 높이기 위해서

[19~20] 그림은 온대나 한대 지방에서 수직으로 발달한 구름의 단면을 나타낸 것이다.

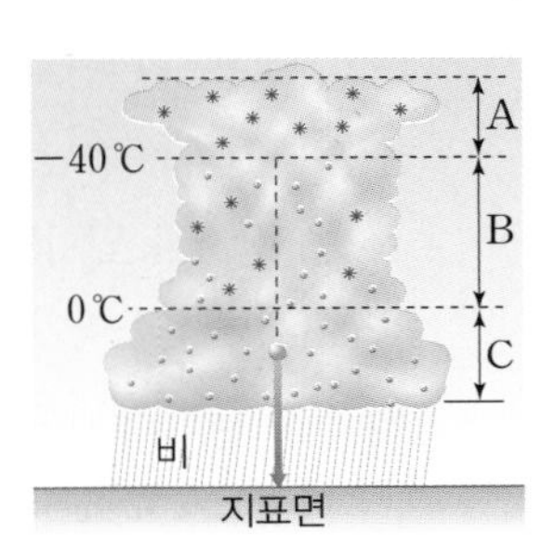

19 A층과 C층의 구름을 이루고 있는 입자의 종류를 옳게 짝 지은 것은?

	A층	C층
①	빙정	빙정
②	빙정	물방울
③	물방울	빙정
④	빙정＋물방울	물방울
⑤	빙정＋물방울	빙정＋물방울

20 위 그림의 B층에서 빙정과 과냉각 물방울에서 일어나는 상태 변화를 옳게 짝 지은 것은?

	빙정	과냉각 물방울
①	승화	기화
②	승화	액화
③	기화	승화
④	기화	승화
⑤	액화	액화

일회용 손난로는 왜 흔들면 따뜻해질까요?

철이 공기 중에 있는 산소와 만나 녹스는 것도 연소 반응이므로 열이 발생한다. 다만 철은 천천히 녹슬기 때문에 열을 느끼기 어렵다.

일회용 손난로 속에는 철 가루, 소금, 활성탄, 톱밥 등이 있다. 일회용 손난로 속의 철 가루는 매우 고우므로 공기 중에 있는 산소와 만나면 빠르게 반응하여 녹이 슨다. 그러면 온도가 한꺼번에 올라가기 때문에 따뜻해진다.

일회용 손난로를 흔들면 따뜻해지는 것은 산소를 많이 통하게 할 수 있기 때문이다. 이때, 소금과 활성탄은 철 가루와 섞여 연소가 더욱 빨리 일어나게 도와주고 톱밥은 열을 오랫동안 지켜 주는 역할을 한다.

중간 대비

정답과 해설

중간 대비
정답과 해설

1일 물질 변화와 화학 반응식

기초 확인 문제 11, 13쪽

01 (1) ㉠ 물리 변화, ㉡ 화학 변화 (2) 화학 변화 **02** (1) 물리 (2) 화학 (3) 화학 (4) 물리 **03** ㄱ, ㄹ **04** (나) **05** ① **06** ㄱ, ㄷ **07** 화학 반응식 **08** ㄷ → ㄱ → ㄹ → ㄴ **09** 2 **10** ② **11** ④ **12** 2:1:2

01 물리 변화는 물질의 고유한 성질이 바뀌지 않는 변화이고, 화학 변화는 물질의 성질이 변한다. 화학 변화가 일어날 때 분자를 이루는 원자의 배열이 달라진다.

02 물리 변화는 물질의 모양이나 크기, 상태는 달라지지만 성질이 그대로 유지되고, 화학 변화는 어떤 물질이 전혀 다른 성질의 새로운 물질로 바뀐다.

개념 체크+ 물리 변화와 화학 변화

• 물리 변화의 예

모양 변화	예 종이를 접는다. 컵이 깨진다.
상태 변화	예 아이스크림이 녹는다.
확산	예 잉크가 물속에서 퍼진다. 향기가 퍼진다.
용해	예 설탕을 물에 넣으면 용해된다.

• 화학 변화의 예

색깔, 냄새, 맛 등의 변화	예 과일이 익는다. 김치 맛이 시어진다. 철이 녹슨다.
빛과 열의 발생	예 양초가 빛과 열을 내며 탄다. 종이를 태운다.
기체 발생	예 발포정을 넣으면 기포가 발생한다. 물을 전기 분해하면 수소 기체와 산소 기체가 발생한다.
앙금 생성	예 석회수에 입김을 불어 넣으면 뿌옇게 흐려진다.

03 김치의 맛이 시어진다(ㄱ)와 발포정을 물에 넣으면 기포가 발생한다(ㄹ)는 물질이 전혀 다른 성질의 새로운 물질로 바뀌기 때문에 화학 변화이고, 설탕을 물에 넣어 녹인다(ㄴ)와 물을 가열하면 수증기가 된다(ㄷ)는 물질의 고유한 성질이 변하지 않기 때문에 물리 변화이다.

04 (가)는 물이 수증기로 변하는 물리 변화이고, (나)는 물이 수소와 산소로 되는 화학 변화이다.

05 용해는 물리 변화이다. 물리 변화가 일어날 때 분자의 종류는 변하지 않는다. 화학 변화가 일어날 때 원자의 배열은 달라지나 원자의 종류는 변하지 않는다. 물리 변화와 화학 변화 모두 물질의 질량은 달라지지 않는다.

06 원자의 배열, 분자의 종류, 물질의 성질은 변하고, 원자의 종류, 원자의 개수, 물질의 총 질량은 변하지 않는다.

07 화학 반응식은 화학 반응을 원소 기호를 이용한 화학식과 기호, 계수 등으로 나타낸 것이다.

08 화학 반응식은 다음과 같은 방법으로 만든다.

1단계 : 반응 물질과 생성 물질의 이름으로 화학 반응을 표현한다.

2단계 : 반응 물질과 생성 물질을 화학식으로 표현한다.

3단계 : 반응 전후에 원자의 종류와 개수가 같도록 계수를 맞춘다. 단, 계수가 1일 때는 생략한다.

4단계 : 반응 전후에 원자의 종류와 개수가 같은지 확인한다.

09 반응 전후에 원자의 종류와 개수가 같도록 계수를 맞춘다.

개념 체크+ 물을 분해할 때 화학 반응식

$$2H_2O \longrightarrow 2H_2 + O_2$$

반응 물질: $2H_2O$ (2: 계수, H_2O: 물 분자의 화학식)
기호: →, +
생성 물질: $2H_2$ (2: 계수, H_2: 수소 분자의 화학식), O_2 (산소 분자의 화학식)

10 반응 전후에 원자의 종류와 개수가 같도록 계수를 맞춘다. 화학 반응이 일어날 때 원자가 없어지거나 새로 생기지 않으므로, 원자의 종류와 개수는 일정하게 보존된다. 따라서 화학 반응식에서 반응 전후 원자의 종류와 개수가 같은지 확인한다.

11 반응 전후 분자의 종류와 개수는 달라진다. 반응 전 수소 분자 2개, 산소 분자 1개이고, 반응 후 물 분자 2개이다.

12 일산화 탄소:산소:이산화 탄소의 계수비 = 2:1:2이다.

내신 기출 베스트 14~15쪽

1 ㄴ, ㄷ	2 ㄷ, ㄹ	3 화학 변화
4 ③	5 원자	6 ㉠ 반응, ㉡ 생성
7 ③	8 ④	

1 물에 잉크가 퍼지는 것은 물리 변화이다.

자료 분석+ 물리 변화와 화학 변화

ㄱ. 종이를 태운다. – 화학 변화
ㄴ. 종이를 접는다. – 물리 변화
ㄷ. 아이스크림이 녹는다. – 물리 변화
ㄹ. 발포정을 물에 넣으면 기포가 발생한다. – 화학 변화

2 사과가 익는 것은 화학 변화이다. ㄷ, ㄹ은 화학 변화이고, ㄱ, ㄴ은 물리 변화이다.

3 원자의 배열이 변하여 새로운 분자를 형성하였으므로 화학 변화이다.

4 물이 기화할 때는 분자의 배열이 바뀐다.

5 화학 반응이 일어날 때 원자의 종류와 수는 변하지 않고, 원자의 배열이 달라져 반응 전 물질과 다른 새로운 물질이 생성된다.

6 화학 반응식에서 화살표 왼쪽은 반응 물질, 화살표 오른쪽은 생성 물질이다.

7 반응하고 생성되는 분자의 개수비=화학 반응식의 계수비임을 알 수 있다.

8 반응 전후 분자의 종류와 개수는 달라진다. 반응 물질은 질소와 수소이고, 생성 물질은 암모니아이다.

오답 풀이

④ 분자 수비는 1:3:1이다. → 1:3:2이고, 반응 후 새로운 분자가 생성된다.

2일 화학 반응의 법칙

기초 확인 문제 19, 21쪽

01 (1) 같다 (2) 질량	02 ㄱ, ㄴ	03 ①
04 8	05 종류	06 일정 성분비 법칙
07 25 g	08 5:4	09 (1) 부피 (2) 분자
10 1:3:2	11 ④	

01 화학 반응이 일어날 때 반응 전후에 질량이 변하지 않고 일정하다. 질량 보존 법칙이 성립하는 까닭은 화학 변화가 일어날 때 물질을 구성하는 원자들의 종류와 개수는 달라지지 않고 배열만 변하기 때문이다.

02 반응 전 수용액이 담긴 두 유리병의 총 질량이 120 g이면 반응 후 두 유리병의 총 질량은 120 g이다.

03 달걀 껍데기(탄산 칼슘)와 묽은 염산을 반응시키면 (나)에서 이산화 탄소 기체가 발생한다. (가)의 질량과 (나)의 질량은 같다. 반응 후 뚜껑을 열면 일부 이산화 탄소 기체가 빠져나가 질량이 줄어든다.

04 닫힌 공간에서 강철 솜을 연소시키면 결합한 산소의 양만큼 질량이 증가한다.

개념 체크+ 강철 솜의 연소 반응

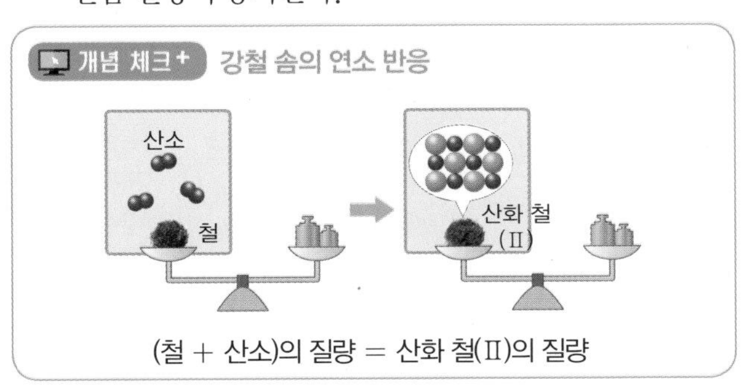

(철 + 산소)의 질량 = 산화 철(Ⅱ)의 질량

05 화학 변화가 일어나도 원자가 새로 생기거나 없어지지 않는다.

06 일정 성분비 법칙은 화학물에서 성립하며 화합물을 구성하는 성분 원소의 종류가 같아도 질량비가 다르면 다른 물질이다.

07 구리 : 산화 구리(Ⅱ)의 질량비=4 : 5=20 : x이므로, x=25 g이다.

자료 분석+ 구리와 산소 반응에서 질량비

산화 구리(Ⅱ)의 질량(g)
6.25
5.00
3.75
2.50
1.25
0
1.0 2.0 3.0 4.0 5.0
구리의 질량(g)

• 반응 전후 구리:산소:산화 구리(Ⅱ)의 질량비는 4:1:5로 일정하다.

08 화합물 BN_2를 구성하는 B와 N의 개수비가 1:2로 일정하므로 B의 질량이 5 g, N의 질량이 2 g일 때 BN_2를 구성하는 B:N의 질량비는 (5×1) g:(2×2) g$=5:4$이다.

09 일정한 온도와 압력에서 기체가 반응하여 새로운 기체를 생성할 때 각 기체의 부피 사이에는 간단한 정수비가 성립한다. 기체 반응 법칙이 성립하는 까닭은 온도와 압력이 같을 때 모든 기체는 같은 부피 속에 들어 있는 분자의 개수가 같기 때문이다.

10 기체의 반응식에서 기체의 부피비는 기체의 분자 수비와 같다.

11 수소 기체:산소 기체:수증기의 부피비$=2:1:2$이다.

내신 기출 베스트 22~23쪽

1 질량	2 =	3 3 g	4 ㄱ	5 4:1:5
6 17 g	7 부피비	8 2 mL		

1 화학 변화가 일어날 때 물질을 구성하는 원자들이 종류와 개수는 달라지지 않고 배열만 변하기 때문에 질량 보존 법칙이 성립한다.

2 탄산 나트륨 수용액과 염화 칼슘 수용액이 반응하면 탄산 칼슘 앙금이 생성된다. 화학 반응이 일어날 때 반응 전후에 질량이 변하지 않고 일정하다.

3 반응 물질의 총 질량은 생성 물질의 총 질량과 같다.

4 반응 전후 물질의 질량은 보존된다.

5 화합물을 이루는 원자가 일정한 개수비로 결합하기 때문에 화합물을 구성하는 성분 원소 사이에는 일정한 질량비가 성립한다.

개념 체크+ 산화 구리(Ⅱ)를 구성하는 구리와 산소의 질량 관계

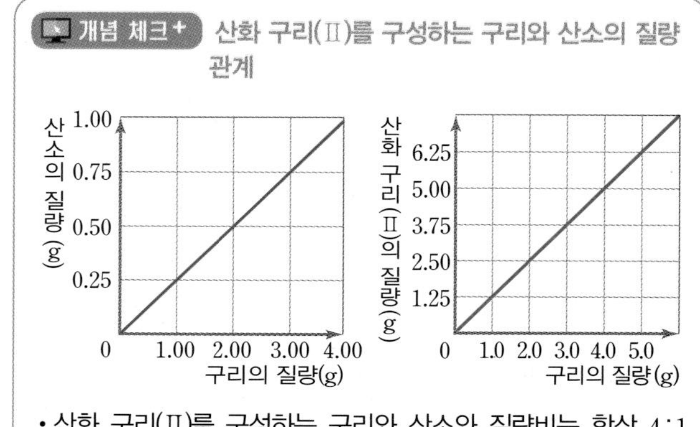

• 산화 구리(Ⅱ)를 구성하는 구리와 산소와 질량비는 항상 4:1로 일정하다. 반응 전후 구리:산소:산화 구리(Ⅱ)의 질량비는 4:1:5로 일정하다.

6 일정한 온도와 압력에서 기체가 반응하여 새로운 기체를 생성할 때 반응하는 기체와 생성되는 기체의 질량은 일정하다. 암모니아를 생성하는 반응에서 질소와 수소의 질량비는 14:3이므로 생성된 암모니아의 질량은 17 g이다.

7 수소 기체와 산소 기체, 수증기의 부피비는 2:1:2이다.

8 수소 기체와 산소 기체가 반응하여 수증기가 생성될 때 반응하는 수소 기체와 산소 기체, 수증기의 부피비는 2:1:2이므로, 수증기의 부피는 20 mL이다.

자료 분석+ 기체 반응 법칙

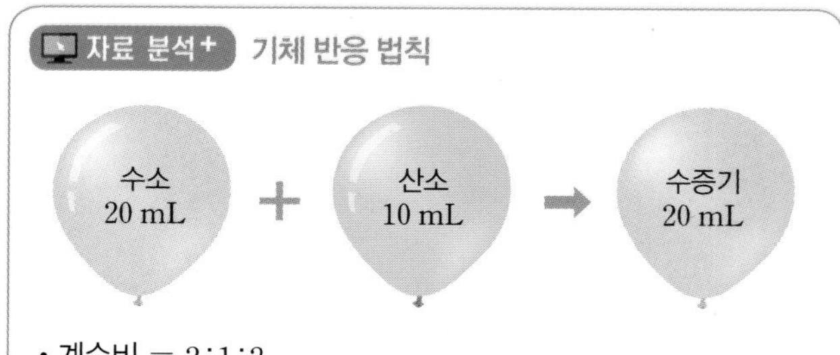

• 계수비 = 2:1:2
• 부피비 ≒ 2:1:2
• 모든 기체는 같은 압력과 온도에서 같은 부피 속에 같은 수의 분자를 포함한다.

3일 화학 반응에서의 에너지 출입

기초 확인 문제 27, 29쪽

01 (1) ㉠ 방출 ㉡ 발열 (2) 높 02 ㄱ, ㄷ 03 ㉠ 방출 ㉡ 높
04 ㄴ, ㄷ 05 (1) 방출 (2) 따뜻 (3) 열에너지 (4) 방출
06 (1) ㉠ 흡수 ㉡ 흡열 (2) 낮 07 ㄱ, ㄴ 08 ㉠ 흡수 ㉡ 낮
09 ㄴ, ㄷ 10 (1) ㉠ 흡수 ㉡ 이산화 탄소 (2) 낮

01 제시된 그림은 화학 반응이 일어날 때 에너지를 방출하는 발열 반응 모습을 나타낸 것이다.

(2) 그림과 같은 발열 반응이 일어나면 주위 온도가 높아진다.

▲ 발열 반응

02 ㄱ. 발열 반응은 화학 반응이 일어날 때 주위로 열에너지를 방출하는 반응이다.

ㄷ. 철이 공기 중의 산소와 반응하면 천천히 녹슬면서 열에너지를 방출하므로, 발열 반응과 에너지 출입 방향이 같다.

오답 풀이

ㄴ. 발열 반응이 일어나면 주위로 열에너지를 방출하므로 주위의 온도가 높아진다.

03 메테인과 같은 연료가 산소와 반응하면 이산화 탄소와 수증기가 생성되면서 열에너지를 방출하므로 주위의 온도가 높아진다.

04 화학 반응이 일어날 때 열에너지를 방출하는 반응은 발열 반응이다.

ㄴ, ㄷ. 연료의 연소 반응, 금속과 산의 반응은 모두 열에너지를 방출하는 발열 반응이다.

오답 풀이

ㄱ. 물의 전기 분해는 전기 에너지를 흡수하는 흡열 반응이다.

05 (1) 눈이 쌓인 도로에 제설제를 뿌리면 제설제의 주성분인 염화 칼슘이 물에 녹으면서 열을 방출하므로 눈이 빨리 녹는다.

(2) 추운 날 사용하는 휴대용 손난로는 손난로 속의 철 가루가 공기 중의 산소와 반응할 때 방출하는 열에너지로 주위가 따뜻해진다.

(3) 음식을 데우거나 열에 약한 구제역 바이러스를 제거할 때는 산화 칼슘과 물이 반응할 때 방출하는 열에너지를 이용한다.

(4) 야외에서 간단하게 사용할 수 있는 조리용 발열 팩은 금속 물질과 물이 반응할 때 방출하는 열에너지로 음식을 데운다.

06 제시된 그림은 화학 반응이 일어날 때 주위로부터 에너지를 흡수하는 흡열 반응 모습을 나타낸 것이다.

(2) 그림과 같은 흡열 반응이 일어나면 주위 온도가 낮아진다.

▲ 흡열 반응

07 ㄱ, ㄴ. 흡열 반응이 일어나면 주위로부터 열에너지를 흡수하므로, 주위의 온도가 낮아진다.

오답 풀이

ㄷ. 산성 물질인 묽은 염산과 염기성 물질인 수산화 나트륨 수용액이 반응하면 물이 생성되면서 열에너지를 방출하는 발열 반응이 일어난다.

08 수산화 바륨과 염화 암모늄을 섞으면 반응이 일어나면서 열에너지를 흡수하여 주위의 온도가 낮아진다.

09 화학 반응이 일어날 때 에너지를 흡수하는 반응은 흡열 반응이다.

ㄴ, ㄷ. 물의 전기 분해, 탄산수소 나트륨의 분해 반응은 에너지를 흡수하면서 일어나는 흡열 반응이다.

오답 풀이

ㄱ. 철이 녹스는 반응은 열에너지를 방출하면서 일어나는 발열 반응이다.

10 (1) 빵을 만들 때 반죽에 넣는 베이킹파우더의 주성분은 탄산수소 나트륨이다. 탄산수소 나트륨을 가열하면 열에너지를 흡수하여 분해되면서 이산화 탄소 기체가 발생하므로, 베이킹파우더를 넣은 반죽을 구우면 빵이 부풀어 오른다.

(2) 열이 나거나 통증이 있을 때 사용하는 냉찜질 팩은 질산 암모늄이 물에 녹을 때 열에너지를 흡수하여 주위의 온도가 낮아지는 원리를 이용한다.

내신 기출 베스트 30~31쪽

1 ④	2 ㄱ, ㄹ	3 ④	4 ㄱ
5 ②	6 ④	7 ㄴ	8 ㄱ, ㄷ

1 ㄱ. 발열 반응은 화학 반응이 일어날 때 열에너지를 방출하는 반응이다.

ㄴ. 발열 반응이 일어나면 주위로 열에너지를 방출하므로 주위의 온도가 높아진다.

오답 풀이

ㄷ. 물의 전기 분해 반응은 전기 에너지를 흡수하면서 일어나므로, 발열 반응과 에너지의 출입 방향이 반대이다.

2 〈에너지를 방출하는 반응:발열 반응〉

ㄱ. 철이 녹슬 때

ㄹ. 묽은 염산에 마그네슘 조각을 넣을 때

〈에너지를 흡수하는 반응:흡열 반응〉

ㄴ. 물을 전기 분해할 때

ㄷ. 탄산수소 나트륨을 가열할 때

ㅁ. 식물이 광합성을 하여 양분을 만들 때

3 ① 제설제, ② 모닥불, ③ 휴대용 손난로, ⑤ 조리용 발열 팩은 반응이 일어날 때 방출하는 열에너지를 이용한다.

④ 휴대용 냉각 팩은 질산 암모늄이 물에 녹을 때 열에너지를 흡수하여 주변의 온도가 낮아지는 원리를 이용한다.

4 ㄱ. 흡열 반응은 주위로부터 에너지를 흡수할 때 일어난다.

오답 풀이

ㄴ. 주위로부터 열에너지를 흡수하는 흡열 반응이 일어나면 주위의 온도가 낮아진다.

ㄷ. 아연 조각을 묽은 염산에 넣으면 열에너지를 방출하는 반응이 일어나므로, 흡열 반응과는 열의 출입 방향이 반대이다.

5 〈에너지를 흡수하는 반응:흡열 반응〉

ㄱ. 물의 전기 분해

ㄷ. 수산화 바륨과 염화 암모늄의 반응

〈에너지를 방출하는 반응:발열 반응〉

ㄴ. 마그네슘과 묽은 염산의 반응

ㄹ. 묽은 염산과 수산화 나트륨 수용액의 반응

6 ④ 질산 암모늄과 물을 섞으면 흡열 반응이 일어나면서 주위 온도가 낮아지므로 냉각 장치를 만들 때 이용할 수 있다.

오답 풀이

① 숯의 연소 반응, ② 철 가루와 산소의 반응, ③ 산화 칼슘과 물의 반응, ⑤ 묽은 염산과 수산화 나트륨 수용액의 반응은 모두 열에너지를 방출하면서 일어나는 발열 반응이므로, 냉각 장치를 만들 때 이용할 수 없다.

7 ㄴ. 부직포 주머니에 철 가루, 숯가루, 소금, 물을 넣고 밀봉한 후 흔들면, 철 가루와 공기 중의 산소가 반응하여 열에너지가 발생하므로 주위가 따뜻해진다.

오답 풀이

ㄱ. 철 가루와 공기 중의 산소가 반응하면 열에너지가 발생하는 발열 반응이 일어난다.

ㄷ. 소금과 숯가루는 철 가루와 섞여 연소가 더욱 빨리 일어나도록 도와준다.

8 ㄱ, ㄷ. 질산 암모늄이 들어 있는 비닐 주머니에 물이 들어 있는 지퍼 백을 넣고 비닐 주머니를 밀봉한 후 물이 들어 있는 지퍼 백을 눌러 물이 나오게 하면, 질산 암모늄이 물에 녹으면서 열에너지를 흡수하여 주위의 온도가 낮아진다. 따라서 이 반응을 이용해 휴대용 냉각 팩을 만들 수 있다.

오답 풀이

ㄴ. 질산 암모늄이 물에 녹으면서 주위의 열을 흡수하므로 비닐 주머니가 차가워진다.

기권의 특징

기초 확인 문제 35, 37쪽

01 ③ 02 A : 대류권, B : 성층권, C : 중간권, D : 열권, ㉠ 대류권 계면, ㉡ 성층권 계면, ㉢ 중간권 계면 03 오존층
04 (1) ㉡ (2) ㉢ (3) ㉣ (4) ㉠ 05 A → C → B
06 (1) 복사 에너지 (2) ㉠ 태양 복사, ㉡ 지구 복사 (3) 많이
07 (1) 복사 평형 (2) 기온 08 ㄱ 09 온실 효과
10 ㄱ, ㄴ, ㄷ 11 70 % 12 ㄷ, ㄹ

01 지구의 기권은 높이에 따른 기온 변화를 기준으로 4개의 층으로 구분한다.

자료 분석+ 기권의 구조

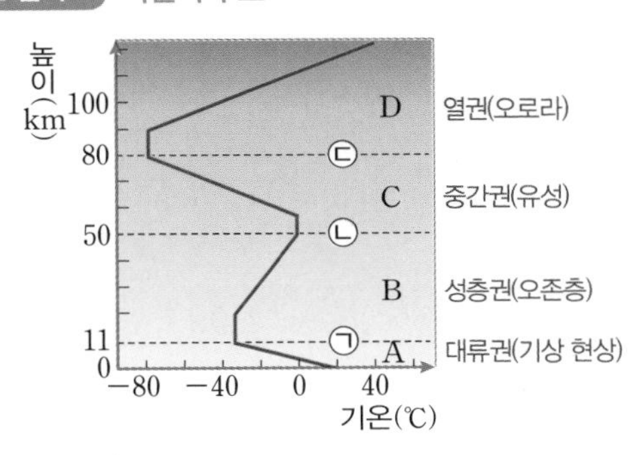

• 찬 공기는 따뜻한 공기에 비해 부피 팽창 정도가 작으므로 밀도가 크다. ➡ 찬 공기가 아래에 있고 따뜻한 공기가 위에 있으면 대류 현상이 잘 일어나지 않음. 예 성층권과 열권
• 높이 올라갈수록 기온이 하강하는 층 : A, C ➡ 대류 현상이 일어남.
• 높이 올라갈수록 기온이 상승하는 층 : B, D ➡ 대류 현상이 일어나지 않음.
• 만약 지구에 오존층이 없다면 높이에 따른 기온 변화를 기준으로 기권을 나눌 때 두 개의 층으로 구분된다.

02 기권은 높이에 따른 기온 변화를 기준으로 4개의 층으로 구분하며, 아래에서부터 각 층의 명칭은 대류권 → 성층권 → 중간권 → 열권이다. 또한, 각 층의 경계면의 명칭은 아래에서부터 대류권 계면 → 성층권 계면 → 중간권 계면이라고 한다.

03 성층권 내에서 높이 약 20～30 km에 분포하는 오존층은 태양 복사 에너지 중 자외선을 흡수함으로써 지구의 생명체를 보호해 준다. 또한 오존층에서 태양의 자외선을 흡수함으로써 성층권은 높이 올라갈수록 기온이 상승한다.

04 (1) 구름, 눈, 비 등의 기상 현상이 나타나는 기권의 층은 대류권이다.
(2) 성층권은 높이 올라갈수록 기온이 상승하므로 대류 현상이 일어나지 않아서 비행기 운항 시 기체의 흔들림이 없고, 기상 현상이 없으므로 시야가 넓다. 따라서 장거리 비행기의 항로로 이용되는 기권의 층은 성층권이다.
(3) 중간권은 높이 올라갈수록 기온이 하강하므로 기층이 불안정하여 대류 현상이 일어난다. 그러나 수증기가 희박하므로 기상 현상은 나타나지 않는다.
(4) 지구의 중력 때문에 기권에서 높이 올라갈수록 대기가 희박해진다. 기권의 가장 높은 곳에 위치한 열권은 공기가 가장 희박하며, 공기가 희박하면 낮과 밤의 기온 차가 크다.

05 A는 구름, B는 오로라, C는 유성이다. 구름은 대기 중의 수증기가 응결하여 형성되므로 대류권에서만 나타나는 현상이다. 오로라는 태양으로부터 오는 대전 입자가 지구의 대기와 충돌하면서 나타나는 현상인데, 오로라는 열권에서 나타난다. 유성은 우주에 떠도는 소천체가 지구의 중력에 이끌려 지구의 대기와 마찰을 일으킴으로써 불타는 현상이며, 유성은 중간권에서 주로 나타난다. 따라서 각 현상이 나타나는 높이는 A → C → B 순으로 점차 높아진다.

06 (1) 물체가 복사의 형태로 방출하는 에너지를 복사 에너지라고 한다.
(2) 태양이 방출하는 복사 에너지는 태양 복사 에너지, 지구가 방출하는 복사 에너지는 지구 복사 에너지라고 한다. 태양은 지구보다 표면 온도가 높으므로 가시광선 영역으로 복사 에너지를 가장 많이 방출하고, 지구는 표면 온도가 낮으므로 주로 적외선 영역으로 복사 에너지를 방출한다.

(3) 모든 물체는 복사 에너지를 방출하며, 온도가 높은 물체일수록 더 많은 복사 에너지를 방출한다.

07 (1) 어떤 물체가 흡수하는 복사 에너지양과 방출하는 복사 에너지양이 같은 상태를 복사 평형이라고 한다. 물체가 복사 평형을 이루면 온도가 일정하게 유지된다.
(2) 지구의 연평균 기온이 일정한 까닭은 지구가 흡수하는 태양 복사 에너지양과 지구가 방출하는 지구 복사 에너지양이 같은 복사 평형 상태이기 때문이다.

08 지구가 흡수하는 태양 복사 에너지를 태양 복사 에너지라고 하며, 온도가 일정한 물체는 흡수하는 복사 에너지양과 동일한 양의 복사 에너지를 방출한다.

09 지구의 대기가 지구 복사 에너지의 일부를 흡수하였다가 다시 지표로 내보내면서 지구의 평균 기온이 높게 유지되는 현상을 온실 효과라고 한다. 지구의 대기 성분 중에서 온실 효과를 일으키는 기체를 온실 기체라고 한다.

10 처음에는 알루미늄 컵이 흡수하는 에너지양이 방출하는 에너지양보다 많아서 온도가 올라가다가 복사 평형에 도달하면 온도가 일정해진다.

자료 분석+ 복사 평형 실험

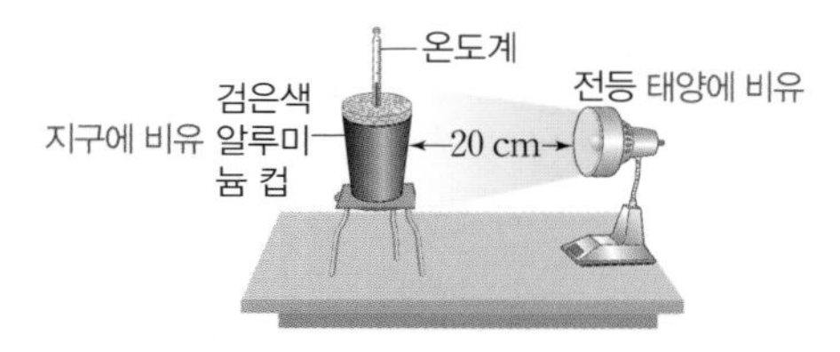

- 물체가 에너지를 흡수하면 처음에는 온도가 상승하다가 어느 정도 시간이 지나면 온도가 일정해진다.
- 물체가 흡수하는 에너지양이 방출하는 에너지양보다 많으면 온도가 상승한다.
- 물체가 흡수하는 에너지양과 방출하는 에너지양이 같으면 온도가 일정하다. → 복사 형형 상태
- 물체가 흡수하는 에너지양이 방출하는 에너지양보다 적으면 온도가 하강한다.
- 복사 평형 상태의 물체는 온도 변화가 없다.
- 지구는 복사 평형 상태이므로 연평균 기온이 거의 일정하다.

11 지구가 태양으로부터 흡수한 태양 복사 에너지양과 지구가 방출하는 지구 복사 에너지양은 70 %로 같으므로 지구는 복사 평형 상태이다.

자료 분석+ 지구의 복사 평형

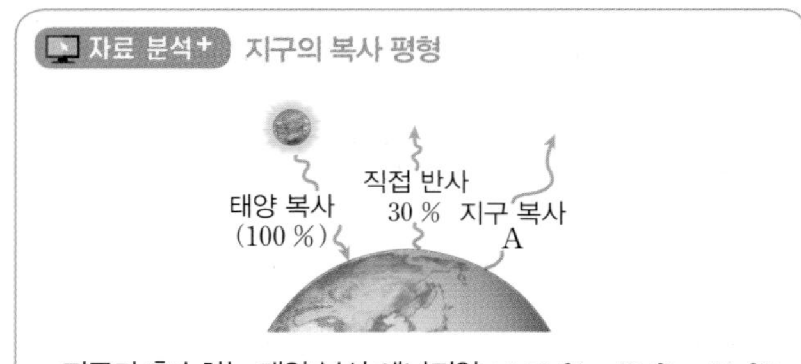

- 지구가 흡수하는 태양 복사 에너지양 : 100 % − 30 % = 70 %
- 지구가 방출하는 지구 복사 에너지양 (A) : 70 %

12 지구의 지표면에서 우주로 방출하는 복사 에너지(적외선)를 흡수 또는 반사하여 지구 표면의 온도를 상승시키는 역할을 하는 특정 기체를 온실 기체라고 한다. 온실 기체에는 수증기, 이산화 탄소, 메테인, 오존, 프레온 가스 등이 있으며, 질소, 산소는 온실 기체가 아니다.

내신 기출 베스트 38~39쪽

1 ④	2 ④	3 ④	4 ㄱ	5 ㄱ, ㄴ
6 ㄱ, ㄷ	7 ⑤	8 ㉠ 화석, ㉡ 친환경, ㉢ 온실		

1 기상 현상이 일어나려면 수증기와 대류 현상이 필요하다. 대류 현상이 일어나는 층은 불안정한 기층이고, 공기의 대류 현상으로 인해 수증기의 상태 변화가 일어나 기상 현상이 나타난다.

2 기권 중 대기가 가장 희박한 층은 열권이다. 대기가 희박하면 낮과 밤의 기온 차이가 매우 심하며, 극지방 부근의 열권에서는 오로라 현상이 나타난다. 기권 중에서 성층권과 열권에서는 높이 올라갈수록 기온이 높아진다.

3 복사 평형 실험에서 처음에는 온도가 상승하고, 복사 평형에 도달하면 온도가 일정해진다. 온도가 상승하는 구간에서는 흡수하는 복사 에너지양이 방출하는 복사 에너지양보다 많고, 온도가 일정한 구간에서는 흡수하는 복사 에너지양과 방출하는 복사 에너지양이 같다.

4 ㄱ. A는 지구로 들어오는 태양 복사 에너지이고, B는 태양 복사 에너지 중에서 대기에 흡수되는 에너지, C는 태양 복사 에너지 중에서 지표에 흡수되는 에너지이다. A를 100으로 할 때 B는 20, C는 50이다. 또한, D는 태양 복사 에너지 중에서 대기와 지표면에서 반사되어 우주로 나가는 에너지로 그 값은 30이며, E는 지구가 우주로 방출하는 지구 복사 에너지로 그 값은 70이다.

오답 풀이

ㄴ. B와 C의 합은 지구가 태양으로부터 흡수하는 에너지양으로, 지구로 들어오는 태양 복사 에너지양을 100으로 할 때 B+C는 70이고, 대기나 지표면에서 반사되는 에너지양인 D는 30이다. 따라서 B와 C의 합은 D보다 크다.

ㄷ. 지구가 흡수하는 에너지양(B+C)은 지구가 방출하는 에너지양(E)과 같아서 복사 평형 상태에 있다.

자료 분석+ 지구의 복사 평형

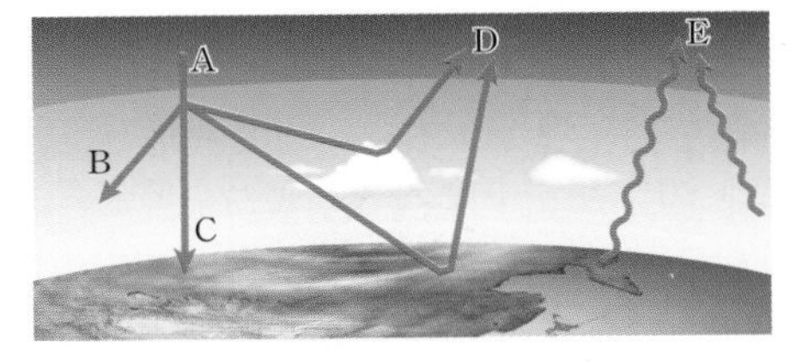

- 지구로 입사하는 태양 복사 에너지양 A : 100 %
- 지구가 흡수하는 태양 복사 에너지양 B + C : 70 %
- 지구가 반사하는 태양 복사 에너지양 D : 30 %
- 지구가 방출하는 지구 복사 에너지양 E : 70 %

5 ㄱ. 지구는 대기가 있고, 달은 대기가 없다. 따라서 (가)는 지구, (나)는 달을 나타낸다.

ㄴ. 지구는 대기에 의한 온실 효과로 인해 대기가 없는 달보다 지표면의 평균 온도가 30 ℃ 정도 높다.

오답 풀이

ㄷ. A는 대기에 의해 흡수된 지구 복사 에너지가 지표로 재방출된 에너지양을 의미한다. 따라서 A가 감소하면 지구의 복사 평형 온도는 하강하며, 지구의 온도가 점차 상승하는 지구 온난화가 일어나지는 않는다.

자료 분석+ 온실 효과

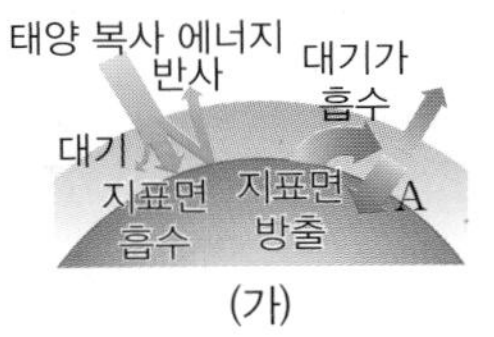

(가)

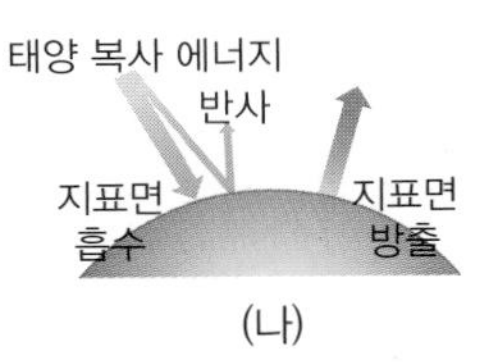

(나)

- 온실 효과 : 지구 대기의 역할에 의해 지구의 평균 기온이 대기가 없을 때보다 높게 유지되는 현상
- 온실 기체 : 온실 효과를 일으키는 대기 성분을 온실 기체라고 하며, 온실 기체에는 수증기, 이산화 탄소, 메테인 등이 있다.
- 지구 온난화 : 온실 기체의 농도가 증가하여 온실 효과가 강화됨으로 인해 지구의 평균 기온이 지속적으로 상승하는 현상

6 산업 혁명으로 인해 화석 연료의 사용량이 급증하였으며, 화석 연료를 연소시키면 온실 기체가 발생한다.

7 이산화 탄소는 지구 온난화를 일으키는 주요 원인 물질로 여겨지는 대표적인 온실 기체이다.

8 지구 온난화를 방지하기 위해서는 지구 온난화의 주범으로 여겨지는 원인 물질의 발생을 억제해야 한다.

구름과 강수

기초 확인 문제 43, 45쪽

01 (1) 포화 (2) 포화 수증기량 (3) 이슬점 (4) 상대 습도

02 (1) A, B, C (2) A : 7.6 g/kg, B : 14.7 g/kg, C : 27.1 g/kg, D : 27.1 g/kg (3) A : 10 ℃, B : 20 ℃, C : 30 ℃, D : 20 ℃ (4) A : 100 %, B : 100 %, C : 100 %, D : 약 54.2 % (5) 7.1 g

03 (1) 15 ℃ (2) 20 g/kg (3) 60 % **04** ①

05 단열 팽창 **06** ③ **07** ④ **08** ㉠ 층운, ㉡ 적운

09 ④ **10** ㄱ, ㄹ

01 (1) 어떤 온도에서 공기가 수증기를 최대한으로 포함한 상태를 포화라고 한다.

(2) 포화 상태의 공기 1 kg에 포함된 수증기량을 포화 수증기량이라고 한다. 기온이 높을수록 포화 수증기량이 많다.

(3) 불포화 상태의 공기가 냉각될 때 포화 상태에 도달하여 수증기가 응결되기 시작하는 온도를 이슬점이라고 한다. 현재 수증기량이 많을수록 이슬점이 높다.

(4) 공기의 건조하고 습한 정도를 상대 습도라고 한다. 상대 습도는 포화 수증기량에 대한 현재 수증기량의 비율을 백분율로 나타낸 것이다.

02 (1) 포화 수증기량 곡선상에 위치하면 포화 상태이다.

(2) 포화 수증기량이란 수증기량을 첨가하여 포화 수증기량 곡선과 만날 때의 수증기량을 의미하며, 기온이 높을수록 포화 수증기량이 증가한다. 현재 기온이 같은 C와 D는 포화 수증기량이 같다.

(3) 기온을 냉각시켜 포화 수증기량 곡선과 만날 때의 온도가 이슬점이므로 B와 D는 이슬점이 같다.

(4) 포화 수증기량 곡선상에 위치하면 상대 습도가 100 %이고, 포화 수증기량 곡선 아래에 위치하면 상대 습도가 100 % 미만이다.

(5) 응결되는 수증기량은 현재 수증기량에서 냉각된 온도에서의 포화 수증기량을 빼면 된다.

자료 분석+ 포화 수증기량 곡선

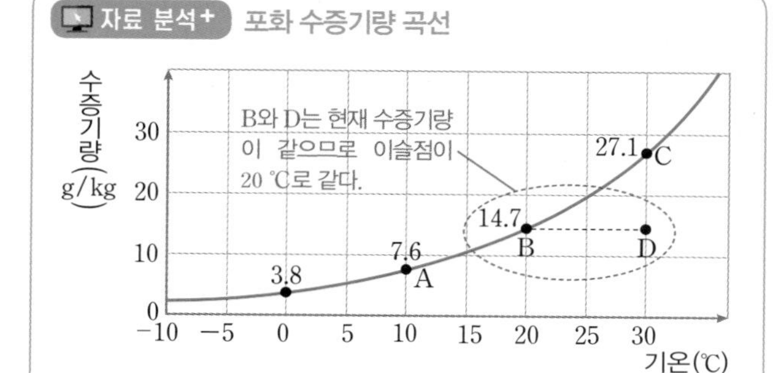

- 포화 수증기량을 결정하는 요인 : 기온
  ➡ 포화 수증기량 비교 : C=D>B>A
- 이슬점을 결정하는 요인 : 현재 수증기량
  ➡ 이슬점 비교 : C>B=D>A
- 상대 습도 : 포화 수증기량 곡선상에서는 100 %, 포화 수증기량 곡선의 아래쪽으로 멀어지면 상대 습도가 낮아진다.
- 응결되는 수증기의 양 : 현재 수증기량 − 냉각된 온도에서의 포화 수증기량

03 (1) 현재 수증기량은 이슬점에서의 포화 수증기량과 같으므로 이슬점은 15 ℃이다.

(2) 포화 수증기량이란 수증기량을 첨가하여 포화 상태로 만들었을 때의 수증기량이다. 포화 수증기량은 기온에 의해 결정되며, 기온이 높을수록 포화 수증기량이 많으며, 기온이 같으면 포화 수증기량이 같다.

(3) 상대 습도는 포화 수증기량에 대한 현재 수증기량의 비율을 백분율로 나타낸 것이다. 따라서 상대 습도는 $\frac{12.0}{20.0}\times 100=60$ %가 된다.

04 맑은 날은 대기 중의 수증기량이 거의 일정하므로 이슬점이 거의 일정하고, 기온과 상대 습도의 변화 경향은 서로 반대로 나타난다. 따라서 A는 상대 습도, B는 기온, C는 이슬점이다.

05 외부와의 열 교환 없이 부피가 팽창하면서 온도가 낮아지는 현상을 단열 팽창이라고 한다.

06 공기 덩어리가 상승하면 주변 기압이 낮아지므로 공기 덩어리는 단열 팽창하여 온도가 낮아지므로 구름이 생성된다.

07 고기압 중심에서 하강 기류가 발달하면 단열 압축이 일

어나므로 기온이 상승하여 맑은 날씨가 된다.

08 수직으로 두껍게 발달하는 구름을 적운형 구름, 옆으로 넓게 퍼지는 구름을 층운형 구름이라고 한다.

09 온대나 한대 지방에서의 강수 현상은 빙정설로 설명한다. 대기 중에 빙정핵이 없으면 0 ℃ 이하의 온도에서도 물이 얼지 못한 상태로 존재하는데 이러한 물방울을 과냉각 물방울이라고 한다. 구름 내부의 온도가 0 ℃~−40 ℃인 구간에서는 과냉각 물방울과 빙정(얼음 알갱이)이 함께 있는데 두 알갱이의 포화 수증기량 차이로 인해 과냉각 물방울에서는 증발이 일어나고, 증발된 수증기는 빙정에 가서 얼음으로 승화한다. 따라서 시간이 지나면 과냉각 물방울의 크기는 점점 작아지고 빙정의 크기는 점점 커지며, 무거워진 빙정이 지표면으로 떨어져 눈이 된다.

10 구름 최상단부의 온도가 0 ℃ 이상이면 구름을 구성하는 입자가 크고 작은 물방울이다. 크고 작은 물방울의 낙하 속도 차이로 인해 구름 속 물방울들이 서로 병합하고, 병합한 물방울은 크기가 커져 빗방울로 성장하여 비가 내린다고 설명하는 강수 이론을 병합설이라고 한다. 병합설은 열대 지방이나 저위도 지방에서 내리는 따뜻한 비를 설명한다.

자료 분석+ 강수 이론(병합설)

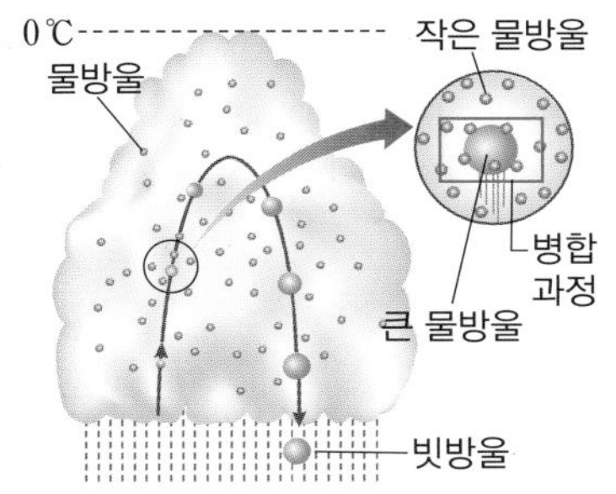

- 열대 지방이나 저위도 지방에서의 강수 현상을 설명하는 그림이다.
- 구름 속에 빙정은 없고 물방울로 이루어져 있다.
- 구름 속의 물방울이 서로 부딪쳐 합쳐지면 크기가 커져서 비로 내린다.
- 물방울의 크기 차이가 클수록 낙하 속도 차이가 커서 물방울끼리 잘 병합한다.

내신 기출 베스트 46~47쪽

1 ㄱ, ㄴ, ㄷ	2 ④	3 E	4 (1) 15 ℃
(2) 약 81.6 %	5 ④	6 ④	7 하강한다.
8 빙정설			

1 ㄱ. 기온이 높을수록 공기의 분자 운동이 활발하므로 포화 수증기량이 증가한다.
ㄴ. A와 B는 기온이 같으므로 포화 수증기량이 서로 같다.
ㄷ. C는 포화 상태이므로 현재 수증기량과 포화 수증기량이 같다.

오답 풀이
ㄹ. D와 E는 현재 수증기량이 같으므로 이슬점이 같다.

2 공기의 온도가 하강하여 이슬점에 도달하면 수증기가 물방울로 응결한다. 따라서 온도 하강으로 물방울이 최초로 응결하기 시작할 때의 온도가 이슬점이다.

3 현재 수증기량이 많을수록 냉각 시 응결량이 많으므로 10 ℃로 냉각시켰을 때 응결량은 E>D>C>A=B이다.

자료 분석+ 포화 수증기량 곡선

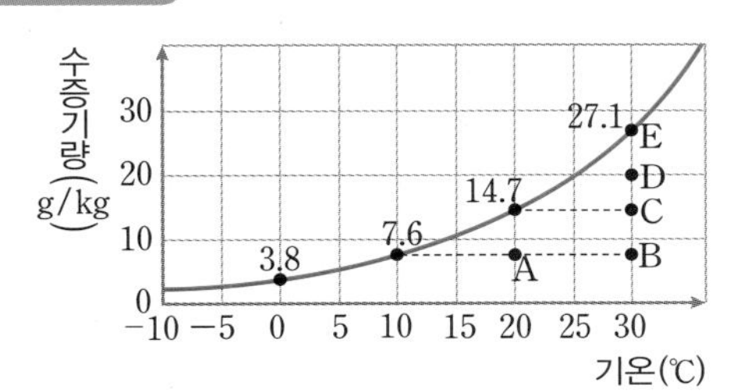

- 포화 수증기량 비교 : B=C=D=E>A
- 이슬점 비교 : E>D>C>A=B
- 응결되는 수증기량 : E>D>C>A=B → 현재 수증기량이 많을수록 공기를 냉각시켰을 때 수증기가 물방울로 응결되는 양이 많다.

4 (1) 현재 수증기량(36 g/3 kg=12 g/kg)은 이슬점에서의 포화 수증기량과 같다.
(2) 상대 습도=$\frac{12.0}{14.7}\times100≒81.6$ %이다.

5 ④ 공기가 외부와의 열 교환 없이 단열 압축되면 기온은 상승한다.

오답 풀이

① 단열 변화란 외부와의 열 교환 없이 일어나는 변화이다.
② 단열 팽창은 부피가 증가하는 변화이다.
③ 단열 팽창은 공기가 상승할 때 일어난다.
⑤ 단열 팽창이 일어나면 기온이 하강하므로 기온과 이슬점의 차이가 점차 줄어든다. 단열 팽창하여 구름이 생성되면 기온과 이슬점이 같게 된다.

6 ㄱ. 공기 덩어리가 상승하면 주변 기압이 감소하므로 공기 덩어리의 부피는 팽창한다.
ㄴ. 공기 덩어리가 상승하여 단열 팽창이 일어나면 공기 덩어리의 온도는 하강한다.
ㄹ. 포화 수증기량은 공기 덩어리의 온도에 의해 결정되며, 온도가 하강하면 포화 수증기량이 감소한다.

오답 풀이

ㄷ. 공기 덩어리가 상승하면 상대 습도는 증가한다.

7 페트병 뚜껑을 닫은 채 펌프를 누르면 외부 공기가 페트병 내부로 들어와 단열 압축되고, 뚜껑을 열면 단열 팽창한다. 공기가 단열 압축되면 온도가 상승하고, 단열 팽창하면 온도가 하강한다.

자료 분석+ 구름 생성 실험

- 펌프를 눌러 공기를 압축시킬 때: 단열 압축 → 온도 상승 → 상대 습도 감소
- 뚜껑을 열어 공기를 팽창시킬 때 : 단열 팽창 → 온도 하강 → 상대 습도 증가 → 수증기 응결
- 향의 연기 : 응결핵의 역할

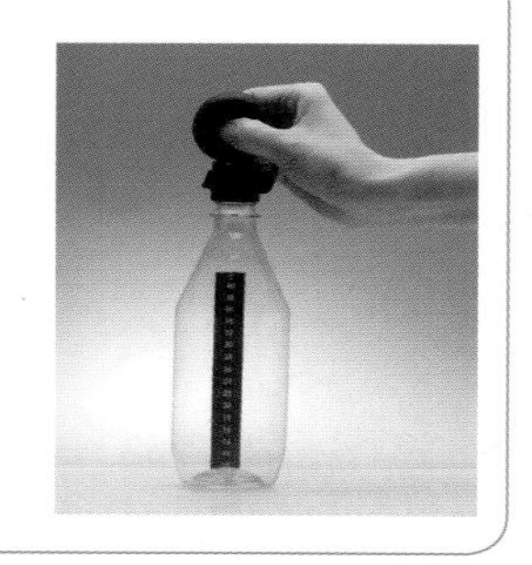

8 구름 내부에 과냉각 물방울과 빙정이 함께 있으면 빙정설에 의해 강수 현상을 설명할 수 있다.

6일

누구나 100점 테스트 1회 48~49쪽

01 ③	02 ④	03 ④	04 ③	05 ⑤
06 ④	07 ⑤	08 ③	09 ①	10 ①, ④

01 물질의 모양이나 크기가 변하는 것은 물리 변화이고, 화학 변화가 일어나면 어떤 물질이 전혀 다른 성질의 새로운 물질로 바뀐다.

02 화학 변화가 일어날 때 원자의 배열, 분자의 종류, 물질의 성질은 변하고, 원자의 종류, 원자의 개수, 물질의 질량은 변하지 않는다.

03 화학 반응식에서 반응 전후 원자의 종류와 개수가 같아야 한다.

개념 체크+ 화학 반응식 만들기

1단계 : 반응 물질과 생성 물질의 이름으로 화학 반응을 표현한다.

수소 + 산소 → 물

2단계 : 반응 물질과 생성 물질을 화학식으로 표현한다.

$H_2 + O_2 \rightarrow H_2O$
수소 산소 물

3단계 : 반응 전후에 원자의 종류와 개수가 같도록 계수를 맞춘다. 단, 계수가 1일 때는 생략한다.

$2H_2 + O_2 \rightarrow 2H_2O$

4단계 : 반응 전후에 원자의 종류와 개수가 같은지 확인한다.

$2H_2 + O_2 \rightarrow 2H_2O$

04 화학 반응식에서 반응 전후 분자의 종류는 다르다. 화학 변화가 일어나면 분자의 종류가 변한다.

05 화학 반응이 일어날 때 반응 전후 원자가 새로 생기거나 없어지지 않기 때문에 질량 보존 법칙이 성립한다.

06 탄산 나트륨 수용액과 염화 칼슘 수용액을 반응시키면 흰색 앙금인 탄산 칼슘이 생성된다. 화학 반응이 일어날 때 반응 전후에 질량은 변하지 않고 일정하다. 따라서 (가)의 질량 = (다)의 질량이다. 탄산 칼슘과 묽은 염산을 반응시키면 이산화 탄소가 발생한다.

07 구리 2 g이 산소와 반응하여 산화 구리(Ⅱ) 2.5 g을 생성하므로 구리와 산화 구리(Ⅱ)의 질량비는 4:5이다. 일정 성분비 법칙에 따라 결합하는 산소의 양은 산화 구리(Ⅱ) 질량 − 구리 질량 = 5−4이므로 구리:산소의 질량은 4:1이다.

08 질소 기체 : 수소 기체 : 암모니아 기체의 부피비는 1:3:2이다.

09 화학 반응이 일어날 때 에너지를 방출하는 반응은 발열 반응이고, 에너지를 흡수하는 반응은 흡열 반응이다.

오답 풀이

ㄴ. 화학 반응이 일어날 때는 항상 에너지가 출입한다.

ㄷ. 에너지를 흡수하는 흡열 반응이 일어나면 주위의 온도가 낮아진다.

10 화학 반응이 일어날 때 에너지를 방출하는 반응은 발열 반응이다.

① 철이 공기 중의 산소와 반응하면 천천히 녹슬면서 열에너지를 방출하므로 발열 반응이다.

④ 묽은 염산에 금속인 마그네슘을 넣으면 수소 기체가 발생하면서 열에너지를 방출하므로 발열 반응이다.

오답 풀이

② 광합성 반응은 식물이 빛에너지를 흡수하여 양분을 만드는 것으로, 에너지를 소모하는 반응이므로 흡열 반응이다.

③ 질산 암모늄과 물은 반응할 때 열에너지를 흡수하여 주위 온도가 낮아지므로 흡열 반응이다.

⑤ 수산화 바륨과 염화 암모늄을 섞으면 반응이 일어나면서 열에너지를 흡수하여 주위 온도가 낮아지므로 흡열 반응이다.

누구나 **100점 테스트** 2회 50~51쪽

01 ⑤	02 ③	03 ②	04 ⑤	05 ⑤
06 ③	07 ④	08 ②	09 ⑤	10 ①

01 ㄴ. 묽은 염산에 아연 조각을 넣으면 열에너지를 방출하는 발열 반응이 일어나면서 주위의 온도가 높아진다.

ㄷ. 철이 녹스는 반응은 열을 방출하면서 일어나는 발열 반응이다.

오답 풀이

ㄱ. 묽은 염산에 아연 조각을 넣으면 열에너지를 방출하는 발열 반응이 일어난다.

02 ㄷ. 휴대용 냉각 팩은 질산 암모늄이 물에 녹을 때 열에너지를 흡수하여 주위의 온도가 낮아지는 원리를 활용한 것이다.

오답 풀이

ㄱ. 눈이 쌓인 도로에 뿌리는 제설제는 주성분인 염화 칼슘이 물에 녹으면서 열에너지를 방출하는 원리를 활용한 것이다.

ㄴ. 추운 날 사용하는 휴대용 손난로는 손난로 안의 철 가루가 공기 중의 산소와 반응할 때 방출하는 열에너지로 주위가 따뜻해지는 원리를 활용한 것이다.

03 성층권 내의 오존층에서는 태양으로부터 오는 자외선을 흡수하므로 성층권에서는 높이 올라갈수록 기온이 상승한다. 만약 성층권 내의 오존층이 없다면 기권의 온도 분포는 2개의 층상 구조로 될 것이다.
2개의 층상 구조 중 하부층에서 높이 올라갈수록 기온이 낮아지는 까닭은 지표면이 방출하는 복사 에너지가 위로 갈수록 적게 도달하기 때문이고, 상부층에서 높이 올라갈수록 기온이 상승하는 까닭은 태양에 의해 직접 가열되며, 위로 갈수록 대기가 희박해지기 때문이다.

04 ⑤ B 구간에서는 컵이 흡수하는 복사 에너지양과 방출하는 복사 에너지양이 같아서 복사 평형 상태에 도달하였으므로 시간이 지나도 온도 변화가 없다.

오답 풀이

① 지구의 복사 평형과 비교할 때 전등은 태양, 컵은 지구, 전등 빛은 태양 복사 에너지에 비유된다.

② A 구간에서는 온도가 상승하므로 아직 복사 평형 상태에 도달하기 이전이다.

③ 온도가 상승하는 구간에서는 컵이 흡수하는 에너지양이 방출하는 에너지양보다 많다.

④ B 구간에서도 흡수하는 에너지양이 있다. 즉, B 구간에서 흡수하는 에너지양은 B 구간에서 방출하는 에너지양과 같다.

자료 분석+ 복사 평형 실험

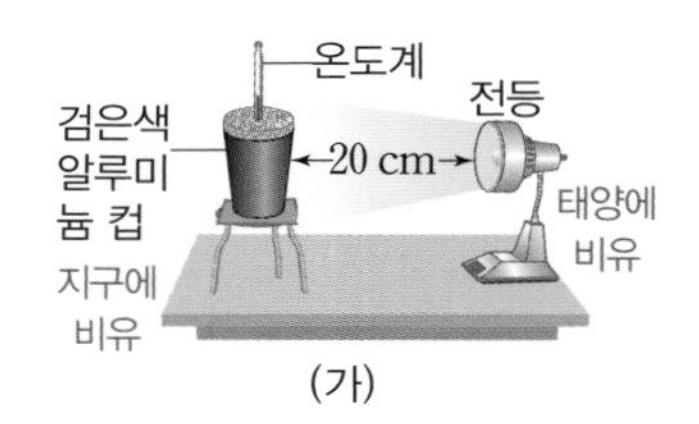

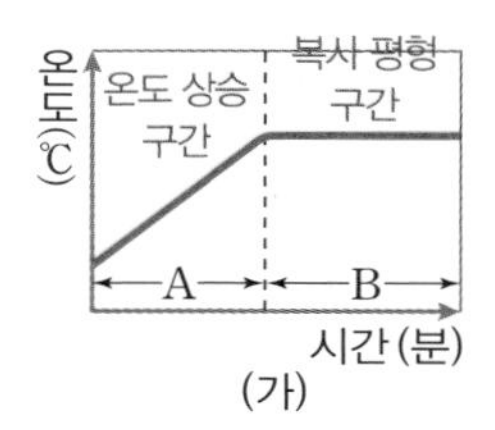

- 온도가 상승하는 구간(A 구간) : 컵이 흡수하는 복사 에너지양 > 컵이 방출하는 복사 에너지양
- 온도가 일정한 구간(B 구간) : 컵이 흡수하는 복사 에너지양 = 컵이 방출하는 복사 에너지양
- 온도가 하강하는 구간 : 컵이 흡수하는 복사 에너지양 < 컵이 방출하는 복사 에너지양

05 지구는 흡수하는 태양 복사 에너지양과 방출하는 지구 복사 에너지양이 같은 복사 평형 상태이므로 연평균 기온이 일정하다.

06 포화 수증기량은 기온이 높을수록 증가하고, 이슬점은 공기 중의 수증기량이 많을수록 높아진다.

07 기온과 이슬점의 차이가 클수록 상대 습도가 낮고, 기온과 이슬점이 같으면 상대 습도가 100 %이다.

08 ② 페트병의 뚜껑을 열면 페트병 속 공기는 단열 팽창이 일어나 온도가 내려가므로 응결이 일어난다.

오답 풀이

① 공기의 온도가 하강하여 이슬점에 도달하면 수증기가 물방울로 응결되므로 페트병 내부는 뿌옇게 흐려진다.

③ 공기가 단열 팽창하면 공기의 온도는 하강한다.

④ 페트병의 뚜껑을 열면 공기는 단열 팽창한다.

⑤ 페트병 내부의 온도가 하강하므로 포화 수증기량은 감소한다.

09 ⑤ 공기의 온도가 하강하면 포화 수증기량도 감소한다.

오답 풀이

① 위로 올라갈수록 공기가 희박해지므로 기압이 하강한다.

②, ③ 공기가 위로 상승하면 단열 팽창이 일어나므로 공기의 온도가 하강한다.

④ 공기가 상승하면 온도가 하강하므로 상대 습도가 증가하게 되고 공기의 온도가 이슬점에 도달하면 상대 습도가 100 %가 된다.

자료 분석+ 공기 덩어리의 상승

- 상승하는 공기 덩어리의 성질 변화 : 압력 감소, 부피 팽창, 온도 하강, 상대 습도 상승, 포화 수증기량 감소
- 공기 덩어리가 하강하면 단열 압축이 일어나 맑은 날씨가 된다.

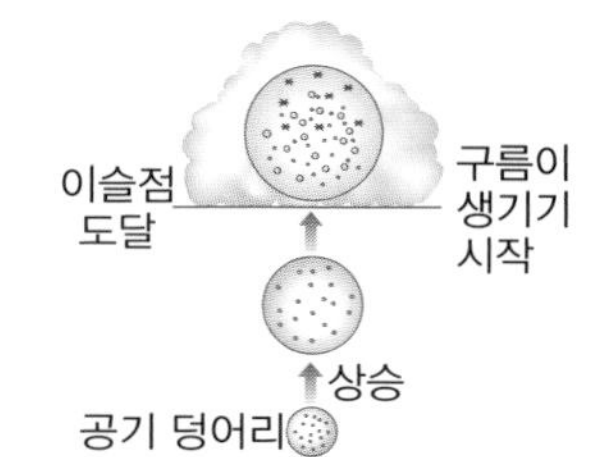

10 ㄱ. 구름 내부에 빙정이 존재하므로 온대나 한대 지방에서 내리는 비를 설명하는 빙정설 구름이다.

오답 풀이

ㄴ. A층에는 수증기를 공급할 물방울이 없으므로 빙정은 크기가 성장하기 힘들다.

ㄷ. B층의 빙정에는 수증기가 달라붙어 크기가 점점 커지고, B층의 과냉각 물방울에서는 증발이 일어나 크기가 점점 작아진다.

자료 분석+ 빙정설

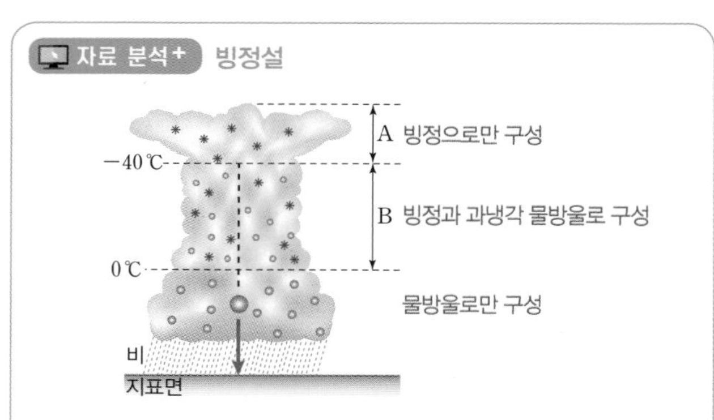

- B층에서의 변화 : 과냉각 물방울에서 증발한 수증기가 빙정으로 승화하므로 빙정의 크기는 점차 커지고, 과냉각 물방울에서는 증발이 일어나므로 과냉각 물방울의 크기는 점차 작아진다.

서술형·사고력 테스트 52~53쪽

01 (1) (가) 물리 변화 (나) 화학 변화 (2) 해설 참조
02 (1) 1:3:2 (2) 해설 참조
03 (1) 2, 2 (2) 해설 참조
04 (1) (가) 흡열 (나) 발열 (2) 해설 참조
05 (1) 약 54.2 % (2) 35.5 g (3) 해설 참조
06 해설 참조
07 (1) (가) 온대나 한대 (나) 열대나 저위도 (2) 해설 참조 (3) 해설 참조

01 (1) (가)는 물이 수증기로 변하는 물리 변화이고, (나)는 물이 수소와 산소로 되는 화학 변화이다.

(2) 모범 답안 (가)는 분자의 종류는 변하지 않고, 분자의 종류만 달라졌으므로 물리 변화이고, (나)는 분자의 종류가 달라졌으므로 화학 변화이다.

해설 | 물리 변화는 분자의 배열이 변하지 않고, 화학 변화는 분자의 배열이 변한다.

채점 기준	배점(%)
모범 답안과 같이 서술한 경우	100
분자의 배열에 대한 설명 없이 결과만 서술한 경우	50

자료 분석+ 물리 변화와 화학 변화 비교

구분	물리 변화	화학 변화
변하는 것	분자의 배열	원자의 배열, 분자의 종류, 물질의 성질
변하지 않는 것	분자의 종류, 물질의 성질, 원자의 종류, 원자의 개수, 물질의 질량	원자의 종류, 원자의 개수, 물질의 질량

02 (2) 모범 답안 반응 전후 원자의 종류와 개수가 변하지 않으므로 질량은 변하지 않는다.

해설 | 화학 반응이 일어날 때 물질을 구성하는 원자들의 종류와 개수는 달라지지 않고 배열만 변하기 때문에 화학 반응 전후에 질량이 변하지 않는다.

채점 기준	배점(%)
모범 답안과 같이 서술한 경우	100
까닭에 대한 설명 없이 '질량은 변하지 않기 때문이다.'라고만 서술한 경우	50

03 (1) 수소:산소:수증기의 부피비는 2 : 1 : 2이다.

(2) 모범 답안 수증기 40 mL, 수소:산소:수증기는 2 : 1 : 2의 부피비이므로 수소 기체 40 mL와 산소 기체 20 mL가 반응하여 수증기 40 mL를 생성한다.

해설 | 온도와 압력이 같을 때 모든 기체는 같은 부피 속에 들어 있는 분자의 개수가 같기 때문에 기체 반응 법칙이 성립한다.

채점 기준	배점(%)
모범 답안과 같이 서술한 경우	100
수소:산소:수증기의 부피비에 대한 설명 없이 수증기의 부피만 쓴 경우	50

04 (1) (가)는 화학 반응이 일어날 때 에너지를 흡수하는 흡열 반응이고, (나)는 화학 반응이 일어날 때 에너지를 방출하는 발열 반응이다.

(가) 흡열 반응	(나) 발열 반응
• 질산 암모늄과 물의 반응 • 수산화 바륨과 염화 암모늄의 반응	• 연료의 연소 반응 • 마그네슘과 묽은 염산의 반응

(2) 모범 답안 (가) 반응이 일어나면 주위의 온도가 낮아지고, (나) 반응이 일어나면 주위의 온도가 높아진다.

채점 기준	배점(%)
(가)와 (나)의 반응에 따른 주위의 온도 변화를 모두 옳게 서술한 경우	100
(가)와 (나)의 반응에 따른 주위의 온도 변화 중 하나만 옳게 서술한 경우	50

05 (1) 상대 습도는 현재 기온에서의 포화 수증기량에 대한 현재 수증기량의 비율을 백분율로 나타낸 것이다. 따라서 A 공기의 상대 습도는 $\frac{14.7}{27.1} \times 100 ≒ 54.2\ \%$가 된다.

(2) 공기를 냉각시켰을 때 응결되는 수증기량은 현재 수증기량에서 냉각된 온도에서의 포화 수증기량을 빼면 된다. 따라서 A 공기 5 kg을 냉각시킬 때 $(14.7 - 7.6)\ \text{g/kg} \times 5\ \text{kg} = 35.5\ \text{g}$이 응결된다.

(3) 모범 답안 수증기 62 g을 더 넣어주거나 기온을 20 ℃로 냉각시킨다.

해설 | 불포화 상태의 공기를 포화 상태로 만들려면 수증기를 첨가하거나 기온을 낮추면 된다.

채점 기준	배점(%)
수증기 첨가와 기온 하강을 모두 옳게 서술한 경우	100
수증기 첨가와 기온 하강 중 하나만 옳게 서술한 경우	50

06 모범 답안 현재 수증기량은 이슬점에서의 포화 수증기량과 같으므로 방 안에 있는 수증기의 총 질량은 10 ℃에서의 포화 수증기량에 15를 곱하면 된다.

해설 | 포화 수증기량이란 포화 상태의 공기 1 kg에 들어 있는 수증기의 양을 g으로 나타낸 것이므로 15를 곱해야 한다.

채점 기준	배점(%)
모범 답안과 같이 서술한 경우	100
그 외의 답으로 서술한 경우	0

07 (1) 병합설은 구름 속에 빙정이 없으므로 열대나 저위도 지방에서의 강수 현상을 설명하는 이론이다.

(2) 모범 답안 과냉각 물방울에서는 증발(기화)이 일어나 과냉각 물방울의 크기가 점차 작아지고, 빙정에서는 과냉각 물방울에서 증발한 수증기가 승화하여 빙정의 크기가 점차 커진다. 커진 빙정은 떨어지다가 녹으면 비, 녹지 않으면 눈이 된다.

해설 | 빙정설에서는 빙정과 과냉각 물방울의 포화 수증기량 차이로 인해 빙정에서는 승화, 과냉각 물방울에서는 증발이 일어난다.

채점 기준	배점(%)
네 가지 용어를 모두 사용하여 옳게 서술한 경우	100
네 가지 용어 중 세 가지 용어에 대해서만 옳게 서술한 경우	70
네 가지 용어 중 두 가지 용어에 대해서만 옳게 서술한 경우	50

(3) 모범 답안 크고 작은 물방울이 서로 충돌하여 점차 물방울의 크기가 커지면 지면으로 떨어지면서 비가 되어 내린다.

해설 | 병합설에서는 크고 작은 물방울들의 낙하 속도 차이로 인해 병합하여 물방울의 크기가 커진다.

채점 기준	배점(%)
모범 답안과 같이 서술한 경우	100
물방울의 크기가 점차 커져서 비가 내린다라고만 서술한 경우	50

창의·융합·코딩 테스트 54~55쪽

01 (1) (가) 산화 마그네슘 (나) 2 (다) 2 (2) 해설 참조
02 (1) (가) X, 5 mL (나) 40 (2) 해설 참조 03 ㉠ 발열, ㉡ 철가루, ㉢ 높 04 (1) 상승한다. (2) 해설 참조 05 해설 참조

01 (2) 모범 답안 반응 전후에 원자의 종류와 개수가 같은지 확인한다. 화학 반응식 : $2Mg + O_2 \rightarrow 2MgO$

해설 | 반응 전후에 원자의 종류와 개수가 같은지 확인하여 화학 반응식을 완성한다.

채점 기준	배점(%)
모범 답안과 같이 서술한 경우	100
4단계에 대한 설명 없이 화학 반응식만 쓴 경우	50

개념 체크+ 화학 반응식 만들기

- 1단계 : 마그네슘 + 산소 → 산화 마그네슘
- 2단계 : $Mg + O_2 \rightarrow MgO$
- 3단계 : $2Mg + O_2 \rightarrow 2MgO$
- 4단계 : $2Mg + O_2 \rightarrow 2MgO$

02 (1) 실험 1에서 기체 X 30 mL와 기체 Y 30 mL가 반응할 때 기체 Y 20 mL가 남으므로 기체 Y 10 mL가 반응하여 기체 Z 20 mL가 생성된다. 따라서 반응한 기체와 생성된 기체의 부피비는 X : Y : Z = 30 : 10 : 20 = 3 : 1 : 2이다. 실험 2에서는 기체 X 45 mL와 기체 Y 15 mL가 반응하고 기체 X 5 mL가 남으며, 실험 3에서는 기체 X 60 mL와 기체 Y 20 mL가 반응하여 기체 Z 40 mL가 생성된다. 따라서 (가)는 X, 5이고, (나)는 40이다.

(2) 모범 답안 온도와 압력이 같을 때 모든 기체는 같은 부피 속에 들어 있는 분자의 개수가 같기 때문이다.

해설 | 일정한 온도와 압력에서 기체가 반응하여 새로운 기체를 생성할 때 각 기체의 부피 사이에는 간단한 정수비가 성립한다.

채점 기준	배점(%)
모범 답안과 같이 서술한 경우	100
온도와 압력이 같은 때라는 조건 없이 서술한 경우	60

03 휴대용 손난로에 대해 지후와 다희, 지은, 건우가 나눈 대화를 정리하면 다음과 같다.

- 지후, 다희 : 손난로는 열을 방출하는 발열 반응을 활용한 것이다.
- 지은, 건우 : 손난로 속 철 가루와 공기 중의 산소가 반응할 때 방출하는 열에너지로 주위의 온도가 높아지는 원리를 이용한 것이다.

04 (1) 지구 온난화가 점점 심화되면 빙하가 융해되어 바다로 유입되고, 해수가 열팽창하므로 해수면의 높이가 상승한다.

(2) 모범 답안 이산화 탄소는 온실 기체이며, 온실 기체의 농도가 증가하면 온실 효과가 강화되므로 지구의 평균 기온이 지속적으로 상승하게 된다.

해설 | 온실 기체의 양이 증가하면 온실 효과가 강화되므로 지구의 기온이 상승한다.

채점 기준	배점(%)
모범 답안과 같이 서술한 경우	100
이산화 탄소가 온실 효과를 일으키기 때문이라고만 서술한 경우	50

05 모범 답안 보일러를 틀면 실내의 기온이 상승하고, 기온이 상승하면 포화 수증기량이 증가하여 상대 습도가 낮아진다. 상대 습도가 낮아지면 건조해지므로 빨래가 더 잘 마른다.

해설 | 기온이 상승하면 포화 수증기량이 증가한다.

채점 기준	배점(%)
모범 답안과 같이 서술한 경우	100
보일러를 틀면 건조해지기 때문이라고만 서술한 경우	30

학교시험 기본 테스트 1회 56~59쪽

01 ⑤	02 ⑤	03 ③	04 ③	05 질량 보존 법칙
06 ②	07 ④	08 해설 참조	09 ⑤	10 ④
11 ③	12 ②, ⑤	13 ⑤	14 ①	15 ④
16 ⑤	17 ⑤	18 이슬점	19 ⑤	20 ⑤

01 물리 변화는 물질의 모양이나 크기, 상태는 달라지지만 물질의 고유한 성질은 그대로 유지되는 변화이다.

자료 분석+

① 물질의 모양이 달라진다. – 물리 변화
② 물질의 질량은 변하지 않는다. – 물리 변화
③ 물질의 고유한 성질은 그대로 유지된다. – 물리 변화
④ 물질을 이루는 분자의 종류는 변하지 않는다. – 물리 변화
⑤ 원래 물질과 성질이 다른 새로운 물질이 생성된다. – 화학 변화

02 화학 변화가 일어날 때 원자의 종류, 원자의 개수, 물질의 질량은 변하지 않는다.

03 분자와 반응할 때 반응 전후 분자의 종류와 개수는 달라지며, 원자의 종류와 개수는 같다.

04 원자 2개가 결합한 분자 1개와 원자 2개가 결합한 분자 3개가 반응하여 원자 4개가 결합한 분자 2개를 형성하는 화학 반응이다.

05 화학 변화가 일어날 때 물질을 구성하는 원자들의 종류와 개수는 달라지지 않고 배열만 변하기 때문에 화학 반응이 일어날 때 반응 전후에 질량이 변하지 않고 일정하다.

06 화학 반응이 일어날 때 반응 전후에 질량이 변하지 않고 일정하다. 물리 변화와 화학 변화에서 모두 성립한다.

개념 체크+ 질량 보존 법칙

반응 물질의 총 질량 = 생성 물질의 총 질량

07 볼트(B) 5 개와 너트(N) 10 개로 화합물 모형을 만들었을 때 볼트 2 개와 너트 1 개가 남으므로 볼트 3 개와 너트 9 개로 화합물 모형 3 개를 만든 것이다. 따라서 이 화합물 1 개는 볼트 1 개와 너트 3 개로 이루어진 것이므로 BN_3으로 나타낼 수 있다. 이때 볼트 5 개의 질량이 20 g이므로 볼트 1 개의 질량은 4 g이고, 너트 10 개의 질량이 20 g이므로 너트 1 개의 질량은 2 g이다. 따라서 BN_3를 이루는 B와 N의 질량비는 (1×4 g):(3×2 g) = 4:6=2:3이다.

08 모범 답안 반응 전후 수소:산소:수증기의 부피비가 2:1:2이므로 수소 10 mL와 산소 5 mL가 반응하여 수증기 10 mL를 생성한다.

해설 | 기체 반응 법칙이 성립한다. 반응 전후 수소:산소:수증기의 부피비가 2:1:2이므로 수소 10 mL와 산소 5 mL가 반응하여 수증기 10 mL를 생성한다.

채점 기준	배점(%)
모범 답안과 같이 서술한 경우	100
계산 과정 없이 답만 쓴 경우	50

09 ⑤ 질산 암모늄이 물에 녹으면 열에너지를 흡수하므로 주위의 온도가 낮아진다.

오답 풀이

①, ②, ③ 화학 반응이 일어날 때는 항상 에너지가 출입한다. 이때 에너지를 방출하는 발열 반응이 일어나면 주위의 온도가 높아지고, 에너지를 흡수하는 흡열 반응이 일어나면 주위의 온도가 낮아진다.

④ 메테인과 같은 연료가 공기 중의 산소와 반응하는 연소가 일어나면 이산화 탄소와 수증기가 생성되면서 열에너지를 방출한다.

10 (가) 수산화 나트륨과 염화 암모늄을 섞으면 흡열 반응이 일어나 주위의 온도가 낮아진다.

(나) 묽은 염산에 마그네슘 조각을 넣으면 발열 반응이 일어나 주위의 온도가 높아진다.

11 ③ 도시가스를 연소시키면 열에너지를 방출하여 주위의 온도가 높아지므로, 이를 이용하여 난방을 할 수 있다.

오답 풀이

① 물의 전기 분해, ② 질산 암모늄과 물의 반응, ④ 식물의 광합성 반응, ⑤ 베이킹파우더(탄산수소 나트륨)의 분해 반응은 모두 에너지를 흡수하면서 일어나는 흡열 반응이다.

12 ② 냉찜질 팩(휴대용 냉각 팩)은 질산 암모늄이 물에 녹을 때 열에너지를 흡수하여 주위의 온도가 낮아지는 원리를 활용한 것이다.

⑤ 빵을 만들 때 반죽에 넣는 베이킹파우더의 주성분은 탄산수소 나트륨이다. 탄산수소 나트륨을 가열하면 열에너지를 흡수하여 분해되면서 이산화 탄소 기체가 발생하므로, 베이킹파우더를 넣은 반죽을 구우면 빵이 부풀어 오른다.

오답 풀이

① 눈이 쌓인 도로에 뿌리는 제설제는 주성분인 염화 칼슘이 물에 녹으면서 열에너지를 방출하는 원리를 활용한 것이다.

③ 추운 날 사용하는 휴대용 손난로는 손난로 속의 철 가루가 공기 중의 산소와 반응할 때 방출하는 열에너지로 주위가 따뜻해지는 원리를 활용한 것이다.

④ 열에 약한 구제역 바이러스를 제거할 때는 산화 칼슘과 물이 반응할 때 열에너지를 방출하는 원리를 활용한다.

13 ⑤ D층은 공기가 매우 희박하므로 낮과 밤의 기온 차가 매우 크다.

오답 풀이

① A층은 대류권으로 수증기가 상태 변화를 하여 비, 눈, 구름 등의 기상 현상이 나타난다.

② ㉠은 대류권과 성층권의 경계면으로 대류권 계면이라 하고, ㉡은 성층권과 중간권의 경계면으로 성층권 계면이라 하며, ㉢은 중간권과 열권의 경계면으로 중간권 계면이라고 한다.

③ B층은 성층권으로 성층권 내부에는 오존층이 존재하며, 오존층은 태양 복사 에너지 중에서 자외선을 흡수하므로 높이 올라갈수록 기온이 상승한다.

④ C층은 중간권으로, 중간권의 상부는 기권 중 기온이 가장 낮은 곳이 분포한다.

자료 분석+ 기권의 층상 구조

- A층 : 기상 현상, 대류 현상, 전체 대기의 약 75 % 분포
- B층 : 오존층에서 태양의 자외선 흡수, 장거리 비행기의 항로
- C층 : 기상 현상 없음, 유성 관측
- D층 : 낮과 밤의 기온 차 큼, 극지방 부근에서 오로라 관측, 인공 위성의 궤도로 이용되기도 함.

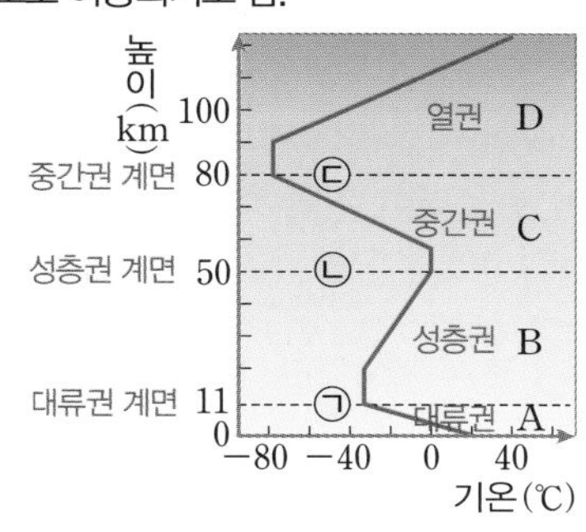

14 구름이 생기려면 수증기가 있어야 하며, 수증기가 공기의 대류에 의해 물방울이나 빙정으로 상태 변화가 일어나야 한다. 성층권에서는 위로 올라갈수록 기온이 상승하여 안정한 기층이므로 대류 현상이 없다. 따라서 성층권에서는 구름이 생기지 않는다.

▲ 성층권에서 바라본 전경

15 ㄱ. 지구에 입사하는 태양 복사 에너지 100 % 중에서 20 %는 대기와 구름에 의해 흡수되고, 50 %는 지표에 흡수된다.

ㄴ. 지구에 입사하는 태양 복사 에너지 100 % 중에서 30 %는 대기, 구름, 지표면 등에서 반사되어 우주로 되돌아간다.

오답 풀이

ㄷ. 지구는 흡수하는 태양 복사 에너지양과 방출하는 지구 복사 에너지양이 같은 복사 평형 상태이므로 연평균 기온이 거의 일정하다.

자료 분석+ 지구의 복사 평형

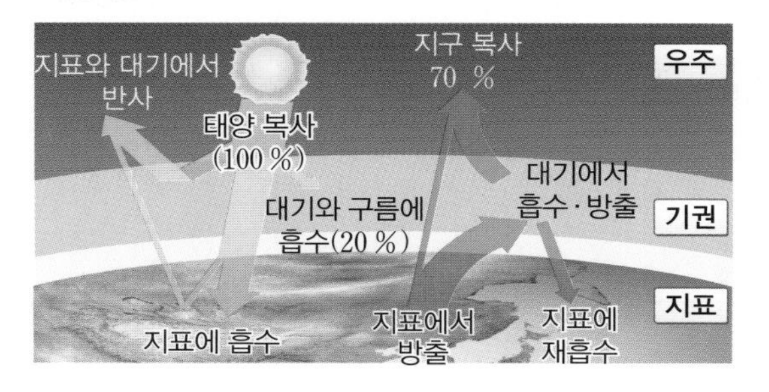

- 지구로 들어오는 태양 복사 에너지양이 100 %라면, 30 %는 지표와 대기에 의해 반사되고, 70 %는 흡수된다.
- 지구가 흡수하는 태양 복사 에너지양 : 70 %
- 지구가 방출하는 지구 복사 에너지양 : 70 %
- 지구는 복사 평형 상태이므로 연평균 기온이 거의 일정하다.

16 포화 수증기량은 기온에 의해 결정되며, 기온이 높을수록 포화 수증기량이 증가한다. 이때 이슬점은 포화 수증기량에 영향을 주지 않는다.

17 ⑤ 구름이 생성되기 위해서는 공기가 상승하면 된다. 문제의 ⑤와 같이 고기압에서는 하강 기류가 형성되면서 맑은 날씨가 된다.

오답 풀이

① 지표면이 차등 가열되면 가열된 지표면 위쪽의 공기가 상승한다.

② 수평으로 이동하던 공기가 산을 만나면 산사면을 따라 위로 상승한다.

③, ④ 찬 공기와 따뜻한 공기가 만나면 따뜻한 공기가 찬 공기 위를 타고 상승한다.

18 공기의 냉각으로 인해 수증기가 물방울로 응결하기 시작하는 온도를 이슬점이라고 한다.

19 ㄴ. 공기 덩어리가 상승하면 공기 덩어리의 온도가 점점 낮아지므로 상대 습도는 계속 높아진다. 공기 덩어리의 온도가 이슬점에 도달하면 상대 습도는 100 %가 된다. 따라서 B는 A보다 상대 습도가 높다.

ㄷ. C에서는 구름이 생성되므로 기온과 이슬점이 같아 상대 습도가 100 %가 된다.

오답 풀이

ㄱ. 지구의 중력에 의해 지구상의 공기는 대부분 지표

부근에 위치하므로 A에서 C로 갈수록 주변 기압이 낮아진다.

자료 분석+ 구름의 생성

- A~C 구간 : 공기 덩어리가 불포화 상태, 상대 습도가 100 % 미만인 구간
- C 고도 이상의 구간 : 포화 상태, 상대 습도가 100 %인 구간
- 상승하는 공기 덩어리의 성질 변화 : 부피 팽창, 온도 하강, 상대 습도 상승

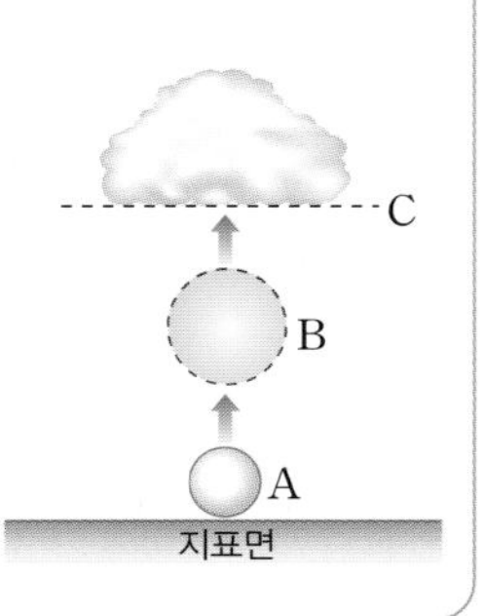

20 ⑤ 구름 최상단부의 온도가 0 ℃ 이상이므로 구름 속에는 빙정이 존재하지 않는다.

오답 풀이

①, ③ 구름의 최상단부 온도가 0 ℃ 이상이면 빙정은 없고 크고 작은 물방울로 이루어져 있다. 물방울들은 낙하 속도 차이로 인해 서로 병합하여 크기가 점차 커져 빗방울로 성장한다.

② 병합설은 열대나 저위도 지방에서 내리는 비를 설명하는 이론이다.

④ 병합설로 강수 현상을 설명하는 구름에서는 빙정이 존재하지 않는다.

자료 분석+ 병합설

- 강수 이론 : 병합설
- 강수 구역 : 열대 지방, 저위도 지방
- 구름을 구성하는 입자 : 물방울
- 비가 내리는 과정 : 구름 속의 크고 작은 물방울들이 서로 충돌 → 합쳐져서 커짐. → 무거워져서 떨어짐. → 비(따뜻한 비)

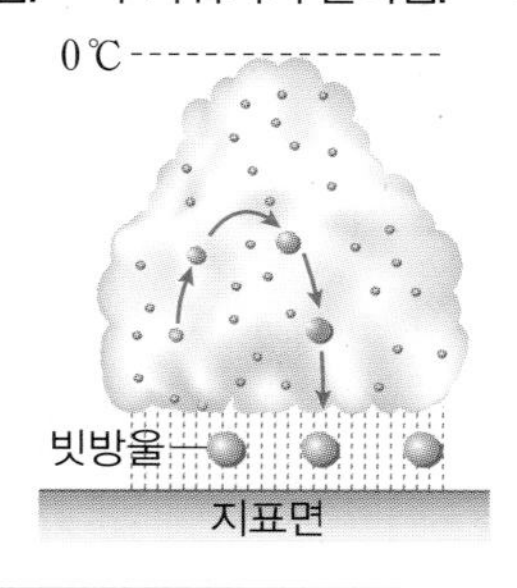

학교시험 기본 테스트 2회 60~63쪽

01 ②	02 ②	03 ④	04 ①	05 ⑤	06 100 g
07 ①	08 ②	09 ④	10 ⑤	11 ①	12 ③
13 ⑤	14 (1) 지구 (2) 태양			15 ⑤	16 ③
17 해설 참조	18 ①	19 ②	20 ①		

01 물리 변화는 물질의 모양이나 크기, 상태는 달라지지만 물질의 고유한 성질은 그대로 유지되는 변화이고, 화학 변화는 어떤 물질이 전혀 다른 성질의 새로운 물질로 바뀌는 변화이다.

개념 체크+ 물리 변화와 화학 변화의 예

① 철이 녹슨다. – 화학 변화
② 꽃향기가 퍼진다. – 물리 변화
③ 김치 맛이 시어진다. – 화학 변화
④ 발포정을 물에 넣으면 기포가 발생한다. – 화학 변화
⑤ 석회수에 입김을 불어 넣으면 뿌옇게 흐려진다. – 화학 변화

02 화학 변화가 일어나도 원자의 종류는 변하지 않는다.

03 원자 2개가 결합한 분자 1개와 원자 2개가 결합한 분자 3개가 반응하여 원자 4개가 결합한 분자 2개를 형성하는 화학 반응이다. 질소 기체 : 수소 기체 : 암모니아 기체의 부피비 = 1 : 3 : 2이다.

04 $2H_2O_2 \rightarrow 2H_2O + O_2$의 화학 반응식에서 분자 수비는 2 : 2 : 1이다.

05 화학 반응이 일어날 때 반응 전후 원자가 새로 생기거나 없어지지 않기 때문에 질량 보존 법칙이 성립한다.

06 질량 보존 법칙이 성립하기 때문에 반응 전과 반응 후의 질량은 같다. (가)의 질량이 100 g일 경우, (나)의 질량도 100 g이다.

07 구리 1 g이 반응하여 산화 구리(Ⅱ) 1.25 g이 생성되므로, 반응하는 산소의 질량은 1.25 g − 1 g = 0.25 g이다. 따라서 구리와 산소의 질량비는 4 : 1이다.

08 질소 기체와 수소 기체가 반응하여 암모니아 기체를 생성할 때 반응 전후 부피비는 질소 기체 : 수소 기체 : 암모니아 기체 = 1 : 3 : 2이다. 암모니아 기체가 40 mL를

생성하려면 1:3:2 = X:3X:40이므로 X=20이다. 따라서 필요한 질소 기체는 20 mL이다.

09 주위로 에너지를 방출하는 반응은 발열 반응이다.
ㄱ. 철이 공기 중의 산소와 반응하면 천천히 녹슬면서 열에너지를 방출하므로 발열 반응이다.
ㄷ. 산성 물질인 묽은 염산에 염기성 물질인 수산화 나트륨 수용액을 넣으면 물이 생성되면서 열에너지를 방출하므로 발열 반응이다.

오답 풀이

ㄴ. 질산 암모늄이 물에 녹으면 열에너지를 흡수하여 주위의 온도가 낮아지므로 흡열 반응이다.

10 휴대용 손난로는 손난로 속의 철 가루가 공기 중의 산소와 반응할 때 방출하는 열에너지로 주위가 따뜻해지는 원리를 활용한 것이다.

오답 풀이

• 학생 B : 손난로에서 주위의 에너지를 흡수하는 반응이 일어나. → 손난로에서는 발열 반응이 일어난다.

11 ㄱ. 탄산수소 나트륨에 열을 가하면 흡열 반응이 일어나 탄산수소 나트륨이 분해되면서 이산화 탄소 기체가 발생한다.

오답 풀이

ㄴ. 주위에서 열에너지를 흡수하는 흡열 반응이 일어나므로, 주위의 온도가 낮아진다.
ㄷ. 눈이 쌓인 도로에 뿌리는 제설제는 주성분인 염화 칼슘이 물에 녹으면서 열에너지를 방출하는 원리를 활용한 것이다.

12 ③ 질산 암모늄과 물이 반응하면서 주위에서 열을 흡수하므로, 비닐 주머니가 차가워진다.

오답 풀이

①, ② 질산 암모늄이 들어 있는 비닐 주머니에 물이 들어 있는 지퍼 백을 넣고 비닐 주머니를 밀봉한 후 그림과 같이 물이 들어 있는 지퍼 백을 눌러 물이 나오게 하면, 질산 암모늄이 물에 녹으면서 주위의 열에너지를 흡수하므로 주변의 온도가 낮아진다.
④ 수산화 바륨과 염화 암모늄의 반응을 섞으면 흡열 반응이 일어나 주위의 온도가 낮아지므로, 제시된 실험과 에너지 출입 방향이 같다.
⑤ 반응이 일어날 때 열에너지를 흡수하여 주위의 온도가 낮아지므로, 이를 이용하여 냉찜질 팩을 만들 수 있다.

13 ㄱ, ㄷ. 산소 마스크를 끼는 까닭은 위로 갈수록 공기가 희박해지기 때문이고, 두꺼운 방한복을 입는 까닭은 대류권에서 위로 갈수록 기온이 낮아지기 때문이다. 대류권에는 기권 전체 공기의 약 75 %가 분포한다.

오답 풀이

ㄴ. 오존의 양은 지표 부근에서는 적고 성층권 내의 높이 약 20~30 km 부근에 밀집되어 있다.

14 지구의 복사 평형 실험에서 알루미늄 컵은 지구, 전등은 태양, 전등의 빛은 태양 복사 에너지에 비유된다.

15 ㄱ. 이산화 탄소, 메테인, 수증기 등은 온실 기체에 속한다.
ㄴ. 화석 연료의 사용량이 증가하면 대기 중 이산화 탄소와 수증기의 양이 증가한다.
ㄷ. 이산화 탄소와 같은 온실 기체의 양이 많아지면 지구의 기온은 대체로 상승한다.

자료 분석+ 지구 온난화

• 이산화 탄소의 농도가 높을수록 지구의 기온은 상승한다.
• 지구 대기 중의 이산화 탄소 농도 증가 → 온실 효과 강화 → 지구 온난화 발생
• 지구 온난화의 영향 : 이상 기후 발생, 해수면 상승으로 인한 저지대 침수, 기온 상승으로 인한 생태계 교란, 식량 생산이나 수자원 공급에 문제 발생

16 ③ 포화 수증기량 곡선상에 있으면 기온과 이슬점이 같고, 상대 습도가 100 %이다.

오답 풀이

① A, B, D, E는 포화 수증기량 곡선 아래에 위치하므로 불포화 상태이고, C는 포화 수증기량 곡선상에 위치하므로 포화 상태이다.

② 현재 수증기량이 같으면 이슬점이 같으므로 B와 C는 이슬점이 같다.

④ 이슬점이 가장 높은 공기는 현재 수증기량이 가장 많은 공기이므로 A이다.

⑤ 포화 수증기량은 온도가 같으면 같다. 따라서 포화 수증기량은 A = B > E > D > C이다.

17 모범 답안 간이 펌프의 뚜껑을 열면 페트병 내부의 공기가 페트병 밖으로 빠져나가 단열 팽창하므로 페트병 내부 공기의 기압과 기온은 낮아지고, 상대 습도는 높아진다.

해설 | 간이 펌프를 열면 페트병 속의 공기가 단열 팽창한다.

채점 기준	배점(%)
기압, 기온, 상대 습도 변화를 모두 옳게 서술한 경우	100
기압, 기온, 상대 습도 변화 중 두 가지만 옳게 서술한 경우	70
기압, 기온, 상대 습도 변화 중 한 가지만 옳게 서술한 경우	30

18 향의 연기는 흡습성이 있어 주변의 수증기를 모으는 성질이 있으므로 향의 연기 주변을 포화 상태로 만들어 수증기를 쉽게 응결시키는 역할을 한다. 즉, 향의 연기는 응결핵의 역할을 한다.

19 0 ℃ 이상의 온도에서는 물방울, −40 ℃ 이하의 온도에서는 빙정만 존재하고, 0~−40 ℃ 사이의 온도에서는 빙정과 물방울이 공존한다.

자료 분석+ 빙정설

- 강수 이론 : 빙정설
- 강수 구역 : 온대 지방, 한대 지방
- 구름을 구성하는 입자
  - A 구간 : 빙정
  - B 구간 : 빙정 + 과냉각 물방울
  - C 구간 : 물방울

- 비나 눈이 내리는 과정 : B층에서 과냉각 물방에서 증발한 수증기가 빙정에 달라 붙음. → 빙정의 크기가 커짐. → 무거워져서 떨어짐. → 그대로 떨어지면 눈, 떨어지다가 녹으면 비가 됨.

20 B층의 물방울에서 증발한 수증기는 빙정에 가서 승화하여 얼음으로 되므로 빙정의 크기는 점차 커진다. 충분히 커진 빙정은 아래로 떨어지며, 0 ℃ 이상의 층을 지나면 녹아서 비가 된다.

초등에 나오는 과학 용어 풀이

❶ 물질 (물건 物, 바탕 質)

물체를 이루고 있는 재료, 또는 그 본바탕을 말하며 물질의 변화에는 ❶ [ ] 변화와 ❷ [ ] 변화가 있다.

▲ 물리 변화: 물에 잉크가 퍼짐.

▲ 화학 변화: 사과가 익음.

답 ❶ 물리 ❷ 화학

예1 물리 변화는 물질의 모양이나 크기, 상태는 달라지지만, 물질의 고유한 성질은 그대로 유지된다.

예2 화학 변화는 어떤 물질이 전혀 다른 성질의 새로운 물질로 바뀐다.

❷ 질량 (바탕 質, 헤아릴 量)

물체가 가지고 있는 물체의 고유의 양으로 화학 반응이 일어날 때 반응 전후에 ❶ [ ]이 변하지 않고 일정한 질량비가 성립한다.

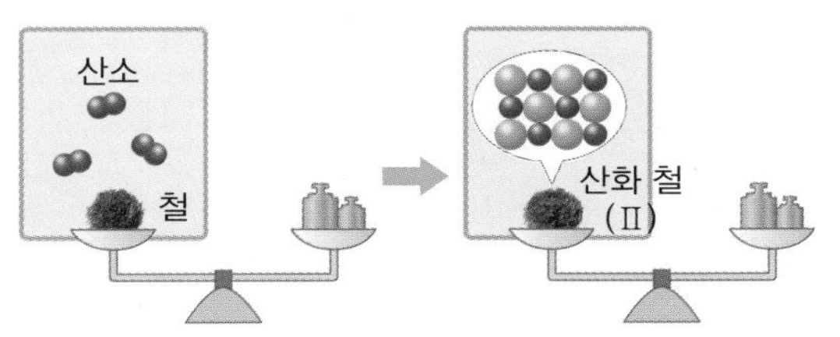

▲ 반응 전후에 질량은 변하지 않고 같음.

답 ❶ 물질

예1 화학 반응이 일어날 때 반응 전후에 질량이 변하지 않고 일정하다.

예2 화합물을 구성하는 성분 원소 사이에는 일정한 질량비가 성립한다.

❸ 기체 (기운 氣, 몸 體)

물질이 나타내는 상태의 하나로 공기, 수소, 산소, 이산화 탄소 등과 같이 일정한 ❶ [ ]과 부피를 갖지 않고 용기를 채우려는 ❷ [ ]이 있다.

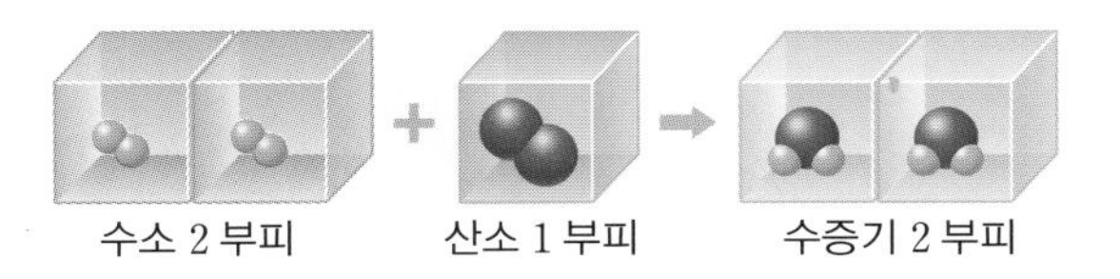

답 ❶ 모양 ❷ 성질

예1 일정한 온도와 압력에서 기체가 반응하여 새로운 기체를 생성할 때 각 기체의 부피 사이에는 간단한 정수비가 성립한다.

예2 기체의 부피비는 기체의 분자 수비와 같다.

❹ 반응 (돌이킬 反, 응할 應)

외부 자극에 대하여 어떤 현상이 일어나는 것으로 화학 반응이 일어날 때 열을 ❶ [ ]하거나 ❷ [ ]한다.

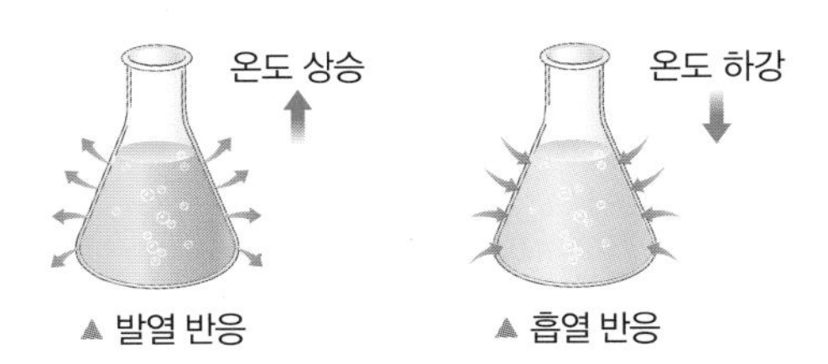

▲ 발열 반응 ▲ 흡열 반응

답 ❶ 방출 ❷ 흡수

예1 발열 반응이 일어나면 열에너지를 방출하므로 주위의 온도가 높아진다.

예2 흡열 반응이 일어나면 열에너지를 흡수하므로 주위의 온도가 낮아진다.

❺ 습도 (축축할 濕, 정도 度)

공기 중에 [ ]가 포함된 정도

▲ 주전자에서 물이 끓어 수증기가 공기 중으로 나가는 모습

답 수증기

예1 습도가 높으면 음식물이 부패하기 쉽고, 빨래가 잘 마르지 않는다.

예2 습도가 낮으면 감기에 걸리거나 산불이 발생하기 쉽다.

❻ 응결 (엉길 凝, 맺을 結)

공기 중의 수증기가 [ ]로 변하는 현상

▲ 응결 현상의 예(얼음물이 든 컵 표면의 물방울, 풀잎에 맺힌 이슬)

답 물방울

예1 유리컵 표면의 물방울은 공기 중의 수증기가 응결한 것이다.

예2 안개, 이슬 등은 공기 중의 수증기가 응결해 작은 물방울로 된 것이다.

❼ 기압 (기운 氣, 누를 壓)

공기의 무게로 생기는 누르는 힘으로, 상대적으로 공기의 양이 많은 것을 ❶[ ]이라 하고, 공기의 양이 적은 것을 ❷[ ]이라고 한다.

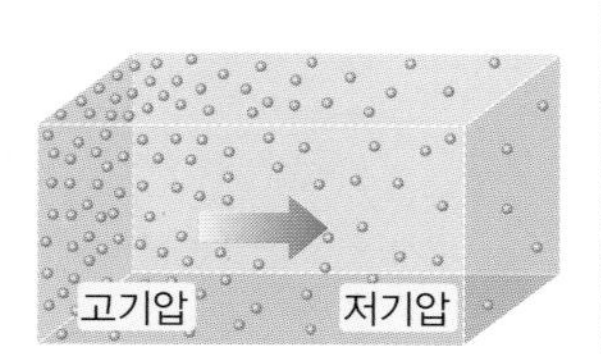

▲ 차가운 공기와 따뜻한 공기의 무게 비교

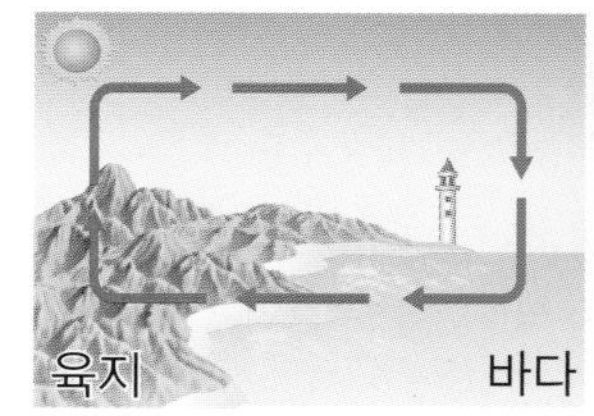

▲ 기압 차에 의한 공기의 이동

답 ❶ 고기압 ❷ 저기압

예1 일정한 부피 속에 든 공기 알갱이가 많을수록 공기는 무거워지며 기압은 높아진다.

예2 두 지점 사이에 기압 차가 생기면 공기는 고기압에서 저기압으로 이동하면서 바람이 분다.

❽ 해륙풍 (바다 海, 뭍 陸, 바람 風)

바다에서 육지로 부는 바람을 ❶[ ], 육지에서 바다로 부는 바람을 ❷[ ]이라고 한다.

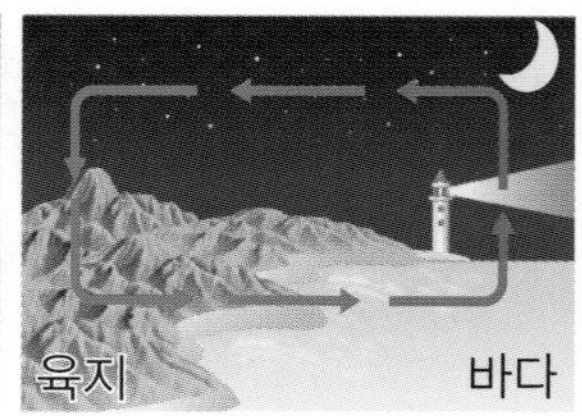

▲ 해안가에서 낮에 부는 바람(해풍) ▲ 해안가에서 밤에 부는 바람(육풍)

답 ❶ 해풍 ❷ 육풍

예1 모래는 물보다 빨리 가열되고, 빨리 냉각된다.

예2 밤에는 바다 위에 저기압, 육지 위에 고기압이 형성되어 육풍이 분다.

핵심 정리 01 물질의 변화

● **물리 변화**

물질의 모양이나 크기, 상태는 달라지지만, 물질의 고유한 ❶ ______ 은 그대로 유지되는 변화

● **물리 변화의 예**

모양 변화, 상태 변화, 확산, 용해 등

● **화학 변화**

어떤 물질이 전혀 다른 성질의 ❷ ______ 물질로 변하는 변화

● **화학 변화의 예**

색깔, 냄새, 맛 등의 변화, 빛과 열의 발생, 기체 발생, 앙금 생성 등

답 ❶ 성질 ❷ 새로운

핵심 정리 02 물리 변화와 화학 변화의 특징

● **물질 변화에서 물질을 이루는 입자의 배열**

● **물리 변화와 화학 변화 비교**

구분	물리 변화	화학 변화
변하는 것	• ❶ ______의 배열	• 원자의 배열 • 분자의 종류 • 물질의 성질
변하지 않는 것	• 분자의 종류 • 원자의 종류와 개수 • 물질의 성질 • 물질의 질량	• 원자의 종류와 개수 • 물질의 ❷ ______

답 ❶ 분자 ❷ 질량

핵심 정리 03 화학 반응식

● **화학 반응식**

화학 반응을 ❶ ______ 를 이용한 화학식과 기호, 계수 등으로 나타낸 것

● **화학 반응식 만들기**

반응 물질과 생성 물질의 이름으로 화학 반응을 표현하기

수소 + 산소 → 물
(수소 + 산소: 반응 물질, 물: 생성 물질)

↓

반응 물질과 생성 물질을 화학식으로 표현하기

$H_2 + O_2 \rightarrow H_2O$

↓

반응 전후에 원자의 종류와 개수가 같도록 계수를 맞추기

$2H_2 + O_2 \rightarrow$ ❷ ______ H_2O

답 ❶ 원소 기호 ❷ 2

핵심 정리 04 화학 반응식으로 알 수 있는 사실

화학 반응식		$N_2 + 3H_2 \rightarrow 2NH_3$		
반응 모형		질소	+ 수소	→ 암모니아
물질의 종류		반응 물질		생성 물질
		질소	수소	암모니아
분자	종류와 개수	질소 분자 1개	수소 분자 3개	암모니아 분자 2개
원자	종류와 개수	질소 원자 2개	수소 원자 6개	질소 원자 2개 수소 원자 6개
계수비		1	: 3	: 2
분자 수비		1	: ❶ ______	: 2

• 화학 반응식의 계수비 = ❷ ______ 수비

답 ❶ 3 ❷ 분자

01 이것만은 꼭! 물질의 변화

[예제] 물리 변화에 해당하는 현상을 〈보기〉에서 모두 고른 것은?

보기
ㄱ. 종이를 태운다.
ㄴ. 꽃향기가 퍼진다.
ㄷ. 아이스크림이 녹는다.
ㄹ. 물에 떨어뜨린 잉크가 퍼진다.
ㅁ. 석회수에 입김을 불어 넣으면 뿌옇게 흐려진다.

① ㄱ, ㅁ ② ㄴ, ㄷ ③ ㄱ, ㄴ, ㄷ
④ ㄴ, ㄷ, ㄹ ⑤ ㄷ, ㄹ, ㅁ

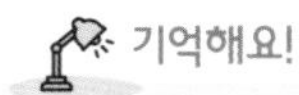

물리 변화는 물질의 모양이나 크기, 상태는 달라지지만 물질의 고유한 ______은 그대로 유지되는 변화이고, 화학 변화는 어떤 물질이 전혀 다른 성질의 ______ 물질로 변하는 변화이다.

답 성질, 새로운

02 이것만은 꼭! 물리 변화와 화학 변화의 특징

[예제] 그림은 물의 상태 변화를 모형으로 나타낸 것이다.

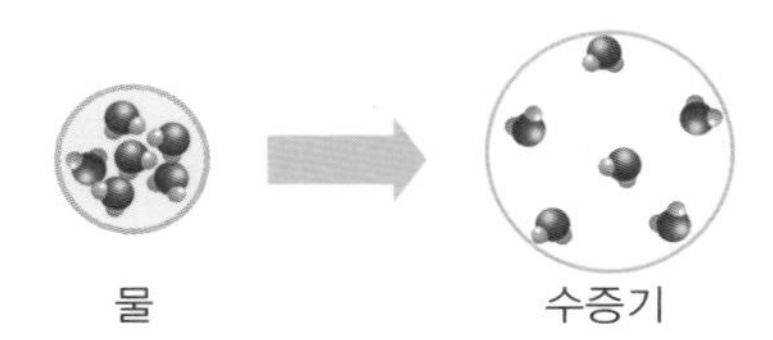

이때 변하는 것을 〈보기〉에서 모두 고르시오.

보기
ㄱ. 물질의 성질
ㄴ. 물질의 질량
ㄷ. 분자의 배열
ㄹ. 분자를 구성하는 원자의 배열

기억해요!

그림은 물이 기화하여 수증기가 되는 상태 변화를 나타내는 모형이다. 상태 변화는 ______의 배열만 변하는 ______ 변화에 해당한다.

답 분자, 물리

03 이것만은 꼭! 화학 반응식

[예제] 다음은 물의 분해 반응을 화학 반응식으로 나타낸 것이다.

$$(\text{㉠})H_2O \rightarrow (\text{㉡})H_2 + O_2$$

위의 화학 반응식에 대한 설명으로 옳은 것을 〈보기〉에서 모두 고른 것은?

보기
ㄱ. 반응 물질은 물이다.
ㄴ. 생성 물질은 수소와 산소이다.
ㄷ. ㉠과 ㉡에 들어갈 숫자는 각각 2와 3이다.

① ㄱ ② ㄷ ③ ㄱ, ㄴ
④ ㄱ, ㄷ ⑤ ㄴ, ㄷ

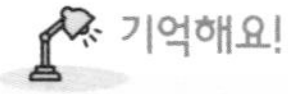

화학 반응식은 원소 기호를 이용한 화학식과 기호, 계수 등으로 화학 반응을 나타낸 것이다. 이때 화살표 왼쪽은 ______ 물질, 화살표 오른쪽은 ______ 물질이고, 화학식 앞 숫자는 계수이다.

답 반응, 생성

04 이것만은 꼭! 화학 반응식으로 알 수 있는 사실

[예제] 다음은 질소 기체와 수소 기체가 반응하여 암모니아 기체를 생성하는 반응을 나타낸 것이다.

$$N_2 + (\quad)H_2 \rightarrow 2NH_3$$

이 반응에 대한 설명으로 옳은 것을 〈보기〉에서 모두 고른 것은?

보기
ㄱ. 질소 분자 1개와 수소 분자 3개가 반응하여 암모니아 분자 2개를 생성한다.
ㄴ. 이 화학 반응식의 계수비는 1:3:2이다.
ㄷ. 이 화학 반응식의 원자 수비는 1:3:2이다.

① ㄱ ② ㄷ ③ ㄱ, ㄴ
④ ㄱ, ㄷ ⑤ ㄴ, ㄷ

화학 반응식으로는 반응 물질과 생성 물질의 종류, 반응에 관여하는 분자와 원자의 종류와 ______, 화학 반응식의 계수비와 ______비를 알 수 있다.

답 개수, 분자 수

핵심 정리 05 질량 보존 법칙

● **질량 보존 법칙**

화학 반응이 일어날 때 반응 전후에 ❶ (   )이 변하지 않고 일정하다.

→ 물리 변화와 화학 변화에서 모두 성립한다.

반응 물질의 총 질량 = 생성 물질의 총 질량

● **질량 보존 법칙이 성립하는 까닭**

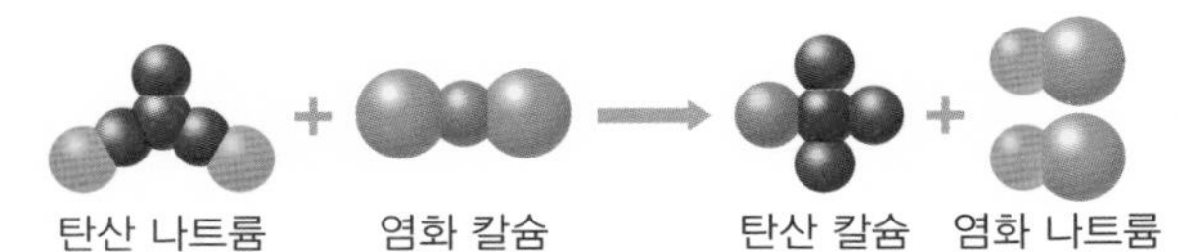

▲ 탄산 나트륨과 염화 칼슘의 반응

화학 변화가 일어날 때 물질을 구성하는 원자들의 종류와 개수는 달라지지 않고 ❷ (   )만 변하기 때문이다.

답 ❶ 질량 ❷ 배열

핵심 정리 06 일정 성분비 법칙

● **일정 성분비 법칙**

화합물을 구성하는 성분 원소 사이에는 일정한 질량비가 성립한다.

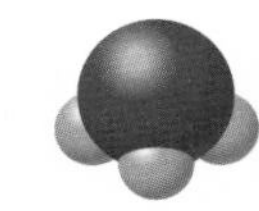

	물	과산화 수소	암모니아
질량비	수소:산소=1:8	수소:산소=1:16	질소:산소=14:3

● **일정 성분비 법칙이 성립하는 까닭**

화합물을 이루는 ❶ (   )가 항상 일정한 개수비로 결합하기 때문이다.

● **구리와 산소의 반응에서 질량비**

구리를 연소하면 구리와 산소가 4:1의 질량비로 결합하여 산화 구리(Ⅱ)가 된다.

→ 구리:산소:산화 구리(Ⅱ)의 질량비 = ❷ (   )

답 ❶ 원자 ❷ 4:1:5

핵심 정리 07 기체 반응 법칙

● **기체 반응 법칙**

일정한 온도와 압력에서 기체가 반응하여 새로운 기체를 생성할 때 각 기체의 부피 사이에는 간단한 정수비가 성립한다.

→ 질소 기체와 수소 기체가 반응하여 암모니아 기체가 생성될 때 질소 기체 : 수소 기체 : 암모니아 기체의 부피비는 ❶ (   )로 일정하다.

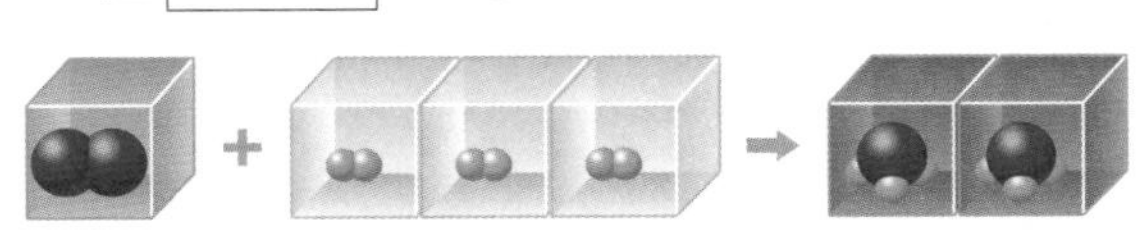

● **기체 반응 법칙이 성립하는 까닭**

온도와 압력이 같을 때 모든 기체는 같은 ❷ (   ) 속에 들어 있는 분자의 개수가 같기 때문이다.

● **기체 반응 법칙과 화학 반응식**

기체의 부피비 = 기체의 분자 수비 = 화학 반응식의 계수비

답 ❶ 1:3:2 ❷ 부피

핵심 정리 08 발열 반응

● **발열 반응**

화학 반응이 일어날 때 주위로 열에너지를 ❶ (   )하는 반응이다.

→ 발열 반응이 일어나면 주위의 온도가 ❷ (   )아진다.

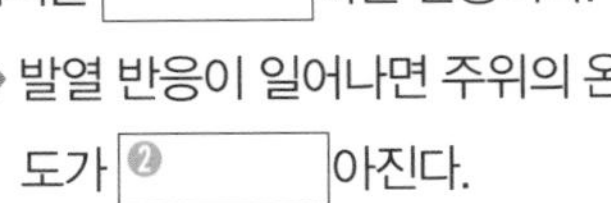

● **발열 반응의 예**

연소 반응, 금속이 녹스는 반응, 금속과 산의 반응, 산과 염기의 반응, 산화 칼슘과 물의 반응 등

● **발열 반응의 이용**

휴대용 손난로, 자체 발열 용기, 조리용 발열 팩, 제설제, 구제역 바이러스 제거, 난방 및 음식 조리 등

답 ❶ 방출 ❷ 높

06 이것만은 꼭! 일정 성분비 법칙

[예제] **표는 마그네슘을 연소시킬 때 반응하는 마그네슘과 생성되는 산화 마그네슘의 질량 관계를 나타낸 것이다.**

마그네슘의 질량(g)	3.0	4.5	6.0
산화 마그네슘의 질량(g)	5.0	7.5	10.0

산화 마그네슘 25 g을 얻기 위해 필요한 산소의 질량은?

① 8 g　② 10 g　③ 12 g
④ 14 g　⑤ 20 g

기억해요!

마그네슘이 산소와 반응하여 산화 마그네슘이 생성될 때 반응하는 마그네슘과 생성되는 산화 마그네슘의 질량비는 ☐이므로, 마그네슘 : 산소 : 산화 마그네슘의 질량비는 ☐이다.

답 3 : 5, 3 : 2 : 5

05 이것만은 꼭! 질량 보존 법칙

[예제] **화학 변화가 일어나도 질량이 변하지 않는 까닭으로 옳은 것은?**

① 모든 물질은 분자로 구성되었기 때문이다.
② 반응 후 원자가 새로 생성되기 때문이다.
③ 물질을 구성하는 분자가 물질마다 다르기 때문이다.
④ 물질을 이루는 원자의 종류와 개수가 변하지 않기 때문이다.
⑤ 물질을 이루는 분자의 종류와 개수가 변하지 않기 때문이다.

기억해요!

질량 보존 법칙이 성립하는 까닭은 화학 변화가 일어날 때 물질을 구성하는 ☐들의 종류와 개수는 달라지지 않고 ☐만 변하기 때문이다.

답 원자, 배열

08 이것만은 꼭! 발열 반응

[예제] **발열 반응에 대한 설명으로 옳은 것을 〈보기〉에서 모두 고른 것은?**

보기
ㄱ. 열을 방출하는 반응이다.
ㄴ. 반응이 일어나면 주위의 온도가 낮아진다.
ㄷ. 식물의 광합성 반응은 발열 반응에 해당한다.
ㄹ. 휴대용 손난로는 발열 반응을 이용하여 만든 제품이다.

① ㄱ, ㄴ　② ㄱ, ㄷ　③ ㄱ, ㄹ
④ ㄴ, ㄷ　⑤ ㄷ, ㄹ

기억해요!

발열 반응은 화학 반응이 일어날 때 주위로 열에너지를 ☐하는 반응이다. 발열 반응이 일어나면 주위의 온도가 ☐아진다. 휴대용 손난로는 발열 반응으로 주위가 따뜻해지는 원리를 이용한 제품이다.

답 방출, 높

07 이것만은 꼭! 기체 반응 법칙

[예제] **그림은 질소 기체와 수소 기체의 반응을 모형으로 나타낸 것이다.**

이에 대한 설명으로 옳은 것을 〈보기〉에서 모두 고르시오. (단, 반응 전후 온도와 압력은 같다.)

보기
ㄱ. 화학 반응식은 $N_2 + H_2 \rightarrow NH_3$이다.
ㄴ. 질소 : 수소 : 암모니아의 부피비는 1 : 3 : 2이다.
ㄷ. 기체 1부피 속에 들어 있는 원자 수는 모두 같다.

기억해요!

온도와 압력이 같을 때 모든 기체는 같은 ☐ 속에 같은 수의 분자가 들어 있다. 따라서 기체의 반응에서 온도와 압력이 일정할 때 기체의 부피 사이에는 간단한 ☐가 성립한다.

답 부피, 정수비

핵심 정리 09 흡열 반응

● **흡열 반응**

화학 반응이 일어날 때 주위로부터 열에너지를 ❶ [ ] 하는 반응이다.

→ 흡열 반응이 일어나면 주위의 온도가 ❷ [ ] 아진다.

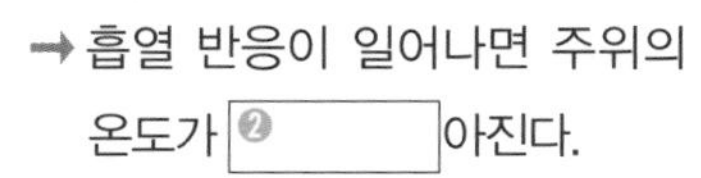

● **흡열 반응의 예**

탄산수소 나트륨의 분해 반응, 수산화 바륨과 염화 암모늄의 반응, 질산 암모늄과 물의 반응, 물의 전기 분해, 광합성 등

● **흡열 반응의 이용**

빵 만들 때, 휴대용 냉각 팩(냉찜질 팩) 등

답 ❶ 흡수 ❷ 낮

핵심 정리 10 기권의 구조와 특징

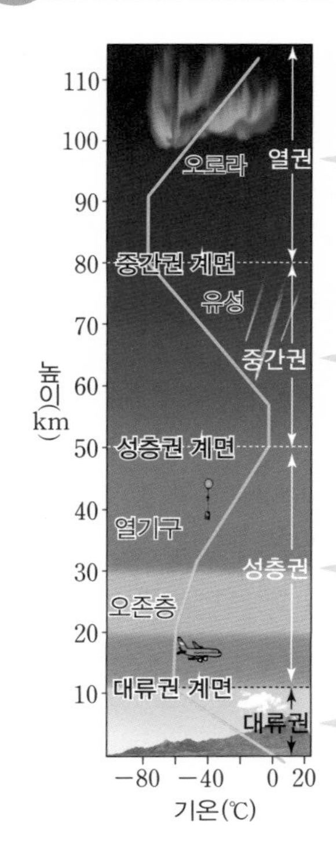

열권 : 높이 약 80~1000 km
- 높이 올라갈수록 기온 상승, 인공위성의 궤도로 이용됨.
- 고위도에 ❶ [ ] 가 나타남.

중간권 : 높이 약 50~80 km
- 높이 올라갈수록 기온 하강
- 대류 현상 ○, 기상 현상 ×
- 유성이 관측됨.

성층권 : 높이 약 11~50 km
- 높이 올라갈수록 기온 상승, ❷ [ ] 층
- 대류 현상 ×, 장거리 비행기 항로로 이용됨.

대류권 : 지표~높이 약 11 km
- 높이 올라갈수록 기온 하강
- 대류 현상 ○, 기상 현상 ○

답 ❶ 오로라 ❷ 오존

핵심 정리 11 지구의 복사 평형

● **복사 평형**

어떤 물체가 흡수하는 복사 에너지양과 방출하는 복사 에너지양이 같아 물체의 온도가 일정하게 유지되는 상태

● **지구의 복사 평형**

- 지구가 태양으로부터 흡수한 태양 복사 에너지양 : 70 %
- 지구에서 방출하는 지구 복사 에너지양 : ❶ [ ] %
- 지구는 복사 평형 상태로 연평균 기온이 ❷ [ ] 하다.

답 ❶ 70 ❷ 일정

핵심 정리 12 온실 효과와 지구 온난화

● **온실 효과**

지구의 대기가 지구 복사 에너지의 일부를 흡수하였다가 다시 지표로 내보내면서 지구의 평균 기온이 높게 유지되는 효과

→ 온실 기체 : ❶ [ ] 를 일으키는 기체

예 수증기, 이산화 탄소, 메테인 등

● **지구 온난화**

온실 효과가 크게 일어나 지구의 평균 ❷ [ ] 이 점점 상승하는 현상

● **지구 온난화의 영향**

이상 기후 발생 증가, 해수면 상승으로 인한 저지대 침수 피해, 급격한 기온 상승으로 인한 생태계 교란, 식량 생산이나 수자원 공급에 문제 발생 등

답 ❶ 온실 효과 ❷ 기온

10 이것만은 꼭! 기권의 구조와 특징

[예제] 그림은 기권의 구조를 나타낸 것이다. A~D 층에 대한 설명으로 옳지 않은 것은?

높이(km) 100, 80, 50, 11, 0 / D, C, B, A / −80 −40 0 40 기온(℃)

✓① A층 : 안정한 층이다.
② B층 : 오존층이 분포한다.
③ C층 : 대류 현상이 일어난다.
④ D층 : 오로라가 나타난다.
⑤ A층과 C층에서는 높이 올라갈수록 기온이 낮아진다.

기억해요!

A는 대류권, B는 성층권, C는 중간권, D는 열권이다. ______권은 수증기가 있고 대류 현상이 일어나므로 ______ 현상이 나타나는 불안정한 층이다. 성층권에서는 대기가 안정하여 대류 현상이 일어나지 않는다.

답 대류, 기상

12 이것만은 꼭! 온실 효과와 지구 온난화

[예제] 온실 효과에 대한 설명으로 옳은 것을 〈보기〉에서 모두 고른 것은?

보기
ㄱ. 지구의 평균이 낮게 유지되는 효과이다.
ㄴ. 이산화 탄소, 메테인 등은 온실 효과를 일으킨다.
ㄷ. 지구와 달에서는 모두 온실 효과가 나타난다.

① ㄱ ✓② ㄴ ③ ㄷ
④ ㄱ, ㄴ ⑤ ㄴ, ㄷ

기억해요!

온실 효과는 지구의 대기가 ______의 일부를 흡수하였다가 다시 지표로 내보내면서 지구의 평균 기온이 높게 유지되는 효과이다. 온실 효과를 일으키는 기체에는 수증기, ______, 메테인 등이 있다.

답 지구 복사 에너지, 이산화 탄소

09 이것만은 꼭! 흡열 반응

[예제] 흡열 반응에 대한 설명으로 옳은 것을 〈보기〉에서 모두 고른 것은?

보기
ㄱ. 열을 흡수하는 반응이다.
ㄴ. 반응이 일어나면 주위의 온도가 낮아진다.
ㄷ. 금속이 녹스는 반응과 열의 출입 방향이 같다.

① ㄱ ② ㄷ ✓③ ㄱ, ㄴ
④ ㄱ, ㄷ ⑤ ㄴ, ㄷ

기억해요!

흡열 반응은 화학 반응이 일어날 때 주위로부터 열에너지를 ______하는 반응이다. 흡열 반응이 일어나면 주위의 온도가 ______아진다. 금속이 녹스는 반응은 발열 반응이다.

답 흡수, 낮

11 이것만은 꼭! 지구의 복사 평형

[예제] 그림은 지구의 복사 평형을 나타낸 것이다.

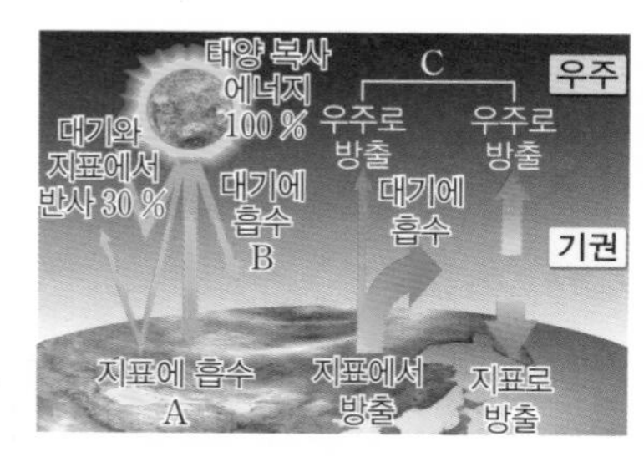

이에 대한 설명으로 옳은 것을 〈보기〉에서 모두 고르시오.

보기
✓ㄱ. A와 B의 합은 70 %이다.
ㄴ. C는 태양 복사 에너지의 50 %이다.
✓ㄷ. 지구는 복사 평형을 이루어 일정한 온도를 유지한다.

기억해요!

지구가 태양으로부터 흡수한 ______양은 70 %이고, 이 중 50 %는 지표에 흡수(A)되고 20 %는 대기에 흡수(B)된다. C는 지구가 방출하는 에너지양으로 태양 복사 에너지의 ______ %이다.

답 태양 복사 에너지, 70

핵심 정리 13 포화 수증기량과 이슬점

● **포화 수증기량**

포화 상태의 공기 1 kg에 들어 있는 수증기의 양을 g으로 나타낸 것

➞ 기온이 높을수록 포화 수증기량은 ❶ (   )한다.

● **이슬점**

공기 중의 수증기가 응결하기 시작하는 온도

➞ 불포화 상태의 공기가 ❷ (   )될 때 포화 상태에 도달하여 응결이 일어나기 시작하는 온도이다.

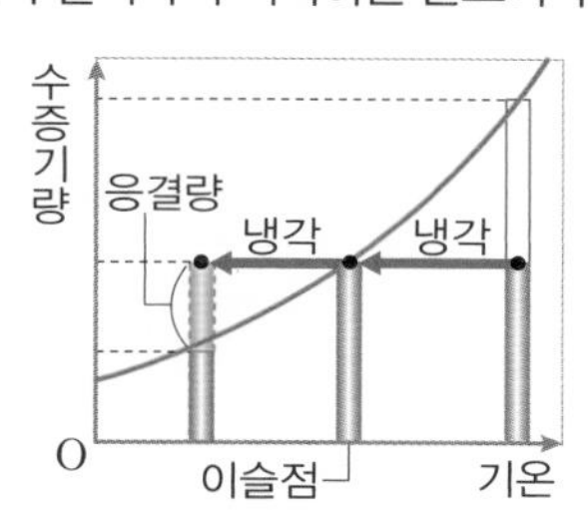

답 ❶ 증가 ❷ 냉각

핵심 정리 14 상대 습도

● **상대 습도**

공기의 건조하고 습한 정도를 ❶ (   )로 나타낸 것

상대 습도(%)

$$= \frac{\text{현재(실제) 수증기량}}{\text{현재 온도에서의 포화 수증기량}} \times 100$$

$$= \frac{\text{이슬점에서의 포화 수증기량}}{\text{현재 온도에서의 포화 수증기량}} \times 100$$

● **맑은 날 기온, 상대 습도, 이슬점의 변화**

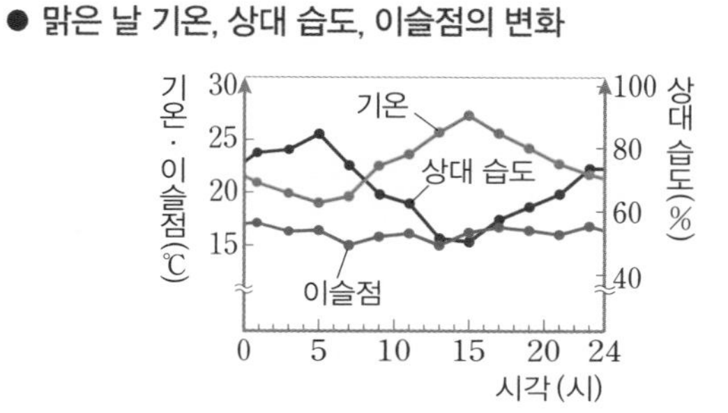

맑은 날 기온과 상대 습도의 변화는 서로 ❷ (   )로 나타나고, 이슬점은 거의 일정하다.

답 ❶ % ❷ 반대

핵심 정리 15 구름의 생성

● **구름의 생성 과정**

공기 덩어리 상승 → ❶ (   ) 팽창 → 온도 하강 → 이슬점 도달, 수증기의 응결 → 구름 생성

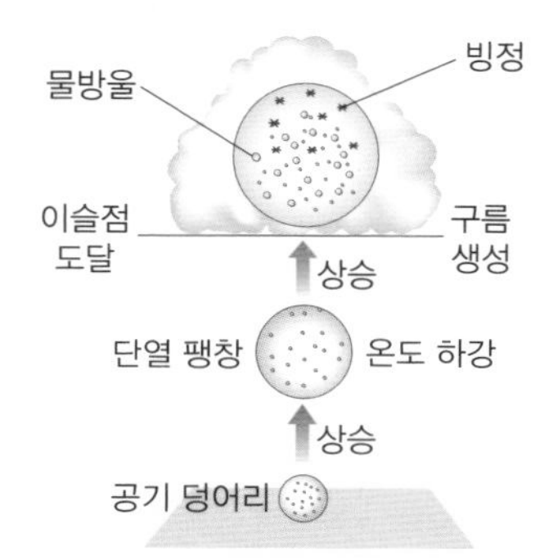

● **구름이 생성되는 경우**

지표면이 ❷ (   )하게 가열될 때, 공기 덩어리가 산을 타고 올라갈 때, 따뜻한 공기와 찬 공기가 만날 때, 저기압 중심으로 공기가 모일 때 등

답 ❶ 단열 ❷ 불균등

핵심 정리 16 강수 이론

병합설(따뜻한 비)	빙정설(찬비)
중위도·고위도 지역	열대·저위도 지역
0 ℃, 물방울, 작은 물방울, 큰 물방울, 병합 과정, 빗방울	물방울, −40 ℃, 빙정, 수증기, 0 ℃, 눈 결정, 비
• 구름 속 온도가 0 ℃ 이상일 때, 구름 속 물방울끼리 서로 ❶ ( )하여 뭉쳐서 비로 내린다. • 구름 입자가 100만 개 이상 모여야 빗방울 한 개를 형성한다.	• 구름 속 온도가 0 ℃ 이하일 때, 과냉각 물방울에서 증발한 수증기가 얼음 알갱이(빙정)에 달라붙어(승화) 커져서 떨어지면 ❷ ( )이 되어 내리고, 떨어지다 녹으면 비가 내린다.

답 ❶ 충돌 ❷ 눈

14 이것만은 꼭! 상대 습도

[예제] 표는 기온에 따른 포화 수증기량을 나타낸 것이다.

기온(℃)	0	5	10	15	20	25	30
포화 수증기량 (g/kg)	3.8	6.0	7.6	12.0	14.7	20.0	27.1

현재 온도가 25 ℃인 공기 2 kg 속에 24 g의 수증기가 포함되어 있을 때, 이 공기의 이슬점과 상대 습도를 순서대로 옳게 나열한 것은?

① 5 ℃, 30 %　② 10 ℃, 45 %
③ 15 ℃, 60 %　④ 20 ℃, 80 %
⑤ 25 ℃, 100 %

기억해요!

현재 수증기량($\frac{24\text{ g}}{2\text{ kg}}=12$ g/kg)은 [　　　]에서의 포화 수증기량과 같다. 상대 습도(%)는 다음과 같이 구할 수 있다.

$$\text{상대 습도(\%)} = \frac{[\quad]\text{에서의 포화 수증기량}}{\text{현재 온도에서의 포화 수증기량}} \times 100$$

답 이슬점, 이슬점

13 이것만은 꼭! 포화 수증기량과 이슬점

[예제] 그림은 기온에 따른 포화 수증기량을 나타낸 것이다.

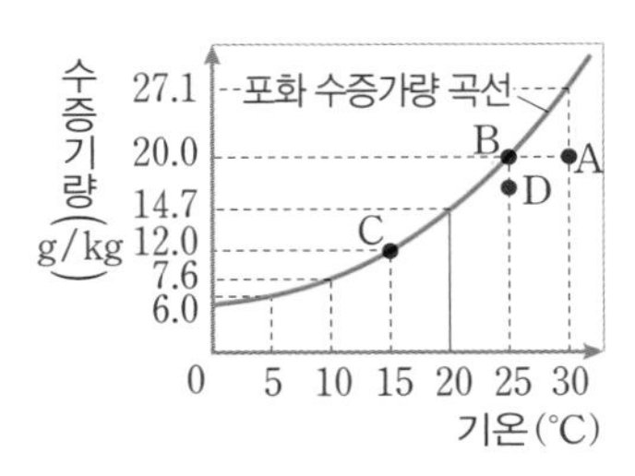

이에 대한 설명으로 옳은 것을 〈보기〉에서 모두 고르시오.

보기
ㄱ. A의 이슬점은 25 ℃이다.
ㄴ. B와 C는 포화 상태이다.
ㄷ. B와 D의 포화 수증기량은 다르다.

기억해요!

포화 수증기량은 포화 상태의 공기 1 kg에 들어 있는 수증기의 양을 g으로 나타낸 것이며, 기온이 높을수록 포화 수증기량이 [　　　]한다. 이슬점은 공기 중의 수증기가 [　　　]하기 시작하는 온도이다.

답 증가, 응결

16 이것만은 꼭! 강수 이론

[예제] 열대 지방의 구름에서 비가 만들어지는 과정으로 옳은 것은?

① 구름 속의 물방울이 합쳐져 내린다.
② 구름 속의 얼음 알갱이가 녹아내린다.
③ 구름 속의 물방울에 수증기가 달라붙어 내린다.
④ 구름 속의 얼음 알갱이에 수증기가 달라붙어 내린다.
⑤ 구름 속의 물방울에 얼음 알갱이가 달라붙어 내린다.

기억해요!

열대 지방이나 [　　　]위도 지방에서는 구름 속의 크고 작은 물방울들이 부딪치고 합쳐지면 점점 커지고 무거워져서 [　　　]로 내린다.

답 저, 비

15 이것만은 꼭! 구름의 생성

[예제] 다음은 구름의 생성 과정을 나타낸 것이다. ㉠, ㉡, ㉢에 들어갈 알맞은 말을 순서대로 옳게 짝 지은 것은?

공기 덩어리 상승 → 단열 ㉠(　　　) → 온도 ㉡(　　　) → ㉢(　　　) 도달 → 구름 생성

	㉠	㉡	㉢
①	팽창	상승	이슬점
②	팽창	하강	이슬점
③	팽창	하강	어는점
④	수축	상승	이슬점
⑤	수축	상승	녹는점

기억해요!

구름은 '공기 덩어리 상승 → [　　　] 팽창 → 온도 하강 → 이슬점 도달 → 수증기 [　　　] → 구름 생성' 과정을 거쳐 생성된다.

답 단열, 응결

book.chunjae.co.kr

교재 내용 문의	교재 홈페이지 ▸ 중등 ▸ 교재상담
교재 내용 외 문의	교재 홈페이지 ▸ 고객센터 ▸ 1:1문의
발간 후 발견되는 오류	교재 홈페이지 ▸ 중등 ▸ 학습지원 ▸ 학습자료실

7일 끝

기말고사

7일 끝으로 끝내자!

중학 **과학 3-1**

BOOK 2

천재교육

언제나 만점이고 싶은 친구들

Welcome!

숨 돌릴 틈 없이 찾아오는 시험과 평가,
성적과 입시 그리고 미래에 대한 걱정.
중·고등학교에서 보내는 6년이란 시간은
때때로 힘들고, 버겁게 느껴지곤 해요.

그런데 여러분, 그거 아세요?
지금 이 시기가 노력의 대가를
가장 잘 확인할 수 있는 시간이라는 걸요.

안 돼, 못하겠어, 해도 안 될 텐데-
어렵게 생각하지 말아요. 천재교육이 있잖아요.
첫 시작의 두려움을 첫 마무리의 뿌듯함으로 바꿔줄게요.

펜을 쥐고 이 책을 펼친 순간
여러분 앞에 무한한 가능성의 길이 열렸어요.

우리와 함께 꽃길을 향해 걸어가 볼까요?

#시험대비
#핵심정복

7일 끝
중간고사
기말고사

Chunjae
Makes
Chunjae

▼

개발총괄 김은숙
편집개발 김은송, 김용하, 박준우, 박유미
제작 황성진, 조규영

발행일 2021년 3월 15일 초판 2021년 3월 15일 1쇄
발행인 (주)천재교육
주소 서울시 금천구 가산로9길 54
신고번호 제2001-000018호
고객센터 1577-0902
교재 내용문의 (02)3282-8739

※ 정답 분실 시에는 천재교육 홈페이지에서 내려받으세요.

7일 끝으로 끝내자!

중학 **과학 3-1**

BOOK 2

기 말 고 사 대 비

7일 끝 중학 과학 3-1

구성과 활용

생각 열기

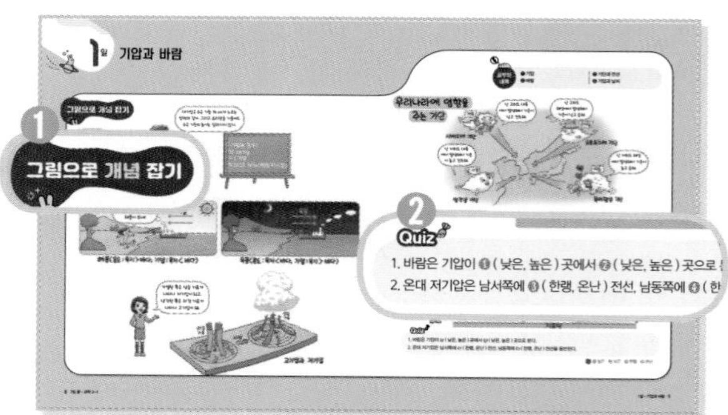

공부할 내용을 그림과 퀴즈로 쉽게 살펴보며 학습을 준비해 보세요.

❶ 그림으로 개념 잡기 　학습할 개념을 그림과 만화로 재미있게 알아보세요.

❷ Quiz 　공부할 내용을 그림과 관련된 퀴즈 문제로 확인해 보세요.

본격
공부 중

교과서 핵심 정리 + 기초 확인 문제

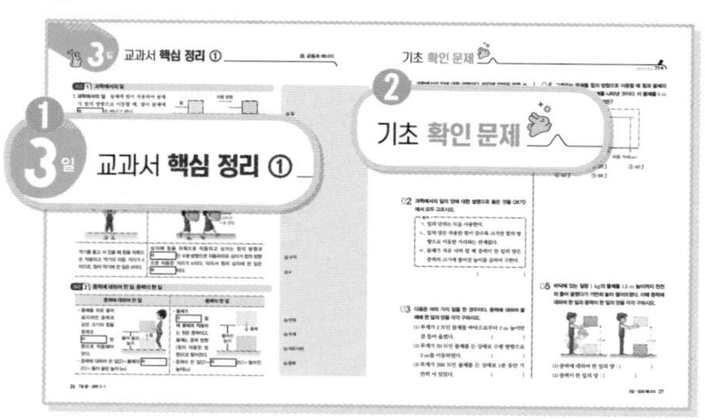

꼭 알아야 할 교과서 핵심 개념을 익히고 기초 확인 문제를 풀며 제대로 이해했는지 확인해 보세요.

❶ 교과서 핵심 정리 　빈칸을 채워 보며 교과서 핵심 개념을 다시 한번 체크해 보세요.

❷ 기초 확인 문제 　교과서 핵심 정리와 관련된 문제를 풀며 공부한 내용을 확인해 보세요.

4일 내신 기출 베스트

대표 예제 1 　눈의 구조와 기능

그림은 사람 눈의 구조를 나타낸 것이다.

개념 가이드

☐은 망막에서 ☐가 밀집해 있는 부분으로, 물체의 상이 맺히면 가장 선명하게 보인다. 　답 황반, 시각 세포

내신 기출 베스트

다양한 유형의 문제를 풀어 보며 공부한 내용을 점검해 보세요.

❶ 대표 예제 　시험에 자주 나오는 빈출 유형 필수 문제를 풀어 보세요.

❷ 개념 가이드 　대표 예제와 관련된 핵심 개념을 익혀 보세요.

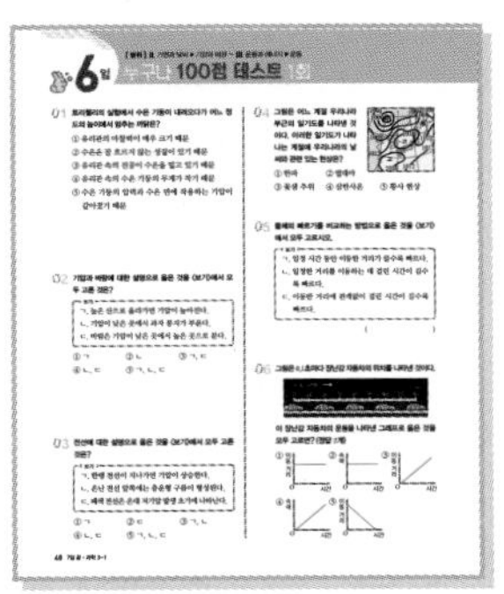

누구나 100점 테스트

5일 동안 공부한 내용을 바탕으로 기초 이해력을 점검해 보세요.

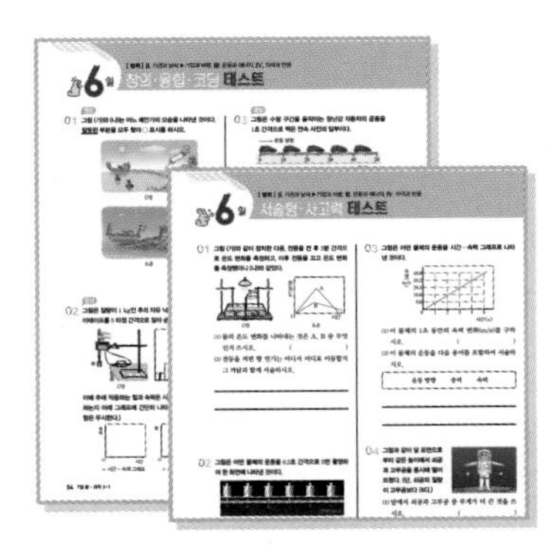

서술형·사고력 테스트
창의·융합·코딩 테스트

서술형·사고력 문제와 창의·융합·코딩 문제를 풀어 보면서 창의력과 문제 해결력을 길러 보세요.

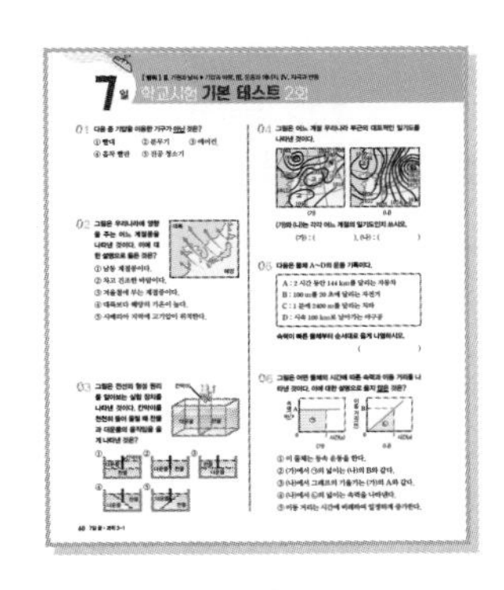

학교시험 기본 테스트

중간·기말고사 예상 문제를 최종으로 풀며 실전에 대비해 보세요.

튼튼이·짝짝이 공부하기

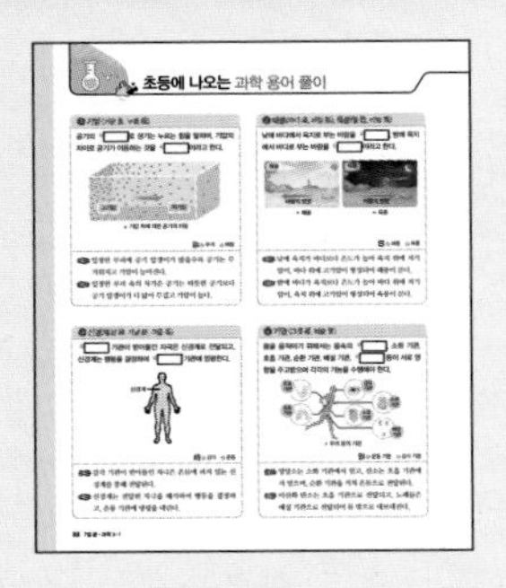

초등학교에서 배운 과학 용어로 선수 학습을 확인할 수 있어요.

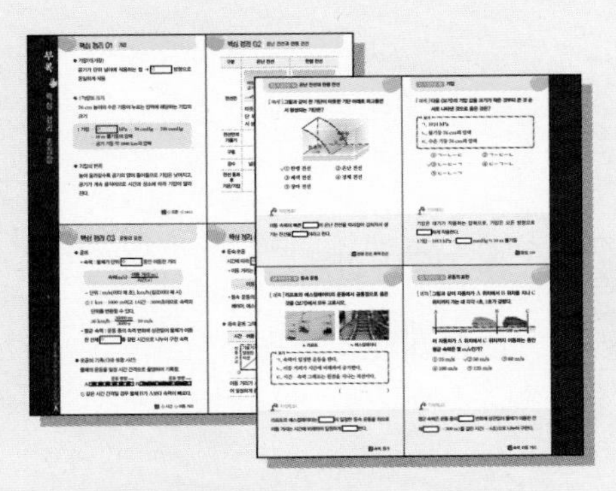

시험 직전이나 틈틈이 암기 카드를 휴대하여 활용해 보세요.

차례

7일 끝

과학 3-1과 내 교과서 비교하기

❝ 학교 시험 범위와 내 교과서의 출판사명을 확인하고 7일 끝 교재 범위를 체크해 공부해요.
예를 들어, 〈천재교과서〉의 과학 교과서를 사용하는 내 학교의 1학기 기말고사 범위가 'Ⅲ. 운동과 에너지 ~ Ⅳ. 자극과 반응' (108~171쪽)까지라고 하면, 7일 끝 BOOK2 16~47쪽 을 학습하면 돼요! ❞

	대단원	일별 학습 주제	7일 끝 과학 3-1(쪽)
BOOK 1	I. 화학 반응의 규칙과 에너지 변화	1일 물질 변화와 화학 반응식	8~15
		2일 화학 반응의 법칙	16~23
		3일 화학 반응에서의 에너지 출입	24~31
	II. 기권과 날씨(1)	4일 기권의 특징	32~39
		5일 구름과 강수	40~47
BOOK 2	II. 기권과 날씨(2)	1일 기압과 바람	8~15
	III. 운동과 에너지	2일 운동	16~23
		3일 일과 에너지	24~31
	IV. 자극과 반응	4일 감각 기관	32~39
		5일 신경계	40~47

천재교과서(쪽)	비상교육(쪽)	미래엔(쪽)	동아출판(쪽)
12~23	10~20	12~25	12~20
26~40	24~35	26~37	22~33
42~48	38~45	38~45	34~38
56~66	53~61	54~63	48~56
70~82	64~75	64~73	58~68
84~99	78~91	74~85	70~82
108~119	98~109	96~113	92~104
122~134	112~121	116~127	106~116
142~153	128~137	136~147	126~138
156~171	140~153	148~162	140~158

1일 기압과 바람

그림으로 개념 잡기
기압
대기압은 수은 기둥 76 cm가 누르는 압력과 같아. 그리고 유리관을 기울여도 수은 기둥의 높이는 달라지지 않지.
[기압의 크기]
76 cmHg
=1기압
≒1013 hPa(헥토파스칼)
76 cm
토리첼리
수은
바람
해가 떠 있으니 해풍이 부네!
해풍
육풍
해풍(온도 : 육지>바다, 기압 : 육지< 바다)
육풍(온도 : 육지<바다, 기압 : 육지 > 바다)
가열된 쪽은 상승 기류가 나타나 저기압이 되고, 냉각된 쪽은 하강 기류가 나타나 고기압이 돼.
상승 기류
하강 기류
바람
고
저
고기압과 저기압

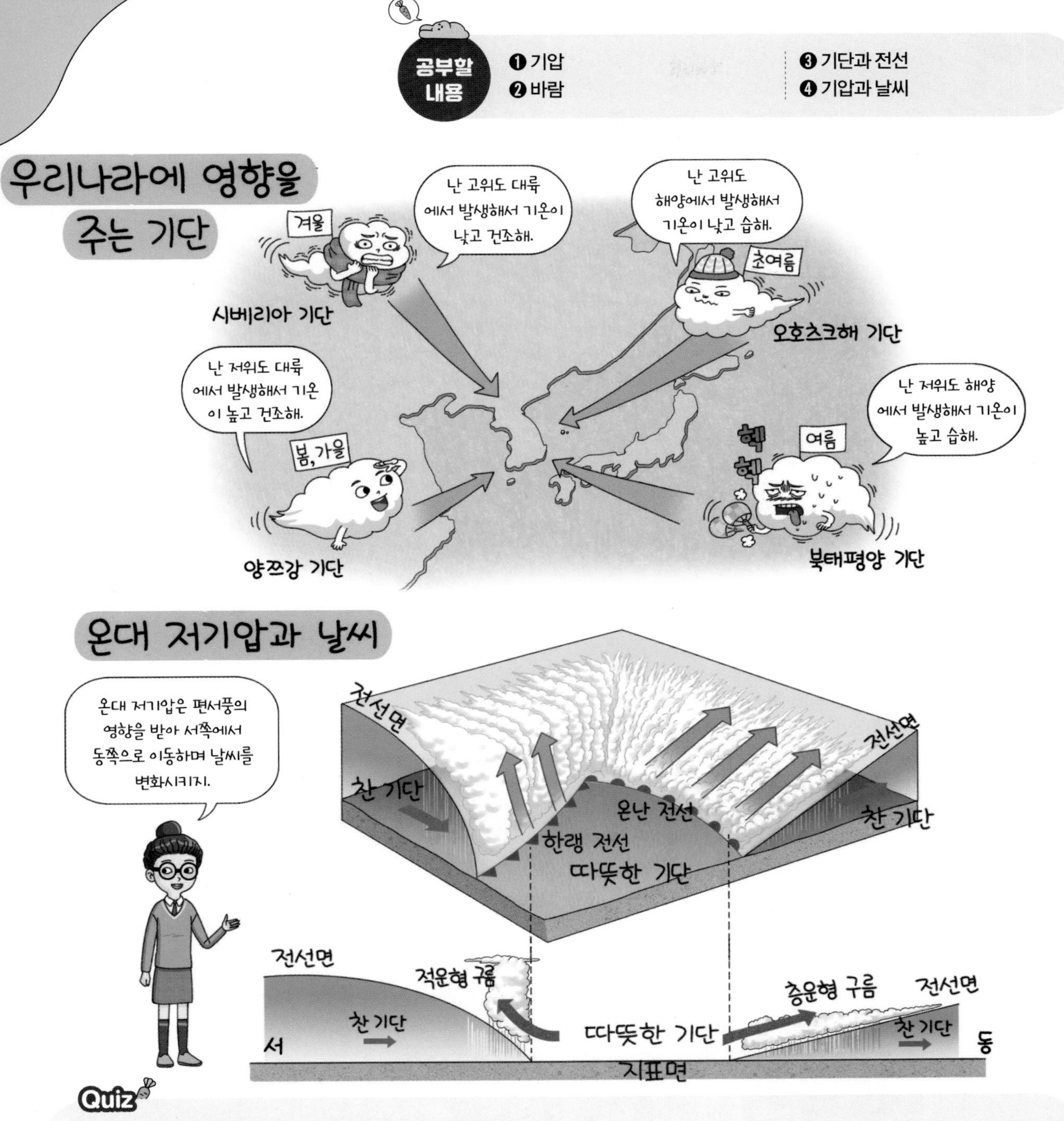

Quiz

1. 바람은 기압이 ❶ (낮은, 높은) 곳에서 ❷ (낮은, 높은) 곳으로 분다.
2. 온대 저기압은 남서쪽에 ❸ (한랭, 온난) 전선, 남동쪽에 ❹ (한랭, 온난) 전선을 동반한다.

답 ❶ 높은 ❷ 낮은 ❸ 한랭 ❹ 온난

교과서 **핵심 정리 ①**

개념 1 기압

1. 기압 단위 면적에 작용하는 공기의 ❶ [ ] 에 의한 압력

2. 기압의 측정 토리첼리가 물보다 밀도가 큰 수은을 이용하여 최초로 측정

[토리첼리 실험 결과]
수은면에 작용하는 기압(A) = 수은 기둥의 압력(B) = 수은 기둥을 떠받치는 압력(C)

[기압의 변화]
기압이 일정할 때 유리관의 기울기, 굵기와 관계없이 수은 기둥의 높이는 일정하며, 기압이 높아지면 수은 기둥의 높이는 ❷ [ ] 아지고, 기압이 낮아지면 수은 기둥의 높이는 ❸ [ ] 아진다.

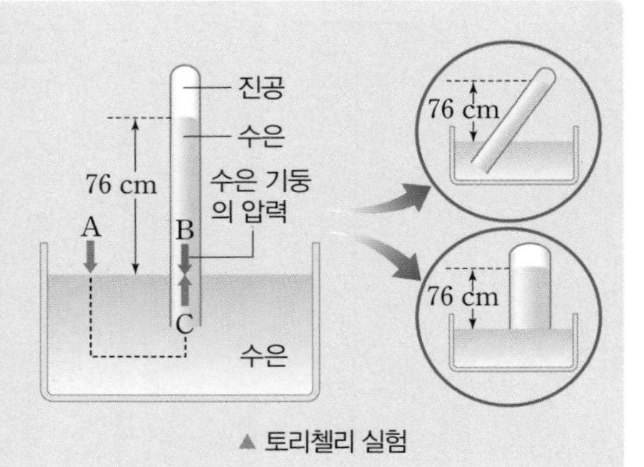

▲ 토리첼리 실험

수은 기둥의 높이 76 cm에 해당하는 기압의 크기를 1기압이라고 한다.

3. 기압의 크기

1기압 = ❹ [ ] hPa = 76 cmHg = 760 mmHg
= 물기둥 약 10 m의 압력 = 공기 기둥 약 1000 km의 압력

4. 기압의 변화 높이 올라갈수록 공기의 양은 줄어들므로 기압은 ❺ [ ] 아지고, 공기는 끊임없이 움직이므로 시간과 장소에 따라 기압이 달라진다.

개념 2 바람

1. 차등 가열과 기압 차 발생 지표면이 차등 가열되면 가열된 쪽 지표면 부근에는 ❻ [ ] 기압이 형성되고, 냉각된 쪽 지표면 부근에는 ❼ [ ] 기압이 형성된다.

2. 해륙풍과 계절풍 육지와 바다의 차등 가열로 풍향이 바뀌어 부는 바람

해륙풍(1일 주기)		구분	계절풍(1년 주기)	
해풍(낮)	육풍(밤)		❽ [ ] 계절풍	❾ [ ] 계절풍
육지 바다	육지 바다	바람	여름철 저 고	겨울철 고 저
육지 > 바다	육지 < 바다	기온	대륙 > 해양	대륙 < 해양
육지 < 바다	육지 > 바다	기압	대륙 < 해양	대륙 > 해양
육지 ← 바다	육지 → 바다	풍향	대륙 ← 해양	대륙 → 해양

❶ 무게
❷ 높
❸ 낮
❹ 1013
❺ 낮
❻ 저
❼ 고
❽ 남동
❾ 북서

기초 확인 문제

정답과 해설 66쪽

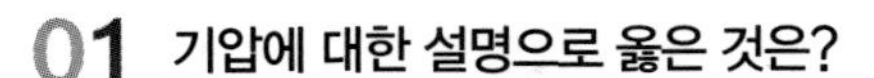

01 기압에 대한 설명으로 옳은 것은?

① 지표면에서 기압은 일정하다.
② 기압은 위에서 아래로만 작용한다.
③ 높이 올라갈수록 기압은 상승한다.
④ 한 장소에서 기압은 시간에 따라 변한다.
⑤ 1기압은 수은 기둥 760 cm의 압력과 같다.

[02~03] 그림은 토리첼리의 실험을 나타낸 것이다.

A
수은 기둥
h
수은

02 이 실험에 대한 설명으로 옳은 것은?

① A는 공기로 채워져 있다.
② 1기압에서 h는 75 cm이다.
③ 유리관을 기울이면 h는 높아진다.
④ 수은 대신 물을 사용하면 h는 높아진다.
⑤ 유리관의 굵기가 굵어지면 h는 낮아진다.

03 위 실험을 높은 산에서 한다면 수은 기둥의 높이 h는 어떻게 되겠는지 쓰시오.

(   )

04 기압의 크기가 나머지와 다른 것은?

① 1기압
② 76 cmHg
③ 1000 hPa
④ 물기둥 약 10 m의 압력
⑤ 공기 기둥 약 1000 km의 압력

05 그림은 어느 해안 지방에서 부는 바람을 나타낸 것이다.

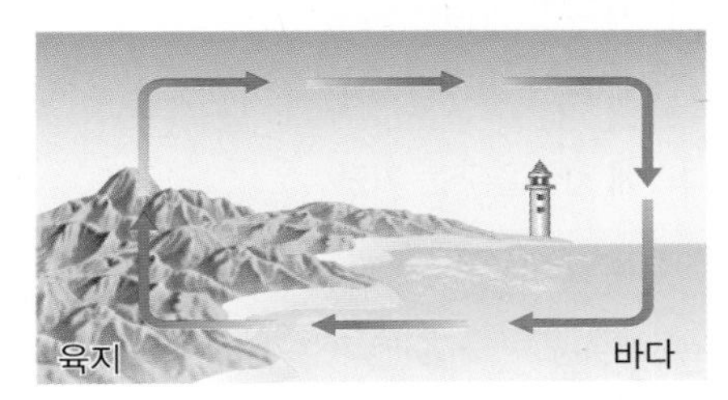

이 바람에 대한 설명으로 옳지 않은 것은?

① 해풍이다.
② 낮에 부는 바람이다.
③ 기온은 바다 쪽이 육지 쪽보다 높다.
④ 기압은 바다 쪽이 육지 쪽보다 높다.
⑤ 하루를 주기로 풍향이 바뀌는 바람이다.

[06~07] 그림은 해륙풍의 발생 원리를 알아보기 위한 실험 장치를 나타낸 것이다.

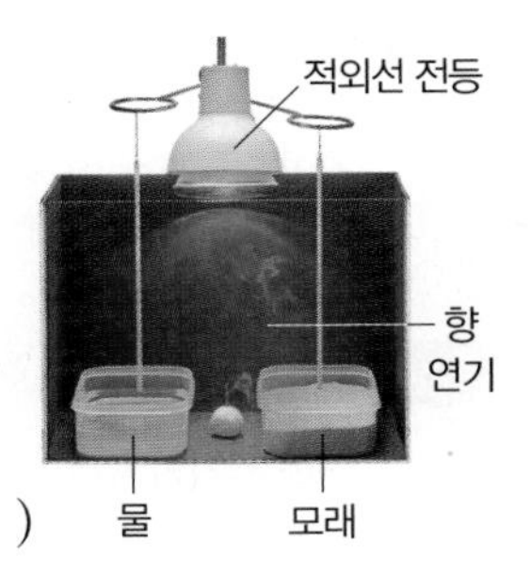

06 모래와 물은 각각 무엇에 비유되는지 쓰시오.

(1) 모래 : (   )
(2) 물 : (   )

07 적외선 전등을 켜면 향 연기는 어느 쪽으로 이동하는지 화살표로 표현하시오.

모래 쪽 (   ) 물 쪽

교과서 **핵심 정리 ②**

개념 3 기단과 전선

1. 기단 한 곳에 오랫동안 머물러 기온과 습도가 비슷해진 큰 공기 덩어리

2. 우리나라에 영향을 주는 기단

구분	성질	계절
양쯔강 기단	❶	봄·가을
오호츠크해 기단	저온 다습	❷
북태평양 기단	고온 다습	여름
시베리아 기단	한랭 건조	겨울

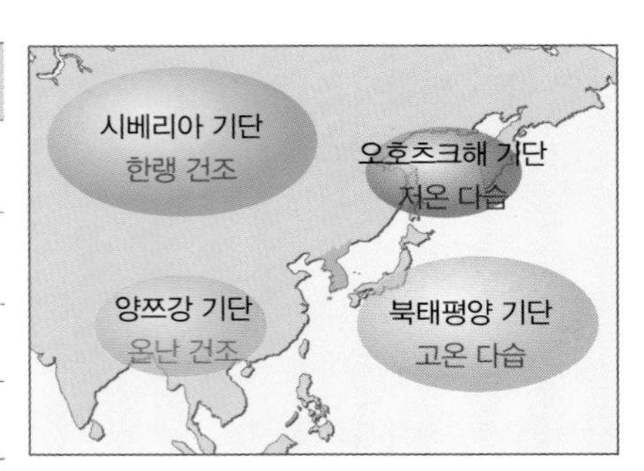

3. 온난 전선과 한랭 전선 비교

온난 전선	구분	한랭 전선
 완만하다	전선면 경사	 급하다
느리다	이동 속도	빠르다
❸	구름 모양	적운형
약한 비	비의 형태	❹
기온 상승, 기압 ❺	통과 후 변화	기온 하강, 기압 상승

❶ 온난 건조
❷ 초여름
❸ 층운형
❹ 강한 비
❺ 하강

개념 4 기압과 날씨

1. 고기압과 저기압에서의 날씨

① 고기압 : 하강 기류 → 단열 압축 → 기온 상승 → ❻ 날씨

② 저기압 : 상승 기류 → 단열 팽창 → 기온 하강 → ❼ 날씨

2. 온대 저기압과 날씨

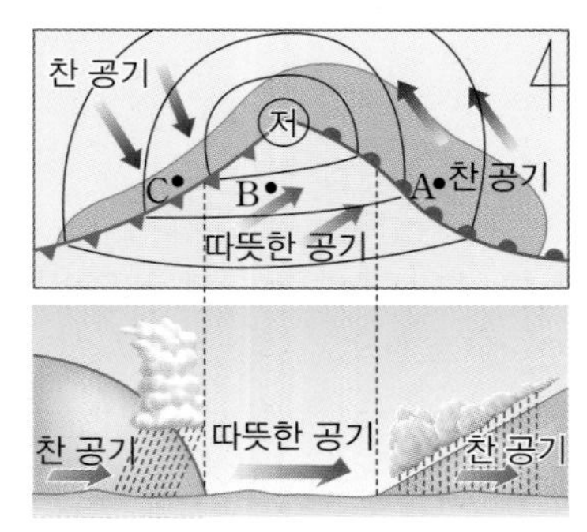

지역	날씨	기온	풍향
A(온난 전선 앞쪽)	넓은 지역 약한 비	낮다	남동풍
B(두 전선 사이)	❽	높다	남서풍
C(한랭 전선 뒤쪽)	좁은 지역 강한 비	낮다	북서풍

❻ 맑은
❼ 흐린
❽ 맑음

기초 확인 문제

정답과 해설 66쪽

[08~09] 그림은 우리나라에 영향을 주는 기단을 나타낸 것이다.

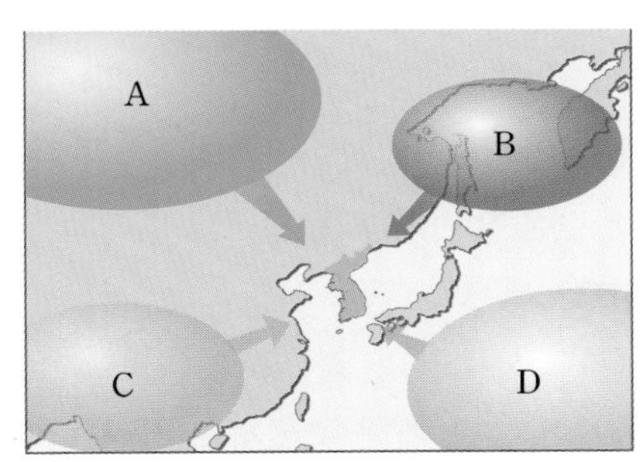

08 각 기단의 이름과 성질을 찾아 바르게 연결하시오.

(1) A • • ㉠ 양쯔강 기단 • • ⓐ 고온 다습

(2) B • • ㉡ 시베리아 기단 • • ⓑ 온난 건조

(3) C • • ㉢ 북태평양 기단 • • ⓒ 한랭 건조

(4) D • • ㉣ 오호츠크해 기단 • • ⓓ 저온 다습

09 위 기단 중 우리나라의 초여름에 장마 전선을 형성하는 두 기단의 기호를 쓰시오.

( )

10 다음은 전선의 기호를 나타낸 것이다. 각 전선의 이름을 쓰시오.

(1)  ▲▲▲ ( ) (2)  ●●● ( )

(3)  ▲●▲● ( ) (4)  ●▼●▼ ( )

11 그림 (가)와 (나)는 서로 다른 전선 주변의 모습을 나타낸 것이다.

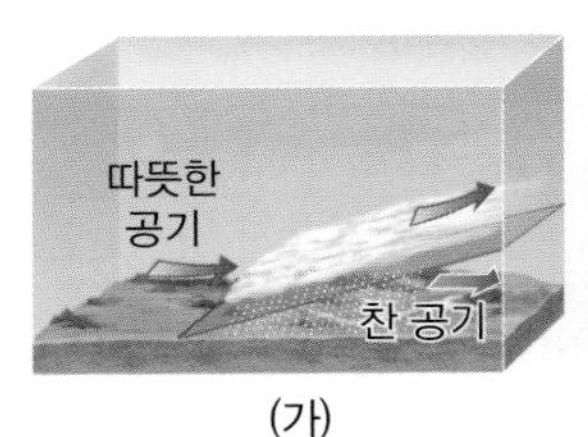

(가)

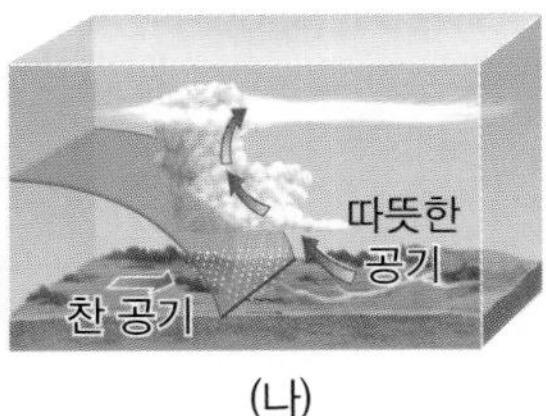

(나)

(가), (나)에 나타난 전선의 특징을 〈보기〉에서 각각 고르시오.

보기
- ㄱ. 이슬비
- ㄴ. 소나기
- ㄷ. 적운형 구름
- ㄹ. 층운형 구름
- ㅁ. 좁은 강수 구역
- ㅂ. 넓은 강수 구역
- ㅅ. 전선면의 기울기가 급함
- ㅇ. 전선면의 기울기가 완만함
- ㅈ. 전선이 통과한 후 기온 상승, 기압 하강
- ㅊ. 전선이 통과한 후 기온 하강, 기압 상승

(1) (가) : ( )

(2) (나) : ( )

12 그림은 온대 저기압 주변의 일기도이다. 다음 설명에 해당하는 지역을 골라 기호를 쓰시오.

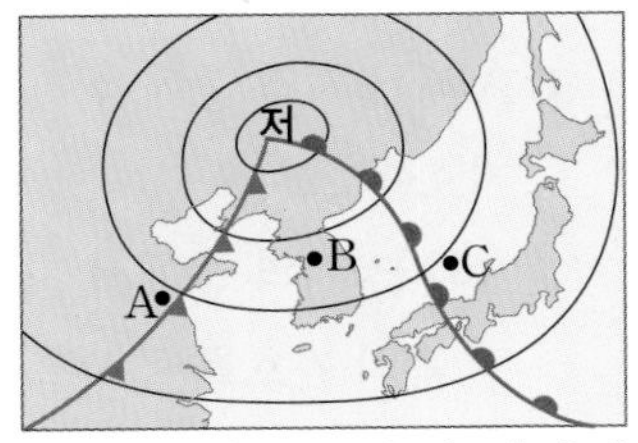

(1) 현재 남동풍이 불고 있으며, 앞으로 온난 전선의 통과 후 기온이 올라갈 지역 ( )

(2) 현재 북서풍이 불고 있으며, 기온이 낮은 지역 ( )

1일 내신 기출 베스트

대표 예제 1 기압

표는 A, B, C 지역의 기압을 나타낸 것이다.

지역	A	B	C
기압	1기압	60 cmHg	1020 hPa

세 지역의 기압을 바르게 비교한 것은?

① A > B > C ② A > C > B
③ B > A > C ④ B > C > A
⑤ C > A > B

개념 가이드

1기압은 76 ☐ = 1013 ☐과 크기가 같다.

답 cmHg, hPa

대표 예제 2 토리첼리의 실험

그림은 토리첼리 실험을 나타낸 것이다.

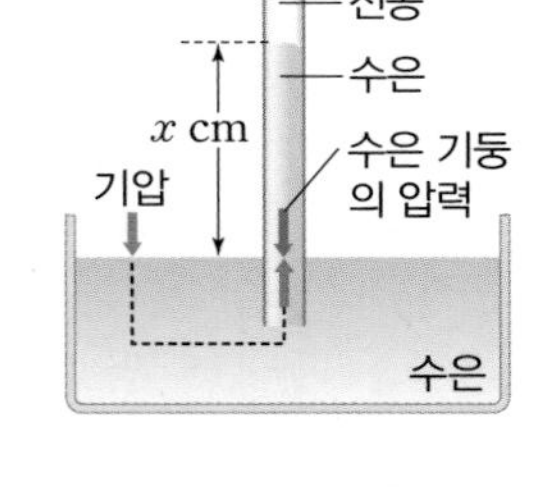

(1) 현재 기압이 0.5기압이라면 x 값은 얼마가 되는지 쓰시오.
( )

(2) 해안가와 고산 지대 중에서 x 값이 더 큰 지역은 어디인지 쓰시오. ( )

개념 가이드

수은 기둥의 높이와 기압은 ☐ 관계가 있으며, 높이 올라갈수록 공기 양이 감소하여 기압이 ☐진다.

답 비례, 낮아

대표 예제 3 차등 가열에 따른 기압

그림은 지표면이 차등 가열될 때 공기의 흐름을 나타낸 것이다.

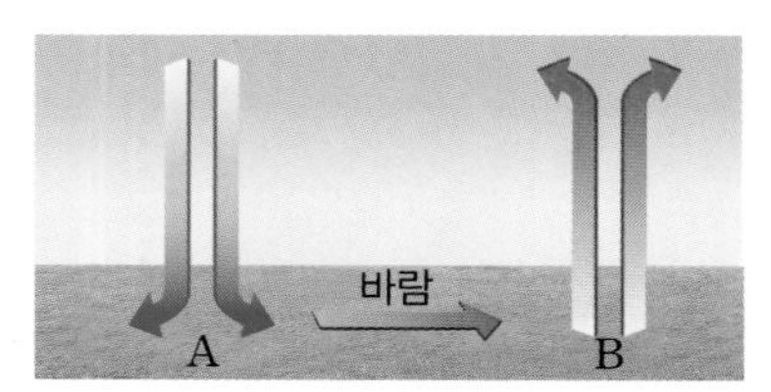

(1) A와 B 지역 중에서 지표면이 더 많이 가열된 쪽의 기호를 쓰시오. ( )

(2) A와 B 지역 중에서 지표면 부근에 고기압이 형성된 쪽의 기호를 쓰시오. ( )

개념 가이드

가열된 지역 바로 위의 공기는 데워져 부피가 팽창하므로 위로 상승하며, 지표면 부근에는 ☐기압이 형성된다.

답 저

대표 예제 4 해륙풍과 계절풍

그림은 해륙풍과 계절풍을 나타낸 것이다.

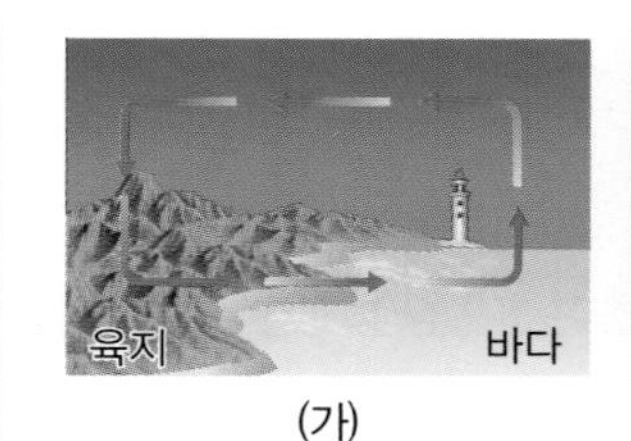

(가)

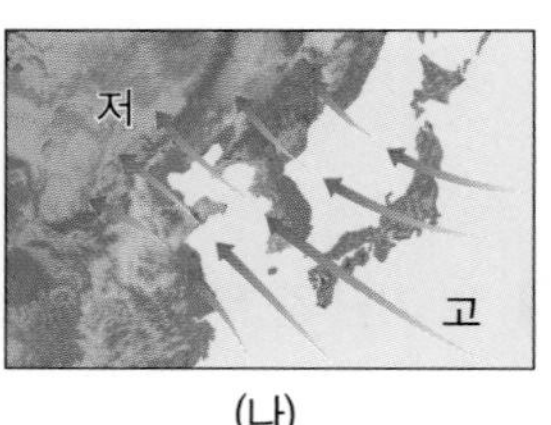

(나)

(1) 바람이 부는 시기를 각각 쓰시오.
(가) : ( ) (나) : ( )

(2) (가)와 (나)에서 바다와 육지 중 온도가 더 높은 쪽을 각각 쓰시오.
(가) : ( ) (나) : ( )

개념 가이드

육지가 바다보다 더 많이 냉각되면 육지 쪽에 ☐기압이 형성된다.

답 고

대표 예제 5 기단의 성질

그림은 우리나라에 영향을 주는 기단을 성질에 따라 분류한 것이다.

습도 / 온도 / O
A B
C D

(1) 여름철에 무덥고 습한 날씨와 관련이 있는 기단의 기호와 이름을 쓰시오. ( )

(2) 봄철과 가을철에 영향을 주는 기단의 기호와 이름을 쓰시오. ( )

개념 가이드

봄과 가을에는 [ ] 기단, 여름에는 [ ] 기단, 겨울에는 시베리아 기단의 영향을 받는다. 답 양쯔강, 북태평양

대표 예제 6 전선

다음 설명에 해당하는 전선의 이름을 쓰시오.

(1) 따뜻한 공기가 찬 공기를 타고 오를 때 생기는 전선 ( )

(2) 전선면의 기울기가 급하며, 전선의 뒤쪽에 적운형 구름이 형성되는 전선 ( )

(3) 한랭 전선의 이동 속도가 온난 전선의 이동 속도보다 빨라서 두 전선이 겹쳐져 형성되는 전선 ( )

(4) 두 기단의 세력이 비슷하여 한 곳에 오랫동안 머물러 있는 전선 ( )

개념 가이드

전선면과 지표면이 만나서 생기는 경계선을 [ ]이라고 한다. 답 전선

대표 예제 7 고기압과 저기압

그림은 북반구에서 기압과 바람의 관계를 나타낸 것이다.

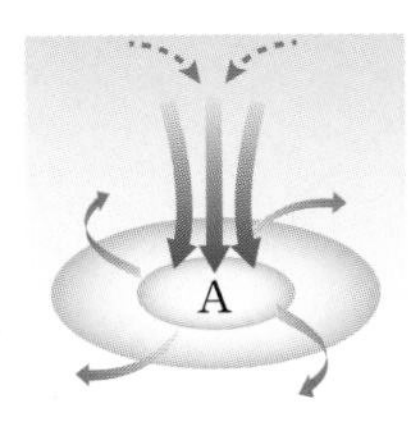

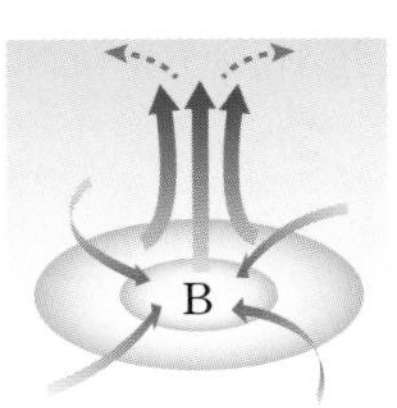

(1) A와 B 중 고기압이 형성된 지역을 쓰시오. ( )

(2) A와 B 중 흐린 날씨가 나타나는 지역을 쓰시오. ( )

개념 가이드

고기압에서는 [ ] 기류가 있어서 날씨가 맑고, 저기압에서는 [ ] 기류가 있어서 날씨가 흐리다. 답 하강, 상승

대표 예제 8 온대 저기압과 날씨

그림은 우리나라 부근에 온대 저기압이 통과할 때의 일기도를 나타낸 것이다. (가)와 (나) 전선의 모양을 옳게 나타낸 것은?

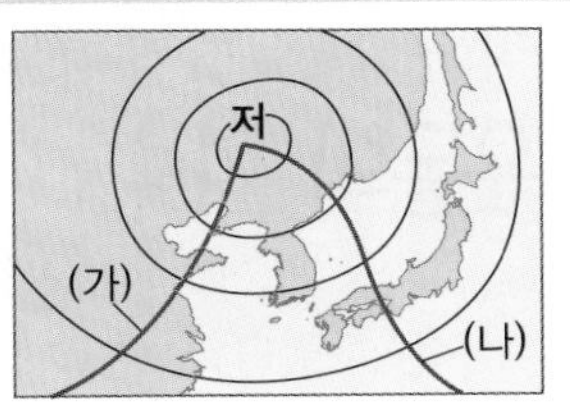

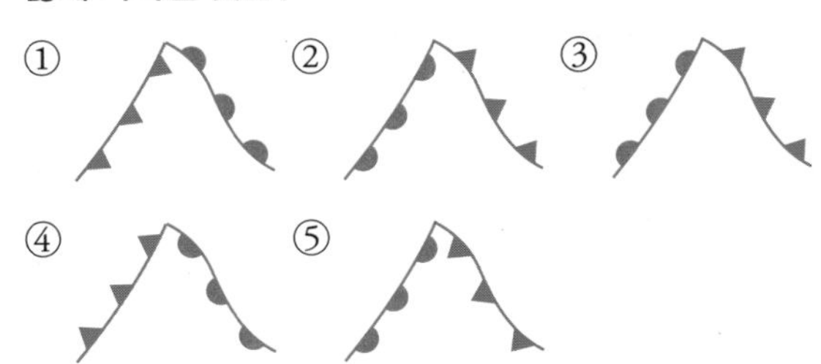

개념 가이드

온대 저기압에서 온난 전선이 한랭 전선보다 이동 속도가 느려서 두 전선이 겹쳐지면 [ ] 전선이 형성된다. 답 폐색

2일 운동

그림으로 개념 잡기
등속 운동
일정한 시간 동안 이동한 거리가 똑같기 때문에 속력이 일정해!
기울기=속력=일정
이동 거리
시간
0
시간에 따라 속력이 일정
속력
시간
0
운동의 기록
단위 시간 동안 이동 거리는 물체의 속력을 나타내. 높이 올라갈수록 속력이 느려지고 지면에 착지하는 때의 속력이 가장 빨라.

자유 낙하 운동

공부할 내용

❶ 운동의 표현
❷ 등속 운동
❸ 자유 낙하 운동
❹ 질량이 다른 물체의 자유 낙하 운동

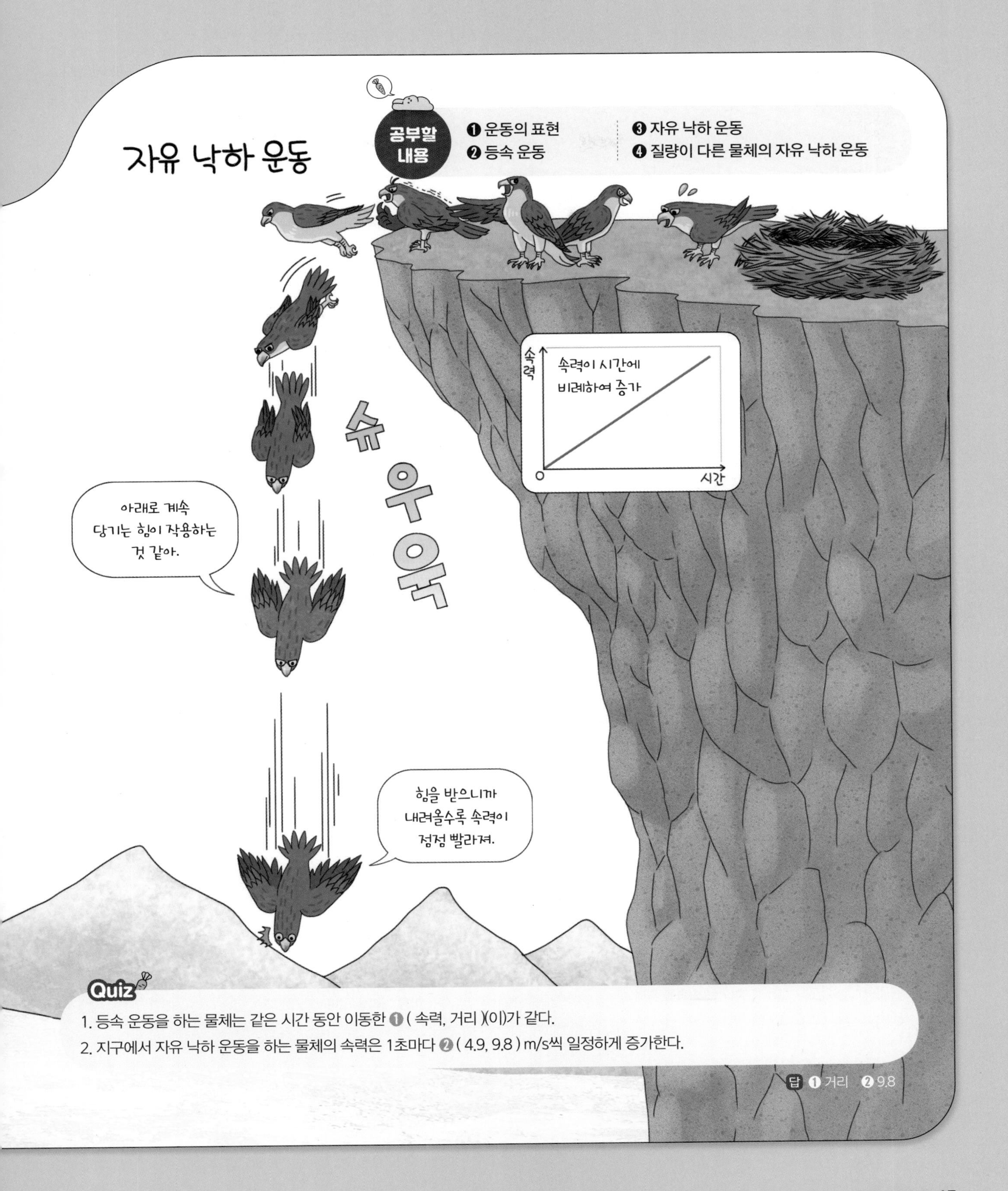

Quiz

1. 등속 운동을 하는 물체는 같은 시간 동안 이동한 ❶ (속력, 거리)(이)가 같다.
2. 지구에서 자유 낙하 운동을 하는 물체의 속력은 1초마다 ❷ (4.9, 9.8) m/s씩 일정하게 증가한다.

답 ❶ 거리 ❷ 9.8

2일 교과서 핵심 정리 ①

개념 1 운동의 표현

1. 운동 시간에 따라 물체의 ❶ ( ) 가 변하는 현상

① **속력** : 물체가 단위 시간 동안 이동한 거리 • 단위 : m/s(미터 매 초), km/h(킬로미터 매 시)

$$속력(m/s)=\frac{이동\ 거리(m)}{시간(s)}$$

예 1 km=1000 m이고, 1시간 = 3600초이므로 속력의 단위를 변환할 수 있다.

$36\ km/h=\frac{36000\ m}{3600\ s}=$ ❷ ( ) m/s

② **평균 속력** : 운동 중 물체의 속력 변화에 상관없이 물체가 이동한 전체 ❸ ( ) 를 걸린 시간으로 나누어 구한 속력

2. 운동의 기록(다중 섬광 사진) 일정한 ❹ ( ) 간격으로 운동하는 물체를 연속 촬영하여 한 화면에 나타냄.

• 속력이 빠를수록 이웃한 물체 사이의 구간 간격이 ❺ ( ).

A ● ● ● ● ● ● ● B ● ● ● ●

예 0.1초 간격으로 촬영한 다중 섬광 사진에서 물체 B가 A보가 속력이 빠르다.

개념 2 등속 운동

1. 등속 운동 시간에 따라 ❻ ( ) 이 변하지 않고 일정한 운동

① 운동을 촬영한 다중 섬광 사진에서 이웃한 물체 사이의 구간 간격이 일정

② 이동 거리는 ❼ ( ) 에 비례하여 일정하게 증가

$$이동\ 거리(m)=속력(m/s)\times 시간(s)$$

2. 등속 운동 그래프

시간－이동 거리 그래프	시간－속력 그래프
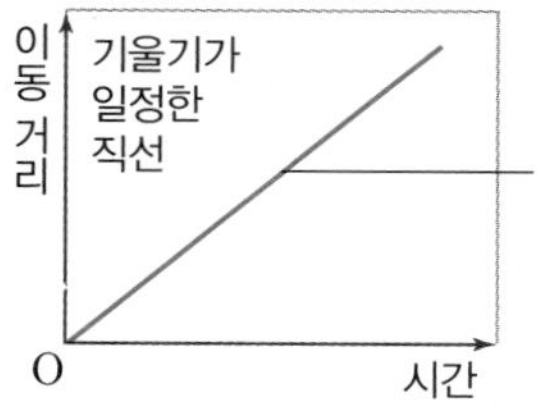 (그래프: 세로축 이동 거리, 가로축 시간, O) 기울기가 일정한 직선 / 기울기=$\frac{이동\ 거리}{걸린\ 시간}$이므로 **속력**을 의미	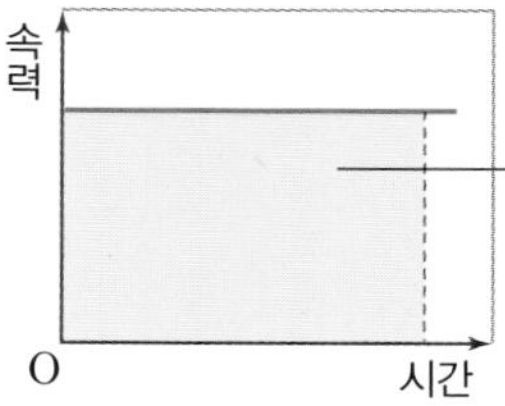 (그래프: 세로축 속력, 가로축 시간, O) 아랫부분의 넓이 =속력×시간이므로 **이동 거리**를 의미
이동 거리가 시간에 비례하여 증가하므로 원점을 지나는 ❽ ( ) 가 일정한 직선 모양	속력이 시간에 따라 변하지 않고 ❾ ( ) 하므로 시간축에 나란한 직선 모양

3. 등속 운동의 예 모노레일, 무빙워크, 스키장 리프트, 컨베이어, 에스컬레이터 등

❶ 위치
❷ 10
❸ 이동 거리
❹ 시간
❺ 크다
❻ 속력
❼ 시간
❽ 기울기
❾ 일정

기초 확인 문제

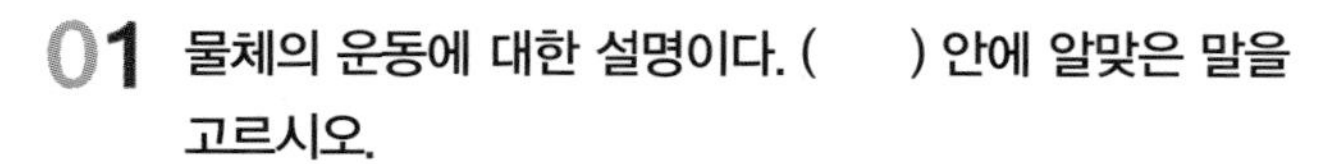

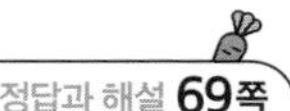

정답과 해설 69쪽

01 물체의 운동에 대한 설명이다. (   ) 안에 알맞은 말을 고르시오.

(1) 시간에 따라 물체의 위치가 변하는 현상을 (운동, 속력)이라고 한다.

(2) 운동하는 물체를 일정한 (시간, 속력) 간격으로 촬영하여 운동을 기록한다.

(3) 일정한 시간 동안 물체가 이동한 거리는 물체의 (속력, 이동 거리)(으)로 나타낸다.

02 물체의 운동에 대한 설명에서 빈칸에 알맞은 말을 쓰시오.

> 물체의 빠르기를 나타내는 양으로, 물체가 단위 시간 동안 이동 거리를 ㉠ (   )이라고 하고, 운동 중의 속력 변화에 상관없이 전체 이동 거리를 걸린 시간으로 나누어 구한 값을 ㉡ (   )이라고 한다.

03 표는 어떤 물체가 출발하여 목적지에 도착할 때까지 각 시간대별로 이동한 거리를 나타낸 것이다.

시간(h)	0	1	2	3	4
이동 거리(km)	0	20	40	70	100

물체가 목적지에 도착할 때까지의 평균 속력(km/h)을 구하시오.

(   )

04 그래프는 어떤 물체의 시간에 따른 이동 거리를 나타낸 것이다. 이에 대한 설명으로 옳은 것을 〈보기〉에서 모두 고른 것은?

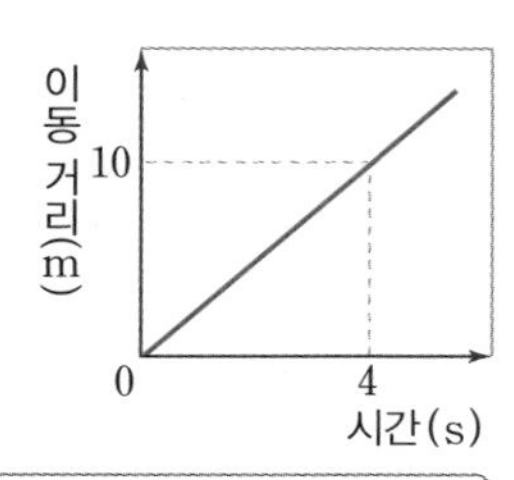

보기

ㄱ. 물체의 속력은 10 m/s로 일정하다.
ㄴ. 물체의 이동 거리는 시간에 비례한다.
ㄷ. 물체의 속력은 점점 증가한다.
ㄹ. 물체가 2초 동안 이동한 거리는 5 m이다.

① ㄱ ② ㄷ ③ ㄱ, ㄴ
④ ㄱ, ㄹ ⑤ ㄴ, ㄹ

05 그림 (가), (나)는 등속 운동을 나타낸 그래프이다.

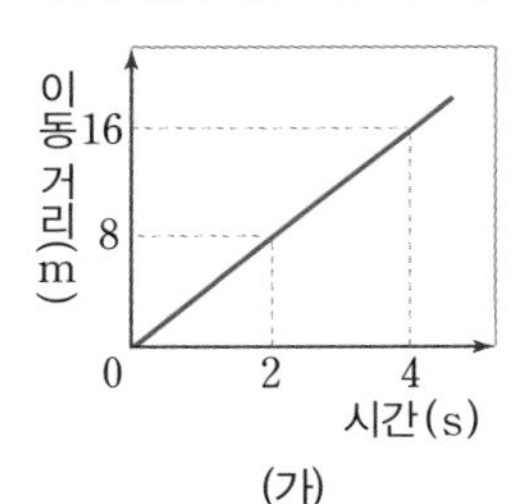

(가)

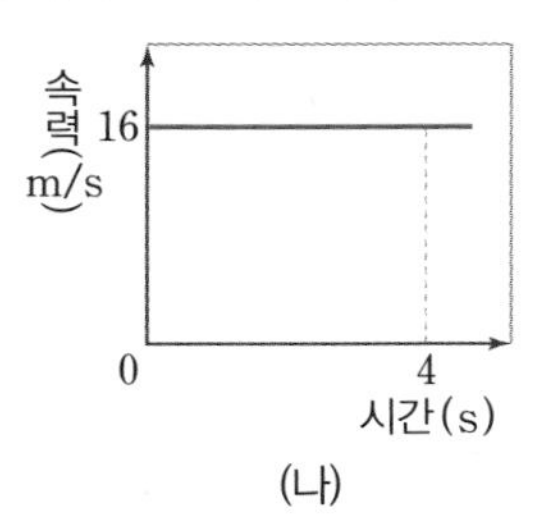

(나)

(1) (가)에서 물체의 속력은 몇 m/s인지 구하시오.

(   )

(2) (나)에서 0~4초 동안 물체가 이동한 거리는 몇 m인지 구하시오.

(   )

06 등속 운동을 하는 예로 적합하지 않은 것은?

① 무빙워크 ② 엘리베이터
③ 모노레일 ④ 에스컬레이터
⑤ 스키장의 리프트

2일 교과서 **핵심 정리 ②**

개념 3 자유 낙하 운동

1. 자유 낙하 운동 높은 곳에서 정지해 있던 물체가 ❶ [ ] 만을 계속 받으면서 아래로 떨어지는 운동

① 운동 방향 : 중력과 같은 방향인 지구 ❷ [ ] 방향

② 속력 변화 : 지표면 근처에서 자유 낙하 하는 물체의 속력은 1초에 ❸ [ ] m/s씩 증가한다.

→ 중력에 의한 속력 변화량인 ❹ [ ] 을 중력 가속도 상수라고 한다.

③ 속력이 일정하게 증가하는 까닭 : 운동 방향으로 일정한 크기의 ❺ [ ] 이 계속 작용하기 때문

예 높은 곳에서 물체를 가만히 놓을 때 2초 후의 속력은 19.6 m/s, 3초 후의 속력은 29.4 m/s, 4초 후의 속력은 39.2 m/s로 증가한다. 이러한 변화를 식으로 나타내면 자유 낙하 운동에서 속력(m/s)=9.8×시간(초)이므로 시간에 비례한다.

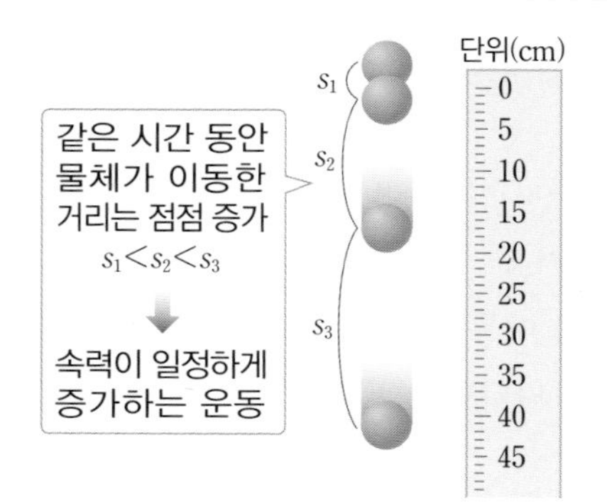

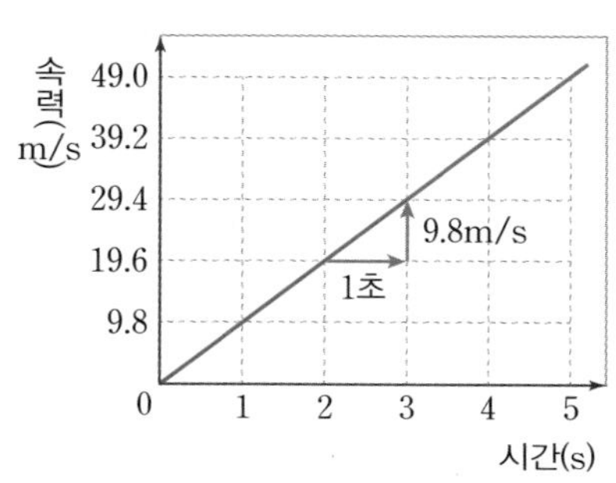

▲ 자유 낙하 운동의 시간-속력 그래프

2. 자유 낙하 하는 물체에 작용하는 중력의 크기

• 중력의 크기(N)= ❻ [ ] 상수×물체의 질량(kg)

예 높은 곳에서 떨어지고 있는 볼링공의 질량이 2 kg이면 볼링공에 작용하는 중력의 크기는 9.8×2(kg)=19.6 N이다.

개념 4 질량이 다른 물체의 자유 낙하 운동

1. 자유 낙하 운동에서 질량과 속력 변화의 관계 공기 저항이 없을 때 자유 낙하 운동을 하는 물체의 속력 변화는 물체의 ❼ [ ] 과 관계없이 일정하다.

2. 공기 저항이 낙하 운동에 미치는 영향

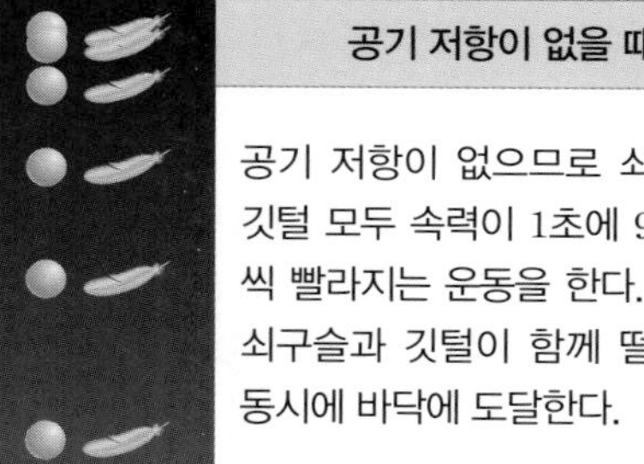

공기 저항이 없을 때	공기 저항이 있을 때
공기 저항이 없으므로 쇠구슬과 깃털 모두 속력이 1초에 9.8 m/s씩 빨라지는 운동을 한다. 따라서 쇠구슬과 깃털이 함께 떨어져서 동시에 바닥에 도달한다.	쇠구슬이 깃털보다 공기 저항의 영향을 더 적게 받기 때문에 같은 높이에서 쇠구슬과 깃털을 동시에 떨어뜨리면 쇠구슬이 깃털보다 먼저 떨어져 바닥에 도달한다.

예 진공에서 질량이 각각 1 kg, 2 kg인 두 물체를 같은 높이에서 동시에 떨어뜨리고 두 물체의 낙하하는 모습을 일정 시간 간격으로 나타내면 두 물체의 떨어진 구간 간격은 똑같이 일정하게 ❽ [ ] 한다.

❶ 중력
❷ 중심
❸ 9.8
❹ 9.8
❺ 중력
❻ 중력 가속도
❼ 질량
❽ 증가

기초 확인 문제

정답과 해설 69쪽

07 여러 가지 운동의 특징에서 등속 운동에 해당하는 운동은 '등속', 자유 낙하 운동에 해당하는 운동은 '자유'라고 쓰시오.

(1) 속력이 시간에 따라 변하지 않고 일정하다. (　　　　)

(2) 중력을 계속 받으면서 운동한다. (　　　　)

(3) 이동 거리가 시간에 비례하여 일정하게 증가한다. (　　　　)

(4) 속력이 1초마다 9.8 m/s씩 일정하게 증가한다. (　　　　)

08 그림은 높은 곳에서 가만히 놓은 공의 운동을 일정한 시간 간격으로 촬영한 모습을 나타낸 것이다. (　　) 안에 알맞은 말을 고르시오.

(1) 높은 곳에서 정지해 있던 물체가 (마찰력, 중력)만을 받으며 떨어지는 운동을 자유 낙하 운동이라고 한다.

(2) 지구에서 물체가 자유 낙하 운동을 할 때 물체의 크기나 ㉠(질량, 부피)에 관계없이 속력은 1초마다 ㉡(1, 9.8) m/s씩 일정하게 증가한다.

(3) 자유 낙하 운동 하는 물체의 (속력, 이동 거리)(은)는 시간에 비례하여 일정하게 증가한다.

(4) 자유 낙하 운동 하는 물체에는 운동 방향과 (반대, 같은) 방향으로 힘이 작용한다.

09 표와 같이 질량과 부피가 다른 네 물체 A~D를 같은 높이에서 동시에 떨어뜨렸다. 지면에 먼저 도달하는 물체부터 순서대로 쓰시오. (단, 공기와의 마찰은 무시한다.)

물체	A	B	C	D
질량(kg)	10	5	100	70
부피(m^3)	100	100	5	70

(　　　　　　　　)

10 자유 낙하 운동에 대한 설명으로 옳은 것을 <보기>에서 모두 고른 것은?

보기
ㄱ. 자유 낙하 하는 동안 작용하는 힘은 중력뿐이다.
ㄴ. 1초마다 이동하는 거리가 일정하다.
ㄷ. 시간에 따라 속력이 일정하게 증가한다.

① ㄱ　② ㄴ　③ ㄱ, ㄷ
④ ㄴ, ㄷ　⑤ ㄱ, ㄴ, ㄷ

11 자유 낙하 하는 물체의 시간에 따른 속력을 나타낸 그래프로 옳은 것은?

①
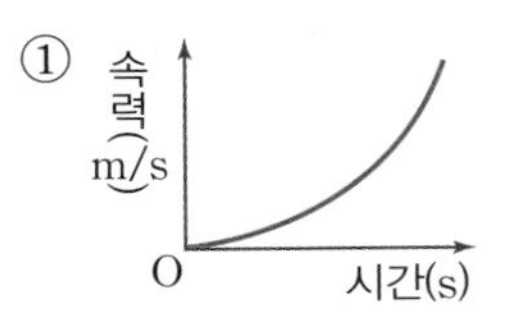

②
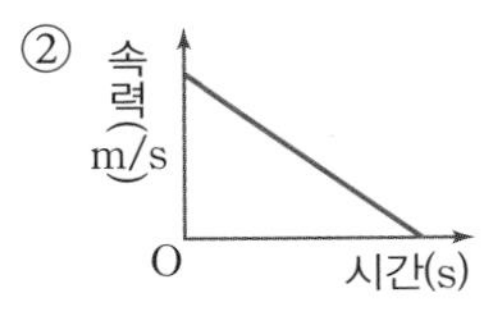

③
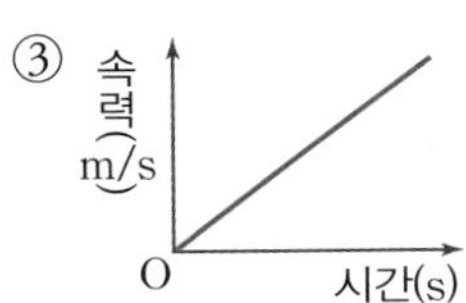

④
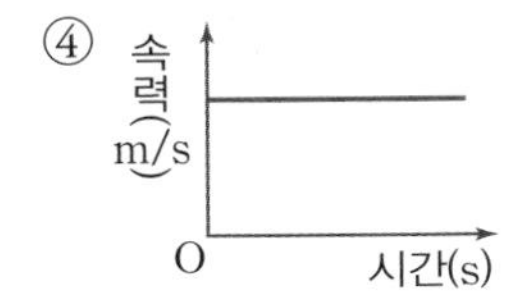

⑤
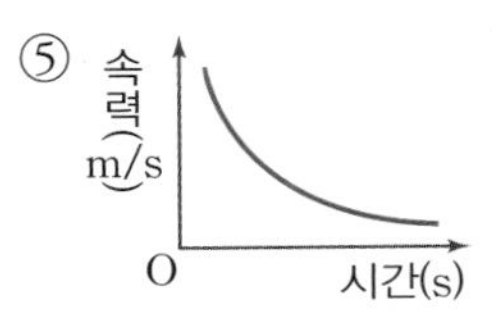

2일 내신 기출 베스트

대표 예제 1 물체의 빠르기 비교

물체의 빠르기를 비교하는 방법으로 옳은 것을 〈보기〉에서 모두 고른 것은?

보기
ㄱ. 같은 시간 동안 이동 거리가 클수록 빠르다.
ㄴ. 같은 거리를 이동하는 데 걸린 시간이 짧을수록 빠르다.
ㄷ. 걸린 시간과 관계없이 이동 거리가 크면 빠르다.

① ㄱ ② ㄴ ③ ㄷ
④ ㄱ, ㄴ ⑤ ㄴ, ㄷ

개념 가이드

빠르기는 같은 시간 동안 [ ]가 클수록, 같은 거리를 이동하는 데 [ ]이 짧을수록 빠르다. 답 이동 거리, 걸린 시간

대표 예제 2 등속 운동

등속 운동에 대한 설명으로 옳지 않은 것은?

① 등속 운동은 속력이 일정한 운동이다.
② 같은 시간 동안 이동 거리가 클수록 속력이 빠르다.
③ 등속 운동을 하는 물체는 같은 시간 동안 이동한 거리가 일정하다.
④ 등속 운동을 하는 물체의 다중 섬광 사진에서 이웃한 물체 사이의 거리는 모두 일정하다.
⑤ 등속 운동을 하는 물체의 시간에 따른 이동 거리 그래프는 시간축과 나란한 직선 형태이다.

개념 가이드

[ ] 운동을 일정한 시간 간격으로 촬영할 때 이웃한 물체 사이의 간격은 [ ]하다. 답 등속, 일정

대표 예제 3 등속 운동의 속력

그림은 어떤 물체의 운동을 1 초에 60 번 촬영하여 기록한 것을 한 종이 테이프에 나타낸 것이다.

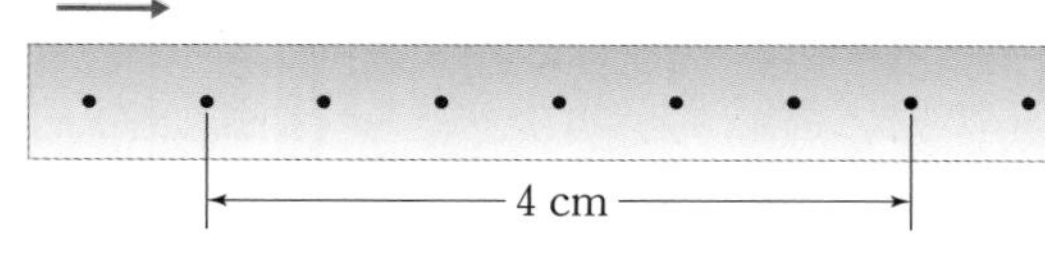

이동한 4 cm 구간에서 이 물체의 속력은?

① 0.1 m/s ② 0.4 m/s ③ 1 m/s
④ 4 m/s ⑤ 40 m/s

개념 가이드

등속 운동에서 [ ] = 속력 × 걸린 시간이므로 [ ] $= \frac{\text{이동 거리}}{\text{걸린 시간}}$이다. 답 이동 거리, 속력

대표 예제 4 등속 운동

그림은 물체 A~D의 시간에 따른 이동 거리의 변화를 나타낸 것이다. A~D 중 속력이 가장 빠른 것을 쓰시오

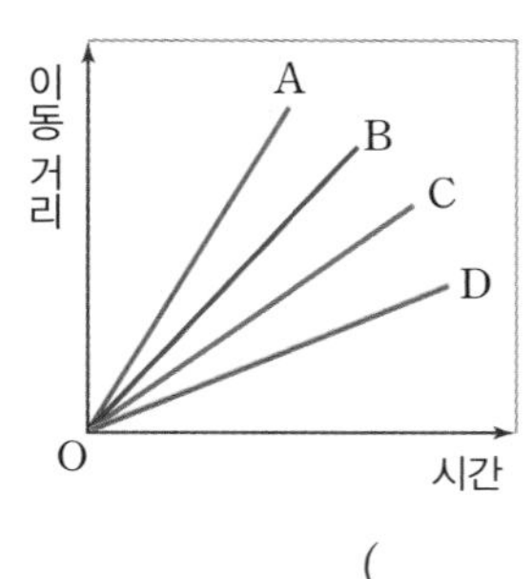

( )

개념 가이드

시간–이동 거리 그래프에서 직선의 기울기는 [ ]을 뜻하므로, 기울기가 클수록 [ ]이 빠르다. 답 속력, 속력

대표 예제 5 자유 낙하 운동

진공에서 쇠구슬과 깃털을 같은 높이에서 동시에 자유 낙하시켰다. 이에 대한 설명으로 옳지 않은 것은?

① 쇠구슬에는 중력이 작용한다.
② 깃털에는 중력이 작용하지 않는다.
③ 쇠구슬과 깃털은 동시에 바닥에 떨어진다.
④ 쇠구슬에 작용하는 중력이 깃털에 작용하는 중력보다 크다.
⑤ 낙하하는 동안 쇠구슬과 깃털은 모두 1초 동안 속력이 9.8 m/s씩 커진다.

개념 가이드

진공에서 쇠구슬과 깃털을 동시에 떨어뜨리면 ☐이 매초 9.8 m/s씩 증가하여 ☐에 도달한다. 답 속력, 동시

대표 예제 6 등속 운동과 자유 낙하 운동

등속 운동과 자유 낙하 운동에 해당하는 설명을 〈보기〉에서 각각 고르시오.(단, 공기 저항 및 마찰은 모두 무시한다.)

보기
ㄱ. 같은 시간 동안 이동한 거리가 일정하다.
ㄴ. 시간－속력 그래프가 시간축과 나란한 모양이다.
ㄷ. 물체에 일정한 크기의 힘이 작용한다.
ㄹ. 매초마다 속력이 일정하게 증가한다.
ㅁ. 물체의 운동 방향과 같은 방향으로 힘이 작용한다.

(1) 등속 운동 : (　　　　　　)
(2) 자유 낙하 운동 : (　　　　　　)

개념 가이드

등속 운동은 ☐가 시간에 비례하여 증가하고, 자유 낙하 운동은 ☐이 시간에 비례하여 증가한다. 답 이동 거리, 속력

대표 예제 7 자유 낙하 운동

그림은 자유 낙하 운동을 하는 물체의 속력을 시간에 따라 나타낸 것이다. 이 물체의 운동에 대한 설명으로 옳은 것을 〈보기〉에서 모두 고른 것은?

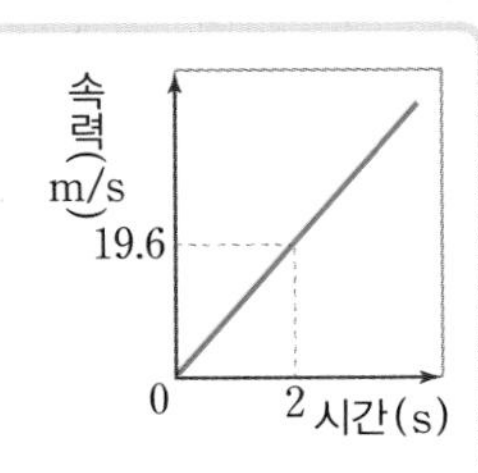

보기
ㄱ. 물체에 작용하는 힘은 중력뿐이다.
ㄴ. 속력이 시간에 비례하여 증가한다.
ㄷ. 3초일 때 이 물체의 속력은 49 m/s이다.

① ㄴ　② ㄷ　③ ㄱ, ㄴ
④ ㄴ, ㄷ　⑤ ㄱ, ㄴ, ㄷ

개념 가이드

자유 낙하 운동은 운동 방향으로 ☐이 계속 작용하여 속력이 매초마다 ☐ m/s씩 증가한다. 답 중력, 9.8

대표 예제 8 등속 운동과 자유 낙하 운동

그림 (가), (나)와 같이 운동하는 물체를 옳게 짝 지은 것은?

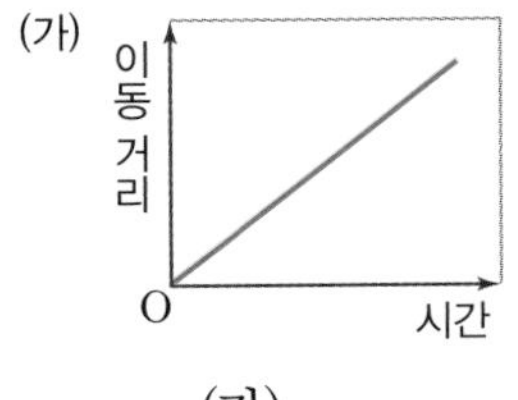

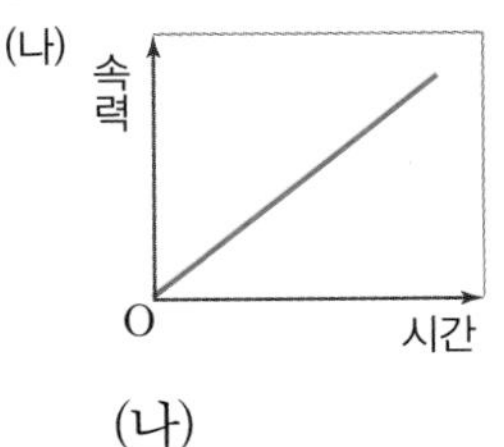

	(가)	(나)
①	에스컬레이터	컨베이어
②	에스컬레이터	자유 낙하 하는 공
③	에스컬레이터	무빙워크
④	자유 낙하 하는 공	에스컬레이터
⑤	자유 낙하 하는 공	무빙워크

개념 가이드

에스컬레이터는 ☐ 운동을 하고, 높은 곳에서 떨어지는 공은 ☐ 운동을 한다. 답 등속, 자유 낙하

3일 일과 에너지

그림으로 개념 잡기
일과 에너지
바람은 날개를
돌리는 일을 하고 날개의 회전을
이용해 전기를 만들어.
휘
잉
힘차게 흐르는 물은 배를
이동하고 있으므로 운동
에너지를 가지고 있어.
촤
악

Quiz

1. 중력에 의한 위치 에너지의 크기는 중력 가속도 상수와 물체의 ❶ (질량, 무게)과 높이의 곱으로 구한다.
2. 질량 2 kg인 물체가 자유 낙하 할 때 중력이 한 일이 100 J이면 ❷ (위치, 운동) 에너지는 100 J 증가한다.

답 ❶ 질량 ❷ 운동

3일 교과서 핵심 정리 ①

개념 1 과학에서의 일

1. 과학에서의 일 물체에 힘이 작용하여 물체가 힘의 방향으로 이동할 때, 힘이 물체에 ❶ [ ] 을 한다고 한다.

힘
이동 방향
이동 거리

(1) 일의 양 : 힘의 크기와 힘의 방향으로 이동한 거리의 곱과 같으며, 단위로 J(줄)을 사용한다.

일의 양(J)＝힘의 크기(N)×이동 거리(m)

(2) 1 J : 1 N의 힘을 작용해 물체를 힘의 방향으로 1 m만큼 이동시킬 때 한 일의 양

예 물체에 10 N의 힘을 작용하여 힘의 방향으로 2 m 이동하였을 때 한 일의 양은 ❷ [ ] J이다.

2. 과학에서 한 일의 양이 0인 경우 작용한 힘이 0이거나 힘의 방향으로 ❸ [ ] 가 0인 경우

이동 거리가 0일 때	힘의 방향과 이동 방향이 수직일 때
역기에 작용한 힘의 방향	상자에 작용한 힘의 방향 / 상자의 이동 방향
역기를 들고 서 있을 때 힘을 위쪽으로 작용하고 역기의 이동 거리가 0이므로, 힘이 역기에 한 일은 0이다.	상자에 힘을 위쪽으로 작용하고 상자는 힘의 방향과 ❹ [ ] 인 수평 방향으로 이동하므로 상자가 힘의 방향으로 이동한 거리가 0이다. 따라서 힘이 상자에 한 일은 ❺ [ ] 이다.

개념 2 중력에 대하여 한 일, 중력이 한 일

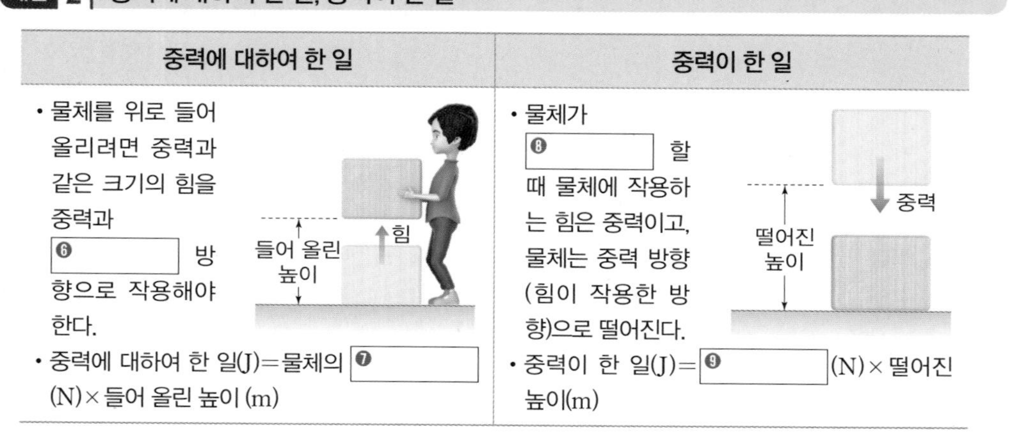

중력에 대하여 한 일	중력이 한 일
• 물체를 위로 들어 올리려면 중력과 같은 크기의 힘을 중력과 ❻ [ ] 방향으로 작용해야 한다.	• 물체가 ❽ [ ] 할 때 물체에 작용하는 힘은 중력이고, 물체는 중력 방향(힘이 작용한 방향)으로 떨어진다.
• 중력에 대하여 한 일(J)＝물체의 ❼ [ ] (N)×들어 올린 높이 (m)	• 중력이 한 일(J)＝❾ [ ] (N)×떨어진 높이(m)

❶ 일
❷ 20
❸ 이동 거리
❹ 수직
❺ 0
❻ 반대
❼ 무게
❽ 자유 낙하
❾ 중력

기초 확인 문제

정답과 해설 71쪽

01 과학에서의 일에 대한 설명이다. 빈칸에 알맞은 말을 쓰시오.

(1) 과학에서는 물체에 힘이 작용하여 물체가 힘의 방향으로 이동할 때 ㉠(　　　　　)이 물체에 ㉡(　　　　　)을 한다고 한다.

(2) 일의 양은 작용한 힘의 크기에 물체가 힘의 방향으로 이동한 (　　　　　)를 곱하여 구한다.

(3) 물체에 한 일의 양은 힘의 방향으로 물체가 이동한 거리가 같더라도 작용한 (　　　　　)의 크기가 클수록 크다.

02 과학에서의 일의 양에 대한 설명으로 옳은 것을 〈보기〉에서 모두 고르시오.

> 보기
>
> ㄱ. 일의 단위는 N을 사용한다.
>
> ㄴ. 일의 양은 작용한 힘이 클수록 크지만 힘의 방향으로 이동한 거리와는 관계없다.
>
> ㄷ. 물체가 자유 낙하 할 때 중력이 한 일의 양은 중력의 크기에 떨어진 높이를 곱하여 구한다.

(　　　　　)

03 다음은 여러 가지 일을 한 경우이다. 중력에 대하여 물체에 한 일의 양을 각각 구하시오.

(1) 무게가 2 N인 물체를 바닥으로부터 2 m 높이만큼 들어 올렸다. (　　　　　)

(2) 무게가 20 N인 물체를 든 상태로 수평 방향으로 5 m를 이동하였다. (　　　　　)

(3) 무게가 200 N인 물체를 든 상태로 1분 동안 가만히 서 있었다. (　　　　　)

04 그래프는 물체를 힘의 방향으로 이동할 때 힘과 물체의 이동 거리 사이의 관계를 나타낸 것이다. 이 물체를 5 m 이동시켰을 때 한 일의 양은?

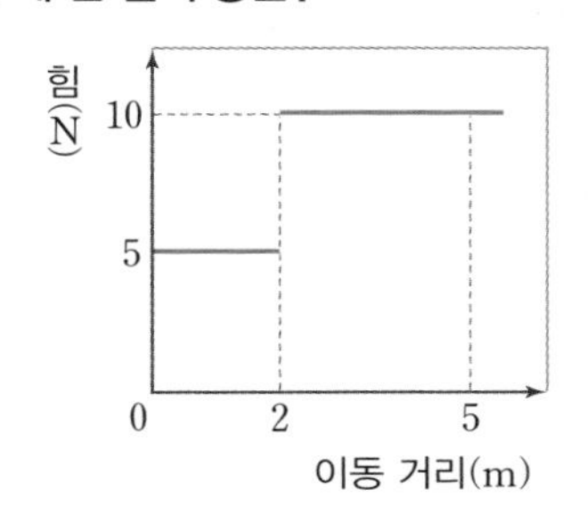

① 10 J　② 30 J　③ 40 J　④ 50 J　⑤ 60 J

05 바닥에 있는 질량 1 kg의 물체를 1.5 m 높이까지 천천히 들어 올렸다가 가만히 놓아 떨어뜨렸다. 이때 중력에 대하여 한 일과 중력이 한 일의 양을 각각 구하시오.

(1) 중력에 대하여 한 일의 양 : (　　　　　)

(2) 중력이 한 일의 양 : (　　　　　)

교과서 핵심 정리 ②

개념 3 중력에 의한 위치 에너지

1. 에너지 일을 할 수 있는 능력, 단위로 ❶ [ ] 의 단위와 같은 J(줄)을 사용한다.

2. 일과 에너지 일은 ❷ [ ] 로, 에너지는 일로 전환될 수 있다.

3. 중력에 의한 위치 에너지 높은 위치에 있는 물체가 가지고 있는 에너지

(1) 중력에 대하여 한 일과 중력에 의한 위치 에너지의 관계 : 물체에 중력에 대하여 일을 하면 물체는 중력에 의한 위치 에너지를 갖게 된다.

중력에 대하여 한 일	전환 →	중력에 의한 위치 에너지
= 무게 × 이동 거리 = 9.8 × 질량 × 들어 올린 높이		$E_p = 9.8\,mh$ (m : 질량, h : 높이)

(2) 중력에 의한 위치 에너지의 크기 : 물체의 ❸ [ ] 과 높이에 각각 비례한다.

$$\text{중력에 의한 위치 에너지(J)} = 9.8 \times \text{질량(kg)} \times \text{높이(m)}$$

예 높은 곳에 있는 추는 중력을 받아 떨어지면 땅에 말뚝을 박는 일을 할 수 있다.

개념 4 운동 에너지

1. 운동 에너지 운동하는 물체가 가지고 있는 에너지

• 운동 에너지의 크기 : 물체의 질량과 ❹ [ ] 의 제곱에 각각 비례한다.

$$\text{운동 에너지(J)} = \frac{1}{2} \times \text{질량(kg)} \times \{\text{속력(m/s)}\}^2$$

예 운동 에너지를 가지고 있는 수레는 정지해 있는 나무 도막을 밀고 가는 일을 한다.

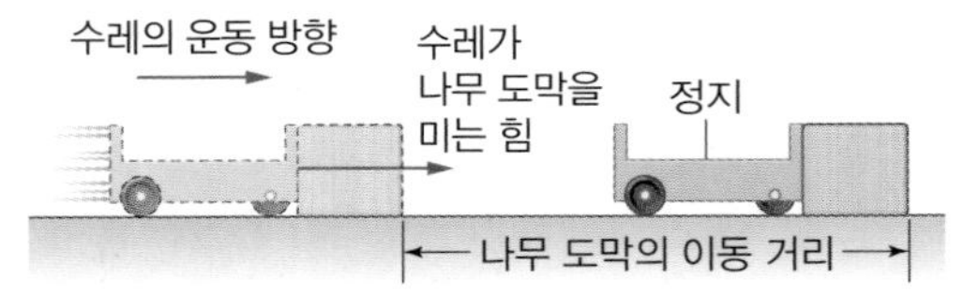

• 나무 도막의 이동 거리는 수레의 ❺ [ ] 에너지에 비례한다. → 나무 도막의 이동 거리는 수레의 질량과 속력의 제곱에 비례한다.

2. 중력이 한 일과 운동 에너지의 관계 중력이 한 일은 물체의 ❻ [ ] 에너지로 전환된다.

• 자유 낙하 운동에서 중력이 한 일 : 정지 상태에서 떨어지는 물체는 중력을 받으며 중력 방향으로 자유 낙하 운동 → 자유 낙하 운동은 ❼ [ ] 이 일을 하는 과정 → 운동 에너지 증가

중력이 한 일	전환 →	운동 에너지
중력이 한 일 = 무게 × 이동 거리 = 9.8 × 질량 × 낙하한 ❽ [ ]		$E_k = \frac{1}{2}mv^2$ (m : 질량, v : 속력)

❶ 일
❷ 에너지
❸ 질량
❹ 속력
❺ 운동
❻ 운동
❼ 중력
❽ 높이

기초 확인 문제

정답과 해설 71쪽

06 중력에 의한 위치 에너지에 대한 설명이다. 빈칸에 알맞은 말을 쓰시오.

(1) 높은 곳의 물체가 가지고 있는 에너지를 중력에 의한 (　　　　) 에너지라고 한다.

(2) 중력에 의한 위치 에너지는 물체 ㉠(　　　　)과 기준면으로부터의 ㉡(　　　　)에 각각 비례한다.

(3) 지면으로부터 1 m 높이에 있는 질량 1 kg인 물체가 가지고 있는 중력에 의한 위치 에너지는 (　　　　)J이다.

(4) 중력에 의한 위치 에너지는 물체가 기준면까지 떨어지면서 할 수 있는 (　　　　)의 양과 같다.

07 그림과 같이 지면으로부터 높이 h인 지점에 물체가 정지해 있다. 이 물체가 가지는 중력에 의한 위치 에너지와 그 양이 같은 것을 〈보기〉에서 모두 고르시오.

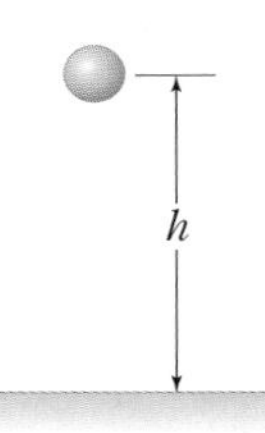

보기
ㄱ. 물체가 지면까지 떨어지면서 할 수 있는 일
ㄴ. 물체를 높이 h만큼 천천히 들어 올리는 일
ㄷ. 물체가 떨어지면서 지면에 작용하는 힘

(　　　　　　　)

08 밑줄 친 물체가 가지고 있는 에너지의 종류가 나머지와 다른 하나는?

① 굴러가는 볼링공
② 높은 댐에 괴어 있는 물
③ 고속도로 위를 달리는 자동차
④ 풍력 발전기의 날개를 돌리는 바람
⑤ 높은 곳에서 떨어지고 있는 우박

09 물체를 들어 올릴 때 한 일에 대한 설명으로 옳지 않은 것은?

① 물체를 천천히 들어 올리려면 중력과 같은 크기의 힘을 작용해야 한다.
② 질량이 1 kg인 물체에 작용하는 중력의 크기는 9.8 N이다.
③ 물체를 들어 올릴 때 한 일은 물체를 들어 올린 높이에 비례한다.
④ 물체를 들어 올릴 때 마찰력에 대해 일을 한다.
⑤ 질량이 m인 물체를 높이 h만큼 들어 올릴 때 한 일의 양은 $9.8\ mh$이다.

10 운동 에너지에 대한 설명의 빈칸에 알맞은 말을 쓰시오.

(1) 물체의 속력이 일정할 때, 운동 에너지는 물체의 질량에 (　　　　)한다.

(2) 운동하는 물체의 질량은 일정하고 속력이 2배가 되면 운동 에너지는 (　　　　)배가 된다.

11 그림은 질량이 1 kg인 수레가 1 m/s의 속력으로 운동하고 있는 모습을 나타낸 것이다.

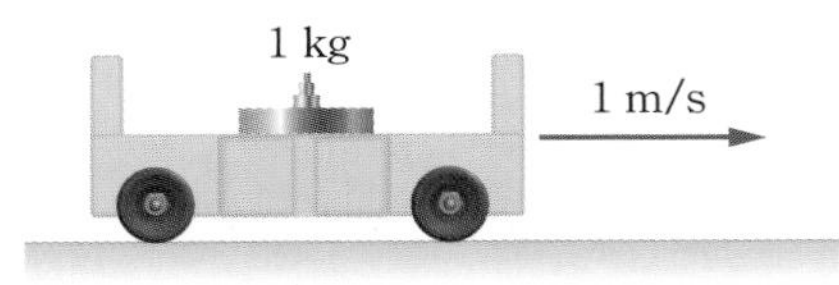

이때 수레의 운동 에너지는 몇 J인가? (단, 공기 저항과 마찰은 무시한다.)

① 0.01 J　② 0.04 J　③ 0.5 J
④ 2 J　⑤ 10 J

3일 내신 기출 베스트

대표 예제 1 과학에서의 일

과학에서 말하는 일을 한 경우를 〈보기〉에서 모두 고른 것은?

보기
ㄱ. 무거운 가방을 들고 서 있었다.
ㄴ. 바닥에 떨어진 연필을 주워 올렸다.
ㄷ. 쇼핑 카트에 짐을 싣고 밀고 갔다.
ㄹ. 무거운 가방을 메고 계단을 올라갔다.

① ㄱ, ㄴ ② ㄱ, ㄷ ③ ㄴ, ㄷ
④ ㄷ, ㄹ ⑤ ㄴ, ㄷ, ㄹ

개념 가이드
힘이 작용해 물체가 힘의 방향으로 이동할 때 ☐을 한 것이다. 힘과 거리 중 하나가 0이면 한 일이 ☐이다. 답 일, 0

대표 예제 2 일과 에너지

그림과 같이 수평면 위에 놓인 질량 5 kg의 물체에 용수철저울을 연결하여 50 cm 거리를 일정한 속력으로 서서히 끌어당겼더니 용수철저울의 눈금이 계속 10 N을 가리켰다.

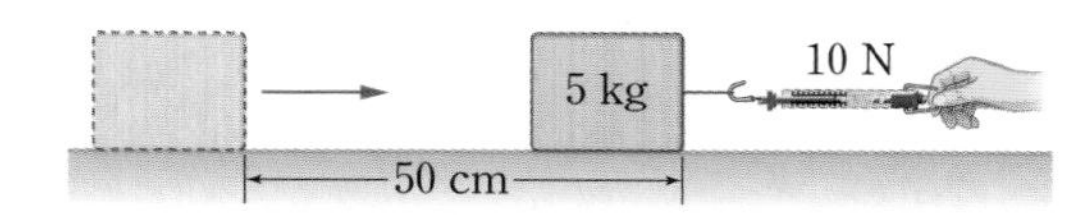

이때 물체를 거리 50 cm만큼 이동하는 동안 한 일의 양은?

① 1 J ② 10 J ③ 5 J
④ 500 J ⑤ 245 J

개념 가이드
과학에서 한 일의 양은 물체에 작용한 ☐의 크기와 힘의 방향으로 이동한 ☐의 곱으로 나타낸다. 답 힘, 거리

대표 예제 3 위치 에너지

지면을 기준면으로 할 때, 중력에 의한 위치 에너지만 가지고 있는 경우를 〈보기〉에서 모두 고르시오.

보기
ㄱ. 책상 위에 놓인 지우개
ㄴ. 지면을 굴러가는 볼링공
ㄷ. 지면에 놓여 있는 축구공
ㄹ. 미끄럼틀을 타고 내려가는 사람
ㅁ. 높은 나무 위에 매달려 있는 사과

( )

개념 가이드
위치 에너지는 ☐이 작용하는 공간에서 ☐보다 높은 곳에 있는 물체가 가지는 에너지이다. 답 중력, 기준면

대표 예제 4 중력에 대하여 한 일

그림과 같이 유미가 질량이 10 kg인 물체를 일정한 속력으로 들어 올리는 데 한 일의 양이 196 J이었다. 이때 물체를 들어 올린 높이는 몇 m인가?

① 0.25 m ② 1.5 m
③ 1 m ④ 1.5 m
⑤ 2 m

개념 가이드
물체를 위로 들어 올리려면 ☐과 같은 크기의 힘을 중력과 ☐ 방향으로 작용해야 한다. 답 중력, 반대

정답과 해설 71쪽

대표 예제 5 중력에 의한 위치 에너지

그림과 같이 유미는 질량이 10 kg인 물체를 바닥으로부터 1.5 m 높이만큼 서서히 들어 올렸다. 이때 물체의 중력에 의한 위치 에너지 증가량은? (단, 중력 가속도 상수는 9.8이다.)

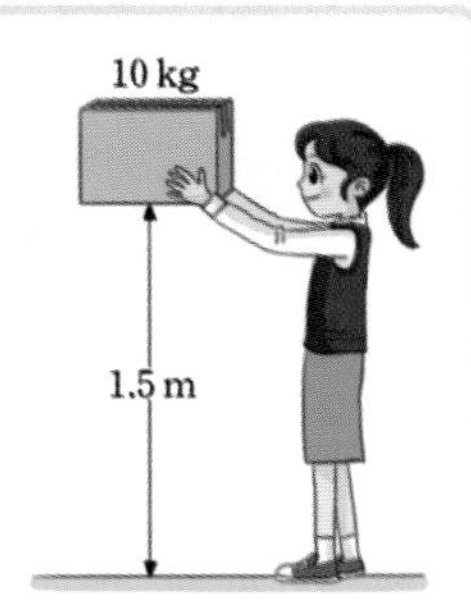

① 0 J ② 15 J
③ 98 J ④ 147 J
⑤ 1470 J

개념 가이드

물체를 들어 올리는 일을 해준 만큼 [ ] 에너지가 증가한다. 중력에 의한 위치 에너지＝무게×[ ]   답 위치, 높이

대표 예제 6 위치 에너지의 크기

그림과 같이 질량과 높이가 다른 물체 A~E가 놓여 있다. 이때 중력에 의한 위치 에너지가 같은 물체를 옳게 짝 지은 것은?

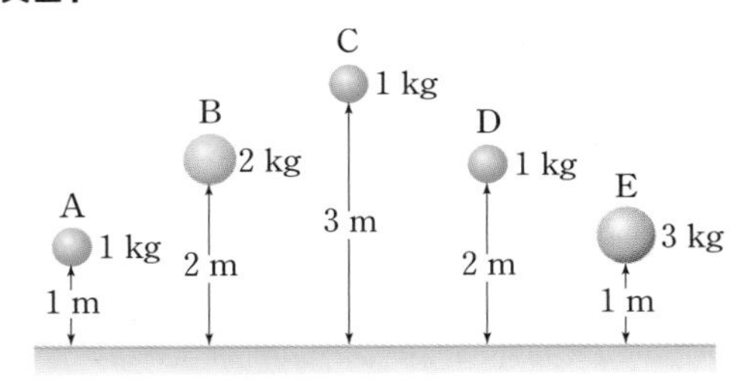

① A, C ② A, D ③ B, D
④ C, E ⑤ D, E

개념 가이드

위치 에너지는 질량과 [ ]의 곱에 비례, 위치 에너지의 비는 [ ]과 높이를 곱한 값을 비교한다.   답 높이, 질량

대표 예제 7 운동 에너지의 크기

표는 두 물체 A, B의 질량과 속력을 나타낸 것이다.

물체	질량(kg)	속력(m/s)
A	2	4
B	4	2

물체 A, B의 운동 에너지의 비 A : B는?

① 1 : 1 ② 1 : 2 ③ 1 : 4
④ 2 : 1 ⑤ 4 : 1

개념 가이드

운동 에너지는 [ ]하고 있는 물체가 가지고 있는 에너지이며, 물체의 질량과 [ ]의 제곱에 비례한다.   답 운동, 속력

대표 예제 8 운동 에너지 측정

그림과 같이 장치하고, 수레의 질량과 속력을 달리 하면서 자와 충돌시켰다. 이에 대한 설명으로 옳지 않은 것은?

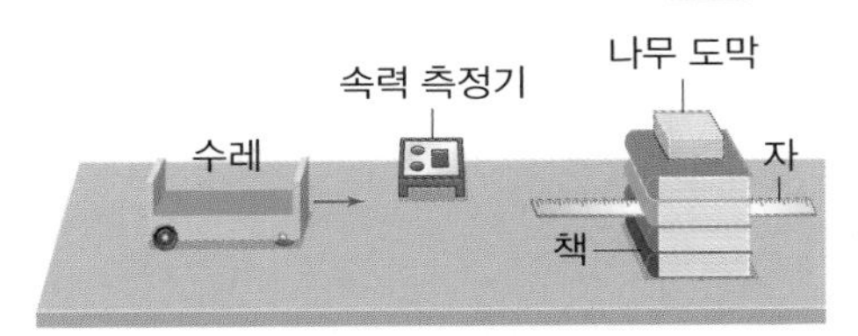

① 자가 받는 마찰력의 크기는 일정하다.
② 수레의 운동 에너지가 자를 밀어 내는 일을 한다.
③ 자가 밀려난 거리는 수레의 질량에 비례한다.
④ 속력이 2배가 되면 자가 밀려난 거리도 2배가 된다.
⑤ 자가 밀려난 거리는 수레의 운동 에너지에 비례한다.

개념 가이드

수레의 [ ] 에너지가 자에 일을 한다. 수레의 운동 에너지 감소량＝자에 한 일＝마찰력×자가 밀려난 [ ]   답 운동, 거리

4일 감각 기관

그림으로 개념 잡기

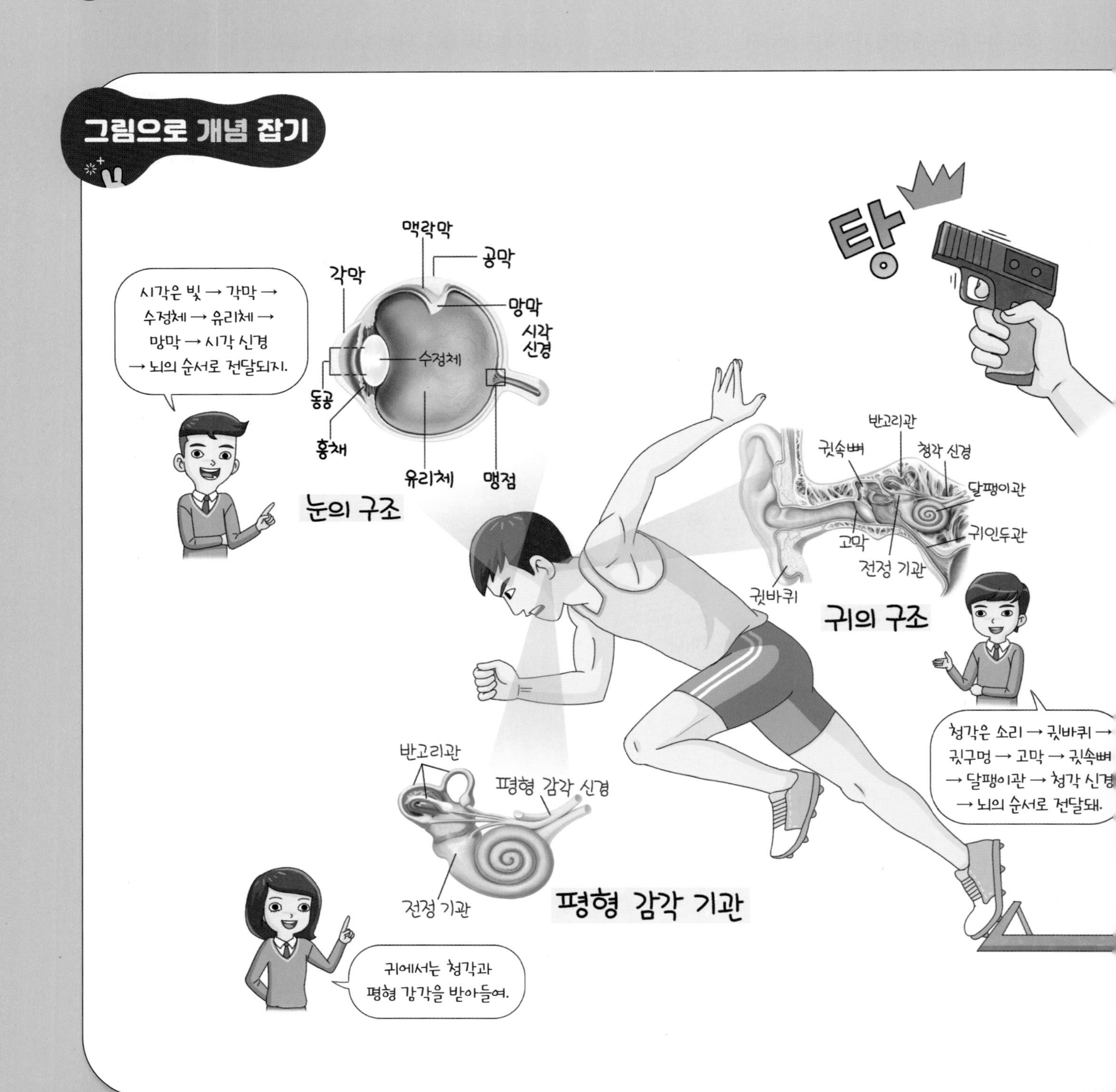

Quiz

1. 주위가 밝아지면 홍채의 크기는 ❶ (확장, 축소)되고, 동공은 ❷ (커진다, 작아진다).
2. 귀에서 몸이 회전하는 것을 감지하는 것은 ❸ (달팽이관, 반고리관)이고, 몸이 기울어짐을 감지하는 것은 ❹ (전정 기관, 귓속뼈)이다.

답 ❶ 확장 ❷ 작아진다 ❸ 반고리관 ❹ 전정 기관

교과서 핵심 정리 ①

개념 1 눈(시각)

1. 눈의 구조와 기능

① 눈의 구조 : 눈은 물체의 모양, 크기, 색깔 등을 느낄 수 있도록 ❶ [　　] 자극을 받아들인다.

구조	기능
각막 (빛이 통과함)	• 눈의 가장 앞쪽에 있는 투명한 막
망막	• 물체의 ❷ [　　]이 맺히는 부분 • 시각 세포가 있어 빛을 받아들임
수정체	• 빛을 굴절시켜 물체의 상이 망막에 맺히게 함
동공	• ❸ [　　] 사이에 뚫려 있는 구멍 • 빛이 들어가는 통로
홍채	• ❹ [　　]의 크기를 조절하여 눈으로 들어가는 빛의 양 조절
맹점	• ❺ [　　]이 모여 나가는 곳 • 시각 세포가 없어 상이 맺혀도 볼 수 없음

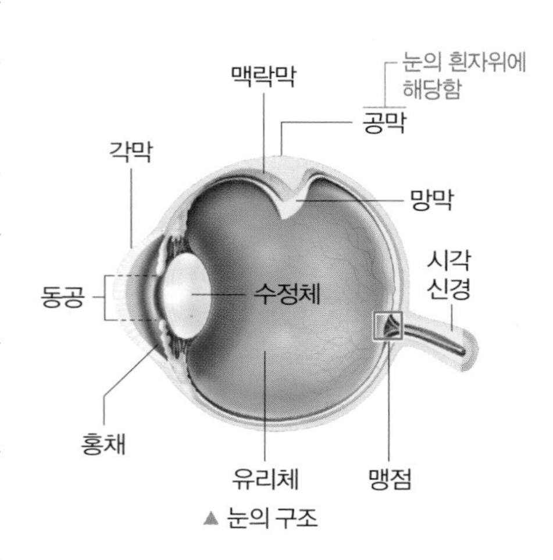

▲ 눈의 구조

② 시각의 전달 경로

빛 → 각막 → 수정체 → ❻ [　　] → 망막의 시각 세포 → 시각 신경 → 뇌

2. 눈의 조절 작용

① 밝기 조절 : ❼ [　　]의 작용으로 동공의 크기가 변하면서 빛의 양 조절

밝을 때		어두울 때	
홍채 확장, 동공 축소	홍채 확장 → 동공 축소 → 눈으로 들어오는 빛의 양 감소	홍채 축소, 동공 확대	홍채 축소 → 동공 확대 → 눈으로 들어오는 빛의 양 증가

② 거리 조절 : ❽ [　　]의 두께가 변하면서 망막에 또렷한 상이 맺힘

가까운 곳을 볼 때		먼 곳을 볼 때	
섬모체, 수정체가 두꺼워진다.	섬모체 수축 → 수정체 두꺼워짐	섬모체, 수정체가 얇아진다.	섬모체 이완 → 수정체 얇아짐

❶ 빛
❷ 상
❸ 홍채
❹ 동공
❺ 시각 신경
❻ 유리체
❼ 홍채
❽ 수정체

기초 확인 문제

정답과 해설 72쪽

01 그림은 사람 눈의 구조를 나타낸 것이다.

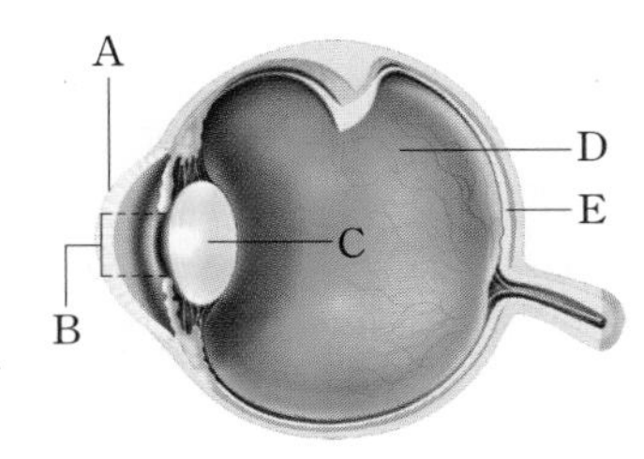

다음 설명에 해당하는 구조의 기호를 각각 쓰시오.

(1) 눈 안을 채우고 있는 투명한 물질이며, 눈의 형태를 유지한다. ( )

(2) 홍채의 바깥을 감싸는 투명한 막으로, 빛이 통과한다. ( )

(3) 홍채 사이에 뚫려 있는 구멍으로, 빛이 들어가는 통로가 된다. ( )

(4) 시각 세포가 있으며, 물체의 상이 맺히는 곳이다. ( )

(5) 빛을 굴절시켜 망막에 상이 맺히게 하며, 사진기의 볼록 렌즈 역할을 한다. ( )

02 그림은 눈의 맹점을 나타낸 것이다. 이에 대한 설명으로 옳은 것을 〈보기〉에서 모두 고르시오.

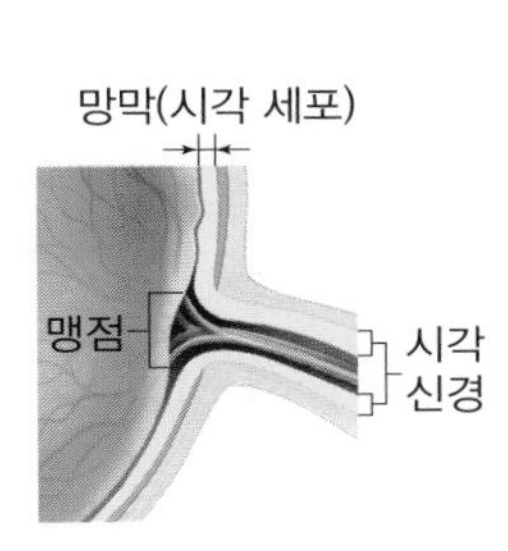

보기

ㄱ. 맹점에는 시각 세포가 없다.

ㄴ. 맹점에 물체의 상이 맺히면 가장 선명하게 보인다.

ㄷ. 맹점은 망막과 연결된 시각 신경이 밖으로 나가는 부분이다.

( )

03 다음은 눈의 조절 작용과 관련된 내용이다. 서로 관련 있는 것끼리 옳게 연결하시오.

(1) 밝은 곳 • • ㉠ 수정체가 두꺼워짐

(2) 어두운 곳 • • ㉡ 수정체가 얇아짐

(3) 가까운 곳을 볼 때 • • ㉢ 동공의 크기 작아짐

(4) 먼 곳을 볼 때 • • ㉣ 동공의 크기 커짐

04 다음은 시각의 전달 과정을 나타낸 것이다. 빈칸에 알맞은 말을 쓰시오.

빛 → ㉠ ( ) → 수정체 → 유리체 → 망막의 ㉡ ( ) → 시각 신경 → 뇌

05 그림은 눈의 조절 작용을 나타낸 것이다.

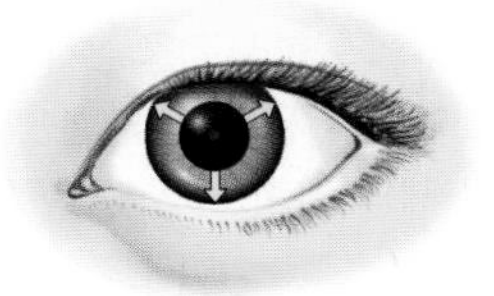

이에 대한 다음 설명에서 ( ) 안에 알맞은 말을 고르시오.

밝은 곳에 있다가 영화관 안으로 들어가면 홍채가 ㉠ (축소, 확장)되면서 동공의 크기가 ㉡ (커, 작아)져서 눈으로 들어오는 빛의 양이 많아진다.

4일 교과서 핵심 정리 ②

개념 2 귀(청각)

1. 귀의 구조와 기능 귀는 공기의 ❶ [　　　] 을 자극으로 받아들여 소리로 인식한다.

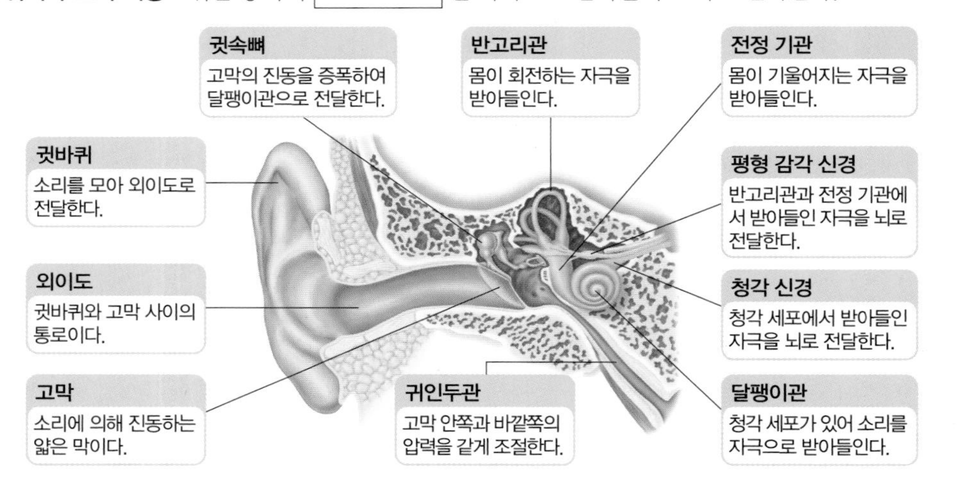

2. 청각의 전달 경로

소리 → 귓바퀴 → 외이도 → 고막 → ❷ [　　　] → 달팽이관의 청각 세포 → ❸ [　　　] → 뇌

개념 3 코(후각), 혀(미각), 피부(피부 감각)

코	• 기체 상태의 화학 물질을 감각 • 기체 상태의 화학 물질 → 후각 상피의 ❹ [　　　] → 후각 신경 → 뇌	후각 신경 후각 상피 기체 상태의 화학 물질 후각 세포
혀	• 액체 상태의 화학 물질을 감각 • 기본 맛 : 단맛, 짠맛, 신맛, 쓴맛, ❺ [　　　] • 액체 상태의 화학 물질 → 유두 → 맛봉오리의 ❻ [　　　] → 미각 신경 → 뇌	유두 액체 상태의 화학 물질 맛봉오리 미각 신경 맛세포
피부	• 촉감(촉점), 눌림(❼ [　　　]), 아픔(통점), 따뜻함(온점), 차가움(냉점) 등을 감각 • 분포 정도 : ❽ [　　　] > 압점 > 촉점 > 냉점 > 온점 • 피부 자극 → 감각점 → 피부 감각 신경 → 뇌	촉점 압점 통점 온점 냉점 피부 감각 신경

❶ 진동
❷ 귓속뼈
❸ 청각 신경
❹ 후각 세포
❺ 감칠맛
❻ 맛세포
❼ 압점
❽ 통점

기초 확인 문제

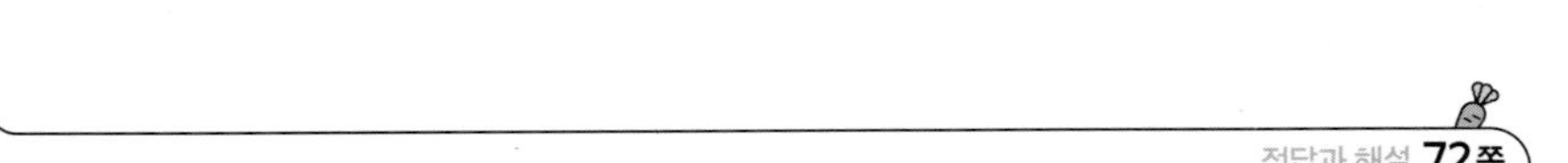

정답과 해설 72쪽

06 그림은 사람 귀의 구조를 나타낸 것이다.

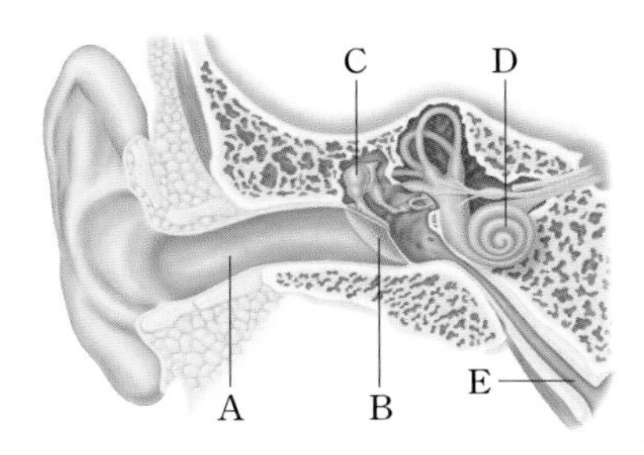

다음 설명에 해당하는 구조를 기호로 각각 쓰시오.

(1) 소리에 진동하는 얇은 막이다. (　　　　)

(2) 귓바퀴와 고막 사이의 통로이다. (　　　　)

(3) 고막 안쪽과 바깥쪽의 압력이 같도록 조절한다. (　　　　)

(4) 고막의 진동을 증폭해서 달팽이관으로 전달한다. (　　　　)

(5) 청각 세포가 들어 있어 소리 자극을 청각 신경으로 전달한다. (　　　　)

07 그림은 평형 감각 기관을 나타낸 것이다.

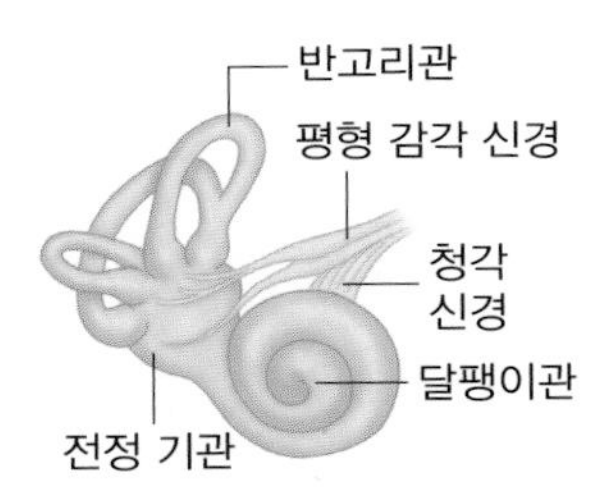

다음 설명에 해당하는 평형 감각 기관을 쓰시오.

(1) 내부에 림프액이 가득 차 있으며 몸이 회전하는 것을 감지한다. (　　　　)

(2) 내부의 작은 돌들의 움직임에 의해 몸의 기울어짐을 감지한다. (　　　　)

08 다음은 청각의 전달 경로를 나타낸 것이다. 빈칸에 알맞은 이름을 쓰시오.

> 소리 → 귓바퀴 → 외이도 → ㉠(　　　　　) → 귓속뼈 → 달팽이관의 ㉡(　　　　　) → 청각 신경 → 뇌

09 후각에 해당하는 설명은 '코', 미각에 해당하는 설명은 '혀', 피부 감각에 해당하는 설명은 '피부'를 쓰시오.

(1) 기체 상태의 화학 물질을 자극으로 받아들이며, 가장 예민한 감각이다. (　　　　)

(2) 기본 맛으로 단맛, 짠맛, 신맛, 쓴맛, 감칠맛을 느낀다. (　　　　)

(3) 촉감, 눌림, 아픔, 차가움, 따뜻함을 느낀다. (　　　　)

10 피부 감각에 대한 설명으로 옳은 것을 〈보기〉에서 모두 고르시오.

> 보기
>
> ㄱ. 피부 감각점은 특히 손끝, 입술, 목 등에 많이 분포한다.
>
> ㄴ. 우리 몸에 분포한 감각점 중 냉점와 온점이 가장 많이 분호한다.
>
> ㄷ. 피부에 가장 많이 분포하는 통점은 우리 몸을 위험으로부터 보호하는 데 유리하게 작용한다.

(　　　　　　)

4일 내신 기출 베스트

대표 예제 1 눈의 구조와 기능

그림은 사람 눈의 구조를 나타낸 것이다.
(가)빛을 굴절시켜 망막에 물체의 상이 맺히게 하는 곳과, (나)동공의 크기를 조절하여 눈으로 들어가는 빛의 양을 조절하는 곳을 옳게 짝 지은 것은?

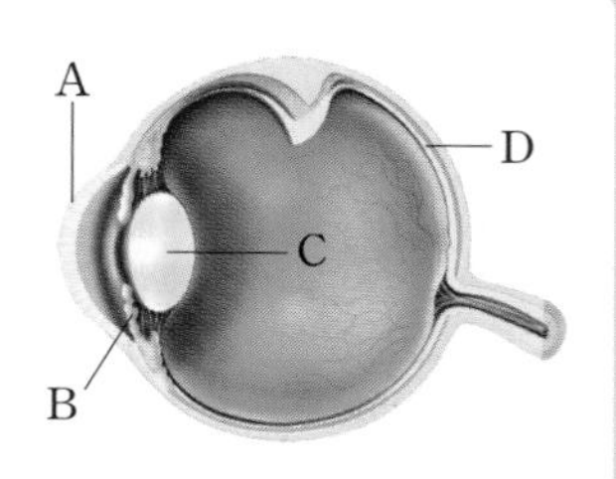

	(가)	(나)		(가)	(나)		(가)	(나)
①	A	B	②	A	C	③	B	D
④	C	B	⑤	D	C			

개념 가이드
홍채가 확장하면 동공의 크기가 [ ] 눈으로 들어오는 빛의 양이 [ ]한다.
답 작아지면서, 감소

대표 예제 2 눈의 조절 작용

눈의 조절 작용에 대한 설명으로 옳지 않은 것은?

① 망막에는 시각 세포가 있어 빛 자극을 받아들인다.
② 어두운 곳에서 갑자기 밝은 곳으로 나가면 동공의 크기가 커진다.
③ 가까운 곳을 볼 때는 먼 곳을 볼 때보다 수정체의 두께가 두꺼워진다.
④ 시각 세포에서 받아들인 자극은 시각 신경을 통해 뇌로 전달된다.
⑤ 홍채의 넓이 변화로 동공의 크기를 조절하여 눈으로 들어오는 빛의 양을 조절한다.

개념 가이드
망막의 [ ]에서 받아들인 빛 자극은 [ ]을 통해 뇌로 전달된다.
답 시각 세포, 시각 신경

대표 예제 3 눈의 이상

그림은 상이 망막에 잘 맺히지 않는 눈의 이상을 나타낸 것이다.

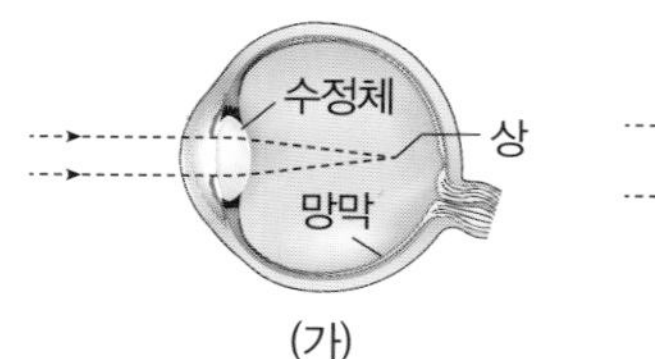

(가)

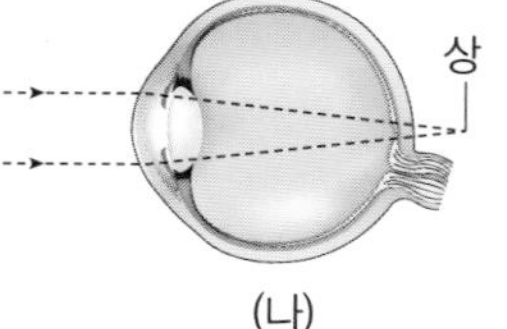

(나)

(가), (나) 중에서 근시를 고르고, 이를 교정하기 위한 렌즈의 종류를 쓰시오. ( )

개념 가이드
원시는 [ ] 곳의 물체를 볼 때 상이 망막 [ ]에 맺혀 잘 보이지 않는 눈의 이상이다.
답 가까운, 뒤

대표 예제 4 눈의 구조와 기능

왼쪽 눈을 가리고 오른쪽 눈으로 ♥ 모양을 보면서 종이를 천천히 얼굴 쪽으로 움직이면, 어느 순간 ♠ 모양이 시야에서 사라진다.

이와 같은 현상이 일어나는 까닭과 관련된 눈의 구조는?

① 각막 ② 홍채 ③ 맹점
④ 수정체 ⑤ 유리체

개념 가이드
[ ]은 망막에서 [ ]가 밀집해 있는 부분으로, 물체의 상이 맺히면 가장 선명하게 보인다.
답 황반, 시각 세포

대표 예제 5 청각의 전달 경로

그림은 사람 귀의 구조를 나타낸 것이다.

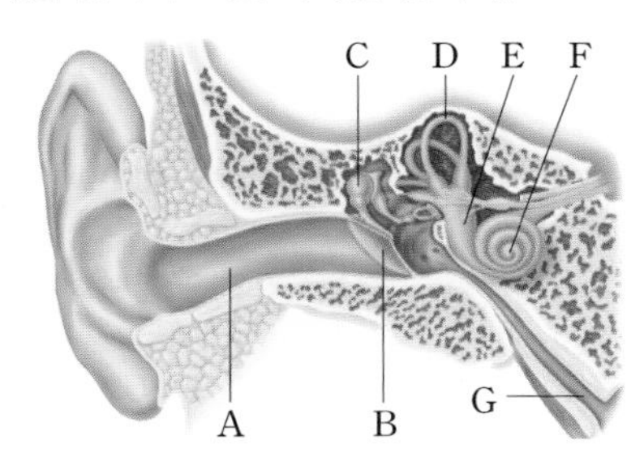

소리가 전달되는 경로를 A~G의 기호를 이용하여 순서대로 쓰시오. ( )

개념 가이드

청각과 관련된 부분으로는 고막, [ ], [ ]이 있다.

답 귓속뼈, 달팽이관

대표 예제 6 평형 감각 기관

그림은 사람 귀의 구조를 나타낸 것이다.

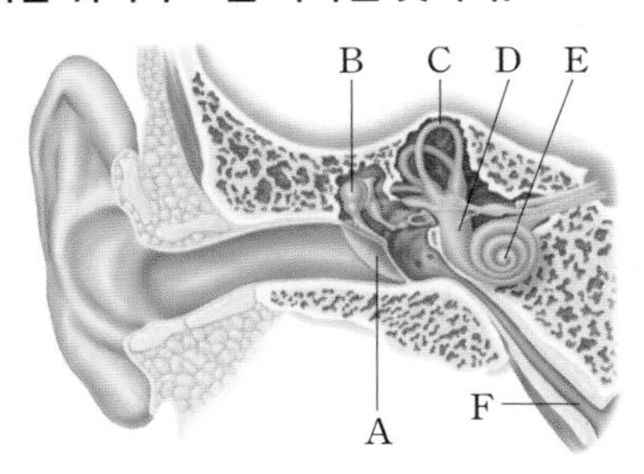

우리 몸이 회전하거나 기울어지는 것을 느끼는 감각 기관은 무엇인지 기호와 이름을 쓰시오.

• 몸의 회전 : ( )

• 몸의 기울어짐 : ( )

개념 가이드

반고리관은 3개의 [ ]가 직각으로 연결되어 있고, 내부 림프액의 움직임으로 몸이 [ ]하는 것을 감지한다. 답 고리, 회전

대표 예제 7 미각의 특성

그림은 미각을 받아들이는 맛봉오리를 나타낸 것이다. 미각에 대한 설명으로 옳은 것을 〈보기〉에서 모두 고른 것은?

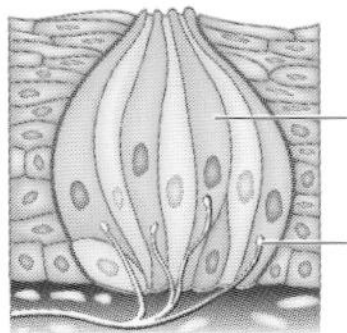

보기

ㄱ. 혀에서 다섯 가지 기본 맛을 느낀다.

ㄴ. 매운맛과 떫은맛은 혀의 맛세포에서 감지한다.

ㄷ. 음식 맛은 미각과 후각이 함께 작용하여 다양한 맛을 느낄 수 있다.

① ㄱ ② ㄴ ③ ㄷ

④ ㄱ, ㄷ ⑤ ㄴ, ㄷ

개념 가이드

혀에서 느끼는 기본 맛에는 단맛, 짠맛, [ ], 쓴맛, 감칠맛이 있고, 음식 맛은 미각과 [ ]이 함께 작용한다. 답 신맛, 후각

대표 예제 8 후각의 특성

음식 냄새를 맡을 때 같은 냄새를 오래 맡으면 그 냄새를 잘 느끼지 못하게 된다. 이러한 까닭으로 옳은 것은?

① 냄새 분자가 쉽게 분해되기 때문이다.

② 액체 상태의 물질을 감지하기 때문이다.

③ 후각 세포가 쉽게 피로해지기 때문이다.

④ 코에는 감각점이 적게 분포하기 때문이다.

⑤ 후각이 다른 감각에 비해 둔하기 때문이다.

개념 가이드

코에서는 [ ] 상태의 화학 물질을, 혀에서는 [ ] 상태의 화학 물질을 자극으로 감지한다. 답 기체, 액체

5일 신경계

그림으로 개념 잡기
뉴런은 감각 기관으로부터 뇌로, 뇌로부터 운동 기관으로 신호를 전달하며, 감각 뉴런, 연합 뉴런, 운동 뉴런이 있어.
신경 세포체
축삭돌기
가지돌기
축삭돌기
자극
감각 뉴런
연합 뉴런
운동 뉴런
반응
눈으로 셔틀콕을 감지하면 연합 뉴런을 거쳐 운동 뉴런으로 전달되어 셔틀콕을 받아칠 수 있어.
셔틀콕을 보고 받아치는 동작과 같이 의식적인 반응은 대뇌가 중추가 되지.
중추 신경계
신경계는 뇌와 척수로 이루어진 중추 신경계와, 중추 신경계에서 온몸으로 퍼져 있는 말초 신경계로 구분할 수 있어.
말초 신경계
뜨거워서 급히 손을 떼는 동작과 같은 무의식적인 반응은 척수가 중추인 무조건 반사야.
신경계

공부할 내용

❶ 뉴런
❷ 신경계
❸ 자극에 대한 반응
❹ 호르몬

호르몬

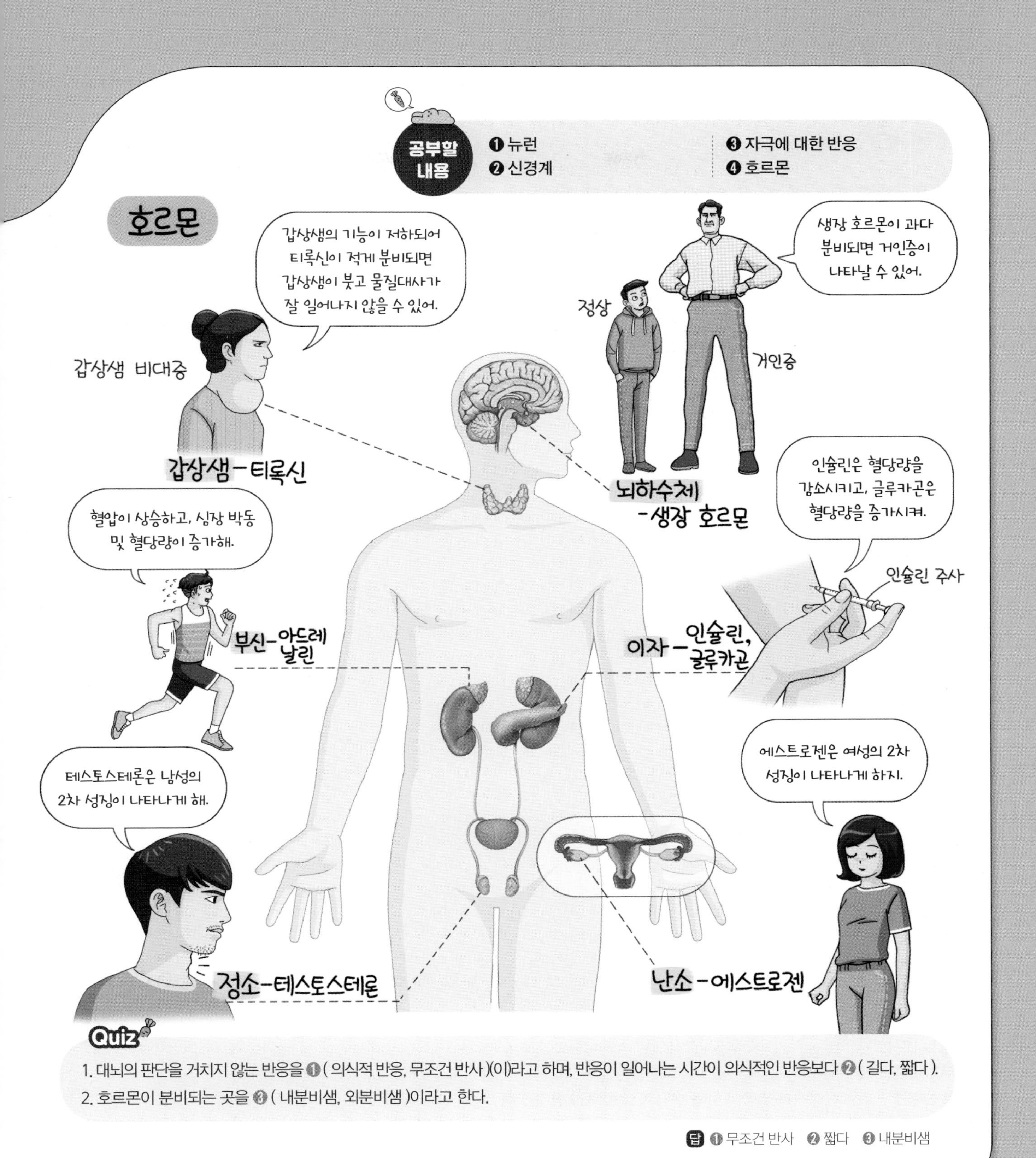

Quiz

1. 대뇌의 판단을 거치지 않는 반응을 ❶ (의식적 반응, 무조건 반사)(이)라고 하며, 반응이 일어나는 시간이 의식적인 반응보다 ❷ (길다, 짧다).
2. 호르몬이 분비되는 곳을 ❸ (내분비샘, 외분비샘)이라고 한다.

답 ❶ 무조건 반사 ❷ 짧다 ❸ 내분비샘

5일 교과서 핵심 정리 ①

개념 1 뉴런

1. 뉴런 ❶ [ ] 를 구성하는 구조적, 기능적 단위

가지 돌기
다른 뉴런이나 감각 기관으로부터 자극을 받아들인다.

신경 세포체
핵과 세포질이 모여 있으며, 여러 가지 생명 활동이 일어난다.

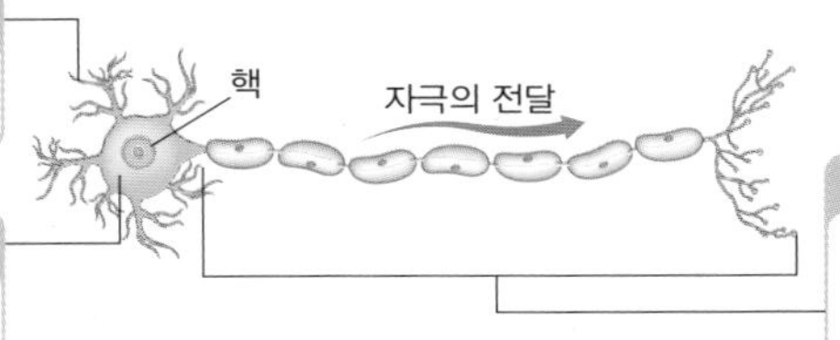

축삭 돌기
길게 뻗어 있는 돌기로, 다른 뉴런이나 기관으로 자극을 전달한다.

2. 뉴런의 종류 감각 뉴런, 연합 뉴런, 운동 뉴런으로 구분

① 감각 뉴런 : 감각 기관에서 받아들인 자극을 ❷ [ ] 뉴런에 전달한다.

② 연합 뉴런 : 감각 뉴런에서 전달된 자극을 종합, 판단하여 ❸ [ ] 뉴런에 명령을 내리며, 감각 뉴런과 운동 뉴런을 연결한다.

③ 운동 뉴런 : 연합 뉴런의 명령을 반응 기관에 전달한다.

개념 2 신경계

1. 중추 신경계 뇌와 척수로 구성, 많은 연합 신경이 밀집하여 분포한다.

감각 기관에서 받아들인 정보를 판단하여 운동 기관에 적절한 명령을 내림 (대뇌)

뇌	대뇌	기억, 추리, 감정 등 고차원적 ❹ [ ] 활동 담당
	소뇌	근육 운동 조절, 몸의 자세와 ❺ [ ] 유지
	중간뇌	눈의 운동, 홍채의 확장과 축소 등 ❻ [ ] 의 움직임 담당
	간뇌	체온과 체액의 농도 조절 → 우리 몸의 ❼ [ ] 조절 중추
	연수	심장 박동, 소화 운동, 호흡 운동 조절 → 생명 유지의 중추
척수		• 뇌와 말초 신경 사이에서 정보 전달 • 자신의 ❽ [ ] 와 관계없는 반응의 조절 중추

대뇌 / 간뇌 / 중간뇌 / 소뇌 / 연수 / 척수

▲ 뇌와 척수

2. 말초 신경계 중추 신경계에서 뻗어 나와 온몸에 그물처럼 퍼져 있다.

① 감각 신경과 운동 신경 : 감각 신경은 감각 기관에서 받아들인 자극을 중추 신경계로 전달하며, 운동 신경은 중추 신경계에서 내린 명령을 운동 기관에 전달한다.

② 자율 신경 : 교감 신경과 ❾ [ ] 신경으로 구분되며, 내장 기관에 연결되어 있어 대뇌의 직접적인 명령 없이 심장 박동, 호흡 운동 등을 자율적으로 조절한다.

❶ 신경계
❷ 연합
❸ 운동
❹ 정신
❺ 균형
❻ 눈
❼ 항상성
❽ 의지
❾ 부교감

기초 확인 문제

정답과 해설 74쪽

01 그림은 뉴런의 구조를 나타낸 것이다.

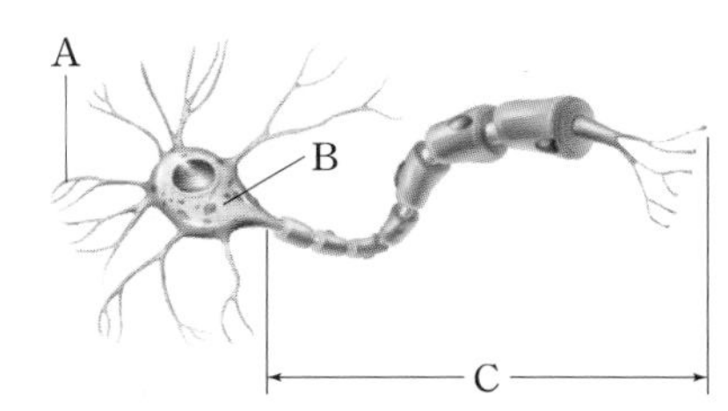

다음 설명에 해당하는 구조를 기호로 각각 쓰시오.

(1) 핵과 대부분의 세포질이 모여 있는 부분이다. (　　　)

(2) 주변의 뉴런이나 반응 기관으로 자극을 전달한다. (　　　)

(3) 감각 기관이나 주변의 뉴런으로부터 자극을 받아들인다. (　　　)

02 중추 신경계에 대한 설명에서 빈칸에 알맞은 말을 쓰시오.

(1) 중추 신경계는 뇌와 (　　　)로 구성되며 자극에 대해 판단하고 명령을 내리는 중추이다.

(2) 중추 신경계 중 기억, 추리, 감정 등 다양한 정신 활동을 담당하는 중추는 (　　　)이다.

(3) 심장 박동, 소화액 분비, 호흡 운동 등을 조절하여 생명을 유지하는 중추 역할을 하는 부분은 (　　　)이다.

(4) 척수는 뇌와 말초 신경 사이에 (　　　)를 전달하는 통로이다.

03 다음은 말초 신경계를 구성하는 어떤 신경의 특성을 설명한 것이다. 이 신경계의 이름을 쓰시오.

- 내장 기관에 연결되어 있다.
- 대뇌의 직접적인 명령 없이 심장 박동, 호흡 운동 등을 자율적으로 조절한다.

(　　　)

04 그림은 세 가지 뉴런이 연결된 모습을 나타낸 것이다.

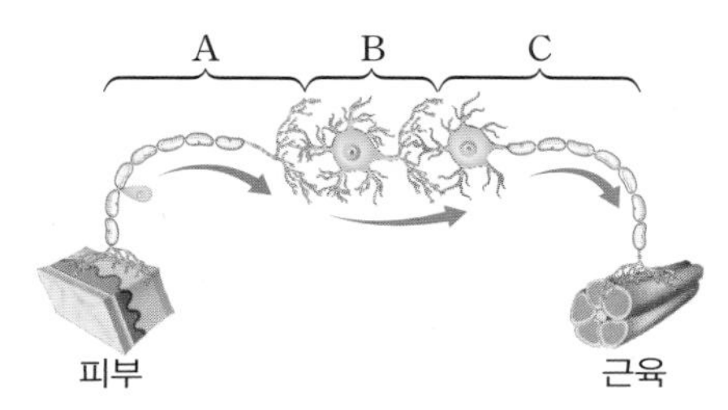

다음 설명에 해당하는 구조를 기호로 각각 쓰시오.

(1) 감각 뉴런을 통해 전달받은 자극을 종합, 판단하여 운동 뉴런에 적절한 명령을 내린다. (　　　)

(2) 연합 뉴런의 명령을 반응 기관으로 전달한다. (　　　)

(3) 감각 기관으로부터 받아들인 자극을 연합 뉴런으로 전달한다. (　　　)

05 그림은 사람 뇌의 구조를 나타낸 것이다. 각 구조의 이름을 기능과 옳게 연결하시오.

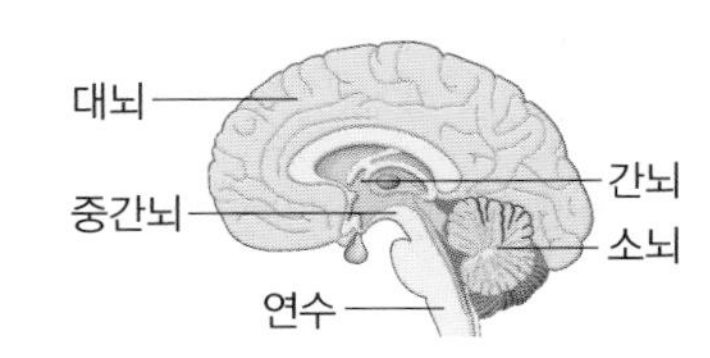

(1) 대뇌 • 　　• ㉠ 몸의 자세와 균형 유지

(2) 소뇌 • 　　• ㉡ 기억·추리·판단 등 고등 정신 작용

(3) 중간뇌 • 　　• ㉢ 심장 박동, 소화 운동 등 생명 유지 기능

(4) 간뇌 • 　　• ㉣ 눈의 운동, 동공의 크기 조절

(5) 연수 • 　　• ㉤ 체온과 체액의 농도 조절

5일 교과서 핵심 정리 ②

개념 3 자극에 대한 반응

1. 의식적 반응 자극 → 감각 기관 → 감각 신경 → (척수 →) ❶ [　　] → 척수 → 운동 신경 → 반응 기관 → 반응 └ 외부 자극에 대해 대뇌의 판단과 명령으로 일어남

2. 무조건 반사 – 외부 자극에 대해 자신의 의지와 관계없이 일어남

① 자극 → 감각 기관 → 감각 신경 → 반사 중추(❷ [　　], 연수, 중간뇌) → 운동 신경 → 반응 기관 → 반응

② 무조건 반사의 예

- 척수 반사 : ❸ [　　] 반사, 날카로운 것을 만졌을 때 손을 떼는 행동 등
- 연수 반사 : 재채기, 딸꾹질, 침 분비 등
- 중간뇌 반사 : 눈 깜빡임, ❹ [　　]의 크기 조절

개념 4 호르몬

1. 호르몬 몸의 ❺ [　　]에서 만들어져 특정 세포(표적 세포)나 기관(표적 기관)으로 신호를 전달하여 몸의 기능을 조절하는 물질 (예) 생장 호르몬, 티록신, 인슐린

2. 호르몬의 특징 – 적은 양으로 큰 효과를 나타낸다.

① 내분비샘에서 만들어져 ❻ [　　]을 따라 특정 세포나 기관에 이르러 고유한 조절 작용을 한다.

② 분비량이 너무 많거나 적으면 몸에 이상 증상이 나타난다. (예) 생장 호르몬 과다 : 거인증

3. 호르몬과 신경의 작용 비교

구분	전달 매체	전달 속도	작용 범위	지속성
호르몬	혈액	비교적 느림	넓음	❼ [　　]
신경	❽ [　　]	비교적 빠름	좁음	일시적

4. 사람의 내분비샘과 호르몬

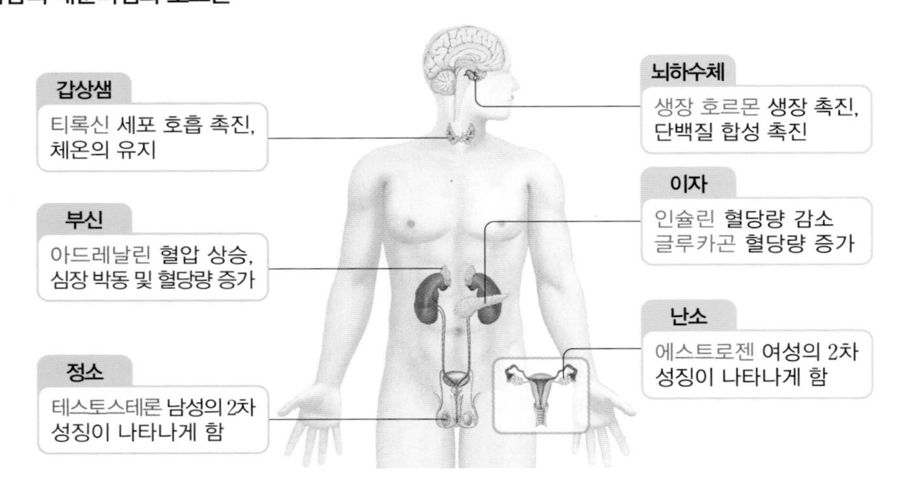

❶ 대뇌
❷ 척수
❸ 무릎
❹ 동공
❺ 내분비샘
❻ 혈액
❼ 지속적
❽ 뉴런

기초 확인 문제

정답과 해설 74쪽

06 다음은 육상선수가 스타팅 블록에서 총소리에 맞춰 출발하는 동작이 일어나기까지 자극의 전달 경로를 나타낸 것이다. 빈칸에 알맞은 말을 쓰시오.

> 소리 자극 → 감각 기관(귀) → ㉠(　　　　　) → 대뇌 → 척수 → ㉡(　　　　　) → 운동 기관(다리) → 반응(달리기)

07 다음과 같은 무조건 반사의 중추를 쓰시오.

(1) 아이스크림을 먹었더니 입안에서 침이 분비되었다. (　　　　　)

(2) 밝은 곳에서 어두운 영화관 안으로 들어갔더니 눈의 동공이 커졌다. (　　　　　)

(3) 장미의 가시에 손이 닿자 마자 나도 모르게 손을 떼었다. (　　　　　)

08 그림은 사람의 신경계를 나타낸 것이다.

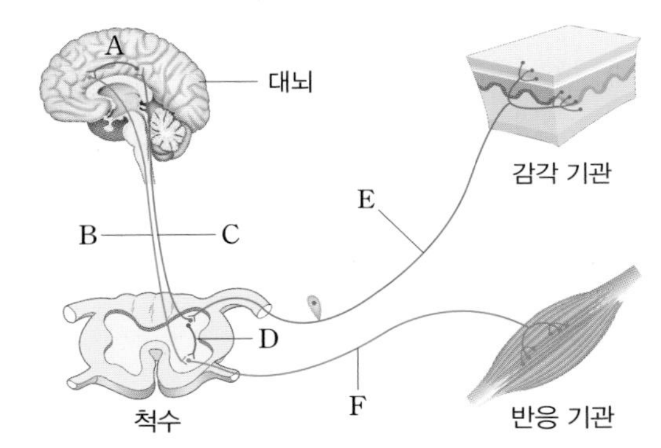

(1) 의식적 반응의 경로를 쓰시오.

(　　　　　　　　　)

(2) 무릎 반사의 경로를 쓰시오.

(　　　　　　　　　)

09 호르몬과 관련된 설명에서 빈칸에 알맞은 말을 쓰시오.

(1) 호르몬은 (　　　　　)에서 만들어져 혈액으로 분비되어 몸의 여러 부분에 전달된 다음, 각 기관의 기능을 조절한다.

(2) 호르몬의 분비량이 너무 많거나 적으면 몸에 (　　　　　) 증상이 나타난다.

(3) 몸 안팎의 환경이 변해도 몸의 상태를 일정하게 유지하려는 성질을 (　　　　　)이라고 한다.

10 호르몬에 대한 설명으로 옳은 것을 〈보기〉에서 모두 고르시오.

> 보기
> ㄱ. 작용 범위가 넓다.
> ㄴ. 효과가 지속적으로 나타난다.
> ㄷ. 신경에 비해 전달 속도가 빠르다.

(　　　　　)

11 사람의 내분비샘과 그곳에서 분비되는 호르몬의 종류를 옳게 연결하시오.

(1) 갑상샘 •	• ㉠ 생장 호르몬
(2) 뇌하수체 •	• ㉡ 글루카곤
(3) 이자 •	• ㉢ 에스트로젠
(4) 부신 •	• ㉣ 티록신
(5) 난소 •	• ㉤ 아드레날린

5일 내신 기출 베스트

대표 예제 1 뉴런

그림은 신경계를 구성하는 세포를 나타낸 것이다.

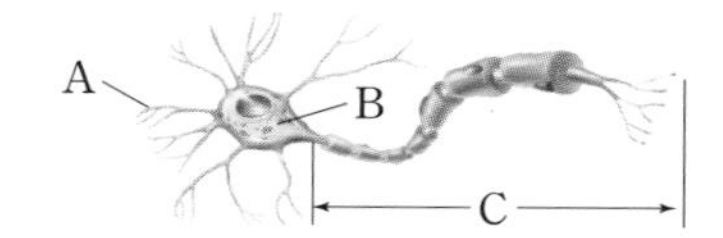

이에 대한 설명으로 옳은 것을 〈보기〉에서 모두 고르시오.

보기
ㄱ. A는 가지 돌기이다.
ㄴ. B에는 핵과 세포질이 있어 생명 활동이 일어난다.
ㄷ. C는 축삭 돌기로, 감각 기관으로부터 자극을 받아들인다.

(　　　　　　　)

개념 가이드
뉴런은 가지 돌기, [　　] 세포체, [　　] 돌기로 이루어진다.
답 신경, 축삭

대표 예제 2 뇌

그림은 사람의 뇌 구조를 나타낸 것이다. 우리 몸의 심장 박동, 소화 운동, 호흡 운동 등 생명 유지에 중추적인 역할을 하는 부분의 기호와 이름을 옳게 짝 지은 것은?

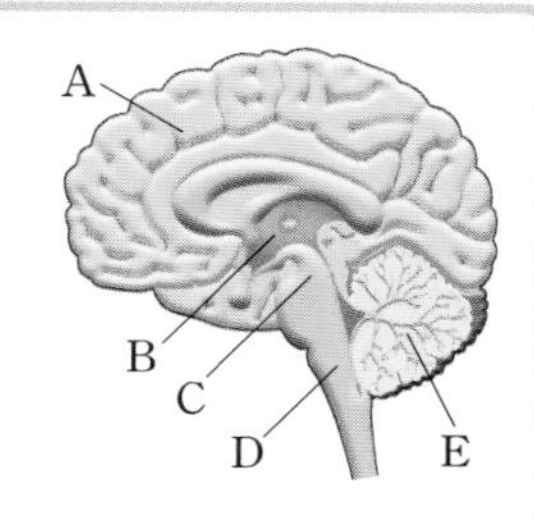

① A, 대뇌　② B, 소뇌　③ C, 간뇌
④ D, 연수　⑤ E, 중간뇌

개념 가이드
대뇌는 기억·감정 등 고등 [　　] 작용의 중추로, 좌우 두 개의 반구로 이루어져 있고, 많은 [　　]이 있다.
답 정신, 주름

대표 예제 3 신경계

그림은 사람의 신경계를 나타낸 것이다. 이에 대한 설명으로 옳지 않은 것은?

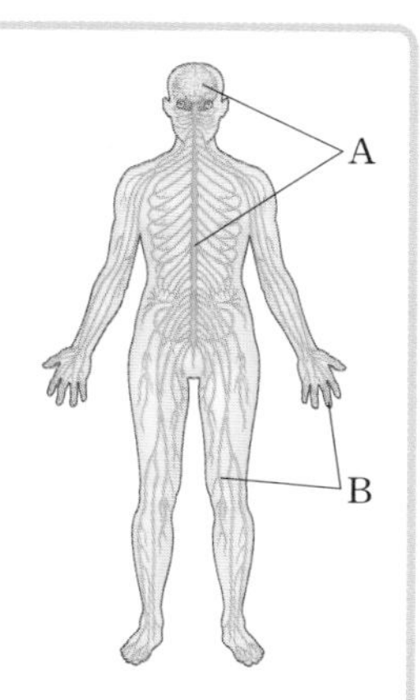

① A는 중추 신경계이다.
② A는 감각 뉴런과 운동 뉴런으로 이루어진다.
③ B는 온몸에 퍼져 있다.
④ B에는 자율 신경도 포함된다.
⑤ B는 A의 명령을 반응 기관으로 전달한다.

개념 가이드
자율 신경은 [　　]의 명령 없이도 심장 박동, 호흡 운동 등을 [　　]으로 조절한다.
답 대뇌, 자율적

대표 예제 4 척수

그림은 신경계의 한 부분을 나타낸 것이다. A에 대한 설명으로 옳은 것을 〈보기〉에서 모두 고른 것은?

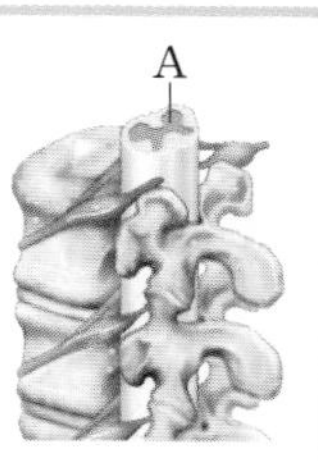

보기
ㄱ. 뇌와 말초 신경 사이에 자극을 전달하는 통로이다.
ㄴ. 등뼈인 척추 속에 들어 있는 신경 세포 다발이다.
ㄷ. 근육 운동이나 몸의 자세를 유지하는 중추이다.

① ㄱ　② ㄴ　③ ㄷ
④ ㄱ, ㄴ　⑤ ㄴ, ㄷ

개념 가이드
척수는 [　　] 속에 들어 있는 신경 세포 다발로, [　　]와 말초 신경 사이에 정보를 전달한다.
답 척추, 뇌

대표 예제 5 호르몬과 신경

신경과 호르몬에 대한 설명으로 옳지 않은 것은?

① 호르몬의 작용 범위는 넓고 신경은 좁다.

② 호르몬의 전달 속도는 느리고 신경은 빠르다.

③ 호르몬은 효과가 지속적이고 신경은 일시적이다.

④ 호르몬의 전달 매체는 혈액이고 신경은 뉴런이다.

⑤ 호르몬은 외분비샘에서 만들어져 분비되고 혈액을 따라 이동한다.

개념 가이드

호르몬은 전달 속도가 느리지만 ☐ 범위에서 작용하고, 신경은 ☐을 통해 빠른 반응을 나타낸다. 답 넓은, 뉴런

대표 예제 6 무조건 반사

다음은 우리 몸에서 일어나는 무조건 반사에 의한 여러 가지 반응이다.

(가) 갑자기 딸국질이 발생하였다.
(나) 뜨거운 냄비에 손이 닿았을 때 급히 손을 떼었다.
(다) 의사가 교통 사고로 의식을 잃은 환자의 눈깜박임이나 동공 반사를 확인하였다.

(가)~(다)의 조절 중추를 쓰시오.

(가) : (　　　　)
(나) : (　　　　)
(다) : (　　　　)

개념 가이드

무조건 반사는 ☐의 판단 과정을 거치지 않으므로 반응이 ☐ 일어난다. 답 대뇌, 빠르게

대표 예제 7 호르몬의 분비 이상

그림은 어떤 호르몬이 비정상적으로 분비되었을 때 발생하는 증상을 나타낸 것이다. 이와 관련 있는 호르몬의 이름과, 이 호르몬이 분비되는 내분비샘의 이름을 쓰시오.

호르몬 : (　　　　)
내분비샘 : (　　　　)

개념 가이드

호르몬은 ☐ 양으로도 큰 효과를 나타내며, 분비량이 많거나 적으면 몸에 ☐ 증상이 나타난다. 답 적은, 이상

대표 예제 8 호각의 특성

그림은 체내에서 혈당량이 조절되는 과정을 나타낸 것이다.

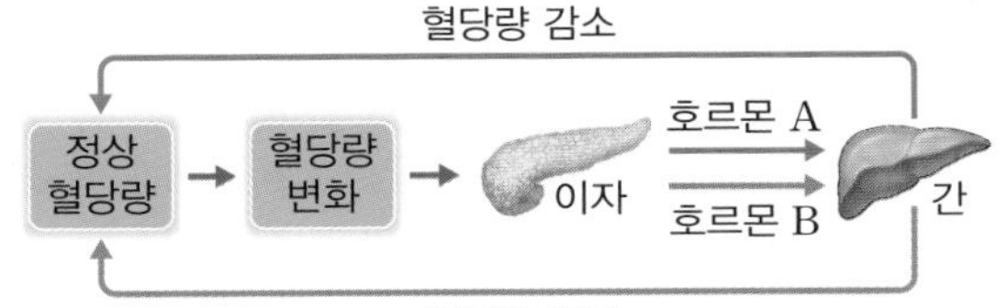

(1) 호르몬 A와 B의 이름을 쓰시오.

호르몬 A : (　　　　)
호르몬 B : (　　　　)

(2) 식사 후 혈당량이 높아지면 분비량이 증가하는 호르몬의 이름을 쓰시오. (　　　　)

개념 가이드

글루카곤은 ☐에서 분비되어 간에서 글리코젠을 ☐으로 분해하는 과정을 촉진시킨다. 답 이자, 포도당

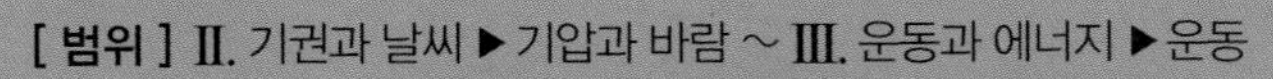

6일 누구나 100점 테스트 1회

01 **토리첼리의 실험에서 수은 기둥이 내려오다가 어느 정도의 높이에서 멈추는 까닭은?**

① 유리관의 마찰력이 매우 크기 때문
② 수은은 잘 흐르지 않는 성질이 있기 때문
③ 유리관 속의 진공이 수은을 밀고 있기 때문
④ 유리관 속의 수은 기둥의 무게가 작기 때문
⑤ 수은 기둥의 압력과 수은 면에 작용하는 기압이 같아졌기 때문

02 **기압과 바람에 대한 설명으로 옳은 것을 〈보기〉에서 모두 고른 것은?**

보기
ㄱ. 높은 산으로 올라가면 기압이 높아진다.
ㄴ. 기압이 낮은 곳에서 과자 봉지가 부푼다.
ㄷ. 바람은 기압이 낮은 곳에서 높은 곳으로 분다.

① ㄱ ② ㄴ ③ ㄱ, ㄷ
④ ㄴ, ㄷ ⑤ ㄱ, ㄴ, ㄷ

03 **전선에 대한 설명으로 옳은 것을 〈보기〉에서 모두 고른 것은?**

보기
ㄱ. 한랭 전선이 지나가면 기압이 상승한다.
ㄴ. 온난 전선 앞쪽에는 층운형 구름이 형성된다.
ㄷ. 폐색 전선은 온대 저기압 발생 초기에 나타난다.

① ㄱ ② ㄷ ③ ㄱ, ㄴ
④ ㄴ, ㄷ ⑤ ㄱ, ㄴ, ㄷ

04 **그림은 어느 계절 우리나라 부근의 일기도를 나타낸 것이다. 이러한 일기도가 나타나는 계절에 우리나라의 날씨와 관련 있는 현상은?**

① 한파 ② 열대야
③ 꽃샘 추위 ④ 삼한사온 ⑤ 황사 현상

05 **물체의 빠르기를 비교하는 방법으로 옳은 것을 〈보기〉에서 모두 고르시오.**

보기
ㄱ. 일정 시간 동안 이동한 거리가 클수록 빠르다.
ㄴ. 일정한 거리를 이동하는 데 걸린 시간이 길수록 빠르다.
ㄷ. 이동한 거리에 관계없이 걸린 시간이 길수록 빠르다.

( )

06 **그림은 0.1초마다 장난감 자동차의 위치를 나타낸 것이다.**

이 장난감 자동차의 운동을 나타낸 그래프로 옳은 것을 모두 고르면? (정답 2개)

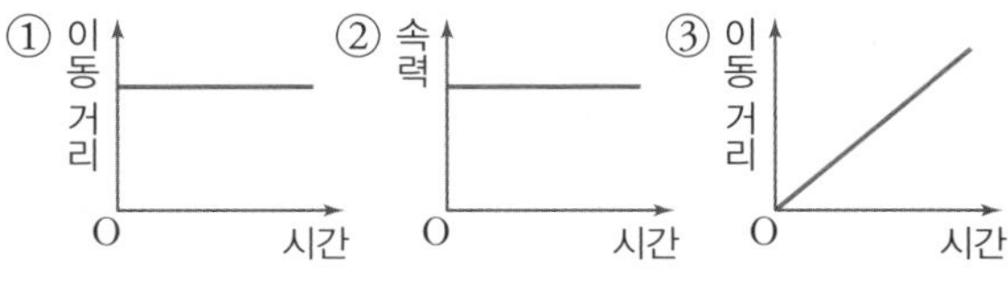

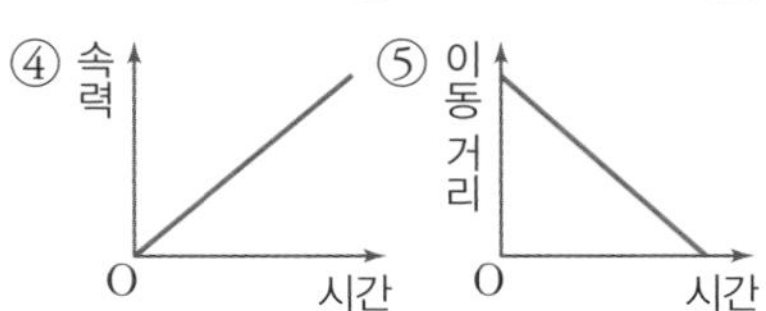

07 그림 (가), (나)는 움직이는 두 물체를 1초 간격으로 찍은 연속 사진이다.

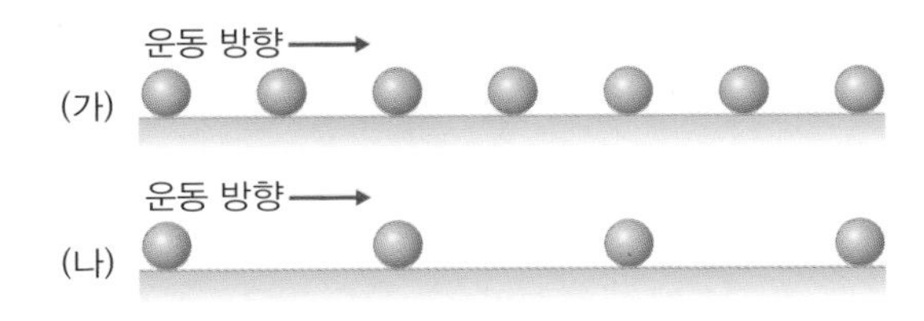

이에 대한 설명으로 옳은 것을 모두 고르면? (정답 2개)

① (가), (나)는 모두 등속 운동을 한다.
② (가)의 속력은 시간에 비례한다.
③ (나)의 속력은 점점 느려진다.
④ (가)는 (나)보다 속력이 더 빠르다.
⑤ (가), (나)의 이동 거리는 모두 시간에 비례하여 증가한다.

08 그림은 공기와 진공에서 깃털과 쇠구슬이 낙하 하는 모습을 나타낸 것이다. 이에 대한 설명으로 옳지 않은 것은?

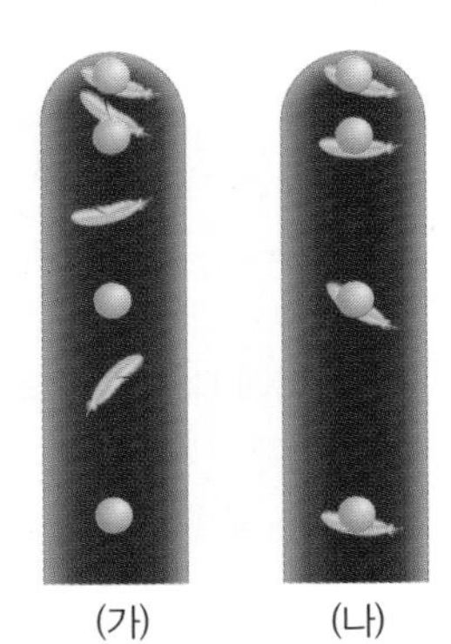

① 공기에서의 낙하 운동은 (가)이다.
② 진공에서의 낙하 운동은 (나)이다.
③ (가)에서는 중력과 공기 저항이 작용한다.
④ (나)에서는 아무런 힘도 작용하지 않는다.
⑤ (나)에서 쇠구슬과 깃털이 동시에 떨어지는 까닭은 시간에 따른 속력 변화가 물체의 질량과 관계없이 일정하기 때문이다.

09 그래프는 물체를 천천히 연직 위쪽으로 들어 올릴 때 힘과 들어 올린 높이의 관계를 나타낸 것이다. 이에 대한 설명으로 옳은 것은?

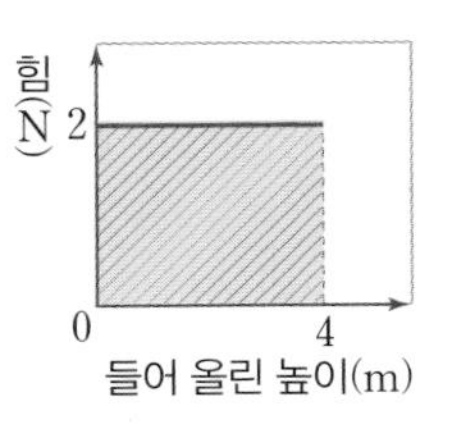

① 물체의 무게는 8 N이다.
② 물체를 들어 올리는 힘의 크기는 일정하다.
③ 빗금 친 부분의 넓이는 물체의 무게와 같다.
④ 4 m 높이로 들어 올리는 동안 한 일의 양은 2 J이다.
⑤ 물체에 한 일의 양은 이동 거리에 관계없이 항상 일정하다.

10 추를 높이 들어 올렸다 떨어뜨려 말뚝을 박는 일을 하는 동안 에너지의 변화에 대한 설명이다. 빈칸에 알맞은 말을 다음 용어에서 각각 골라 쓰시오.

위치 에너지	운동 에너지

- 사람이 추를 높이 들어 올리는 동안 중력에 대해 일을 하면 추의 ㉠ (   )가 증가한다.
- 줄을 놓아 추를 떨어뜨리면 중력이 한 일의 양만큼 추의 ㉡ (   )가 증가한다.
- 추가 말뚝을 박는 일을 하면 추의 운동 에너지가 감소한다.

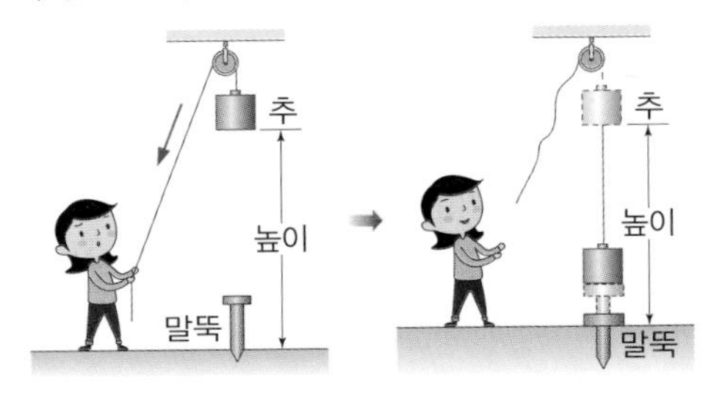

6일 누구나 100점 테스트 2회

01 일과 에너지의 관계를 설명한 것으로 옳은 것을 〈보기〉에서 모두 고른 것은?

보기
ㄱ. 에너지는 측정할 수 없는 양이다.
ㄴ. 일과 에너지는 다른 단위를 사용한다.
ㄷ. 에너지의 크기는 일의 양으로 나타낼 수 있다.
ㄹ. 물체에 일을 해 주면 물체의 에너지는 받은 일의 양만큼 증가한다.

① ㄱ, ㄴ ② ㄱ, ㄷ ③ ㄴ, ㄷ ④ ㄴ, ㄹ ⑤ ㄷ, ㄹ

02 그림은 물체의 질량과 높이에 따른 중력에 의한 위치 에너지의 크기를 측정하는 실험 장치이다. 실험 결과 추의 질량과 나무 도막의 이동 거리, 추의 높이와 나무 도막의 이동 거리 그래프로 옳은 것을 모두 고르면? (정답 2개)

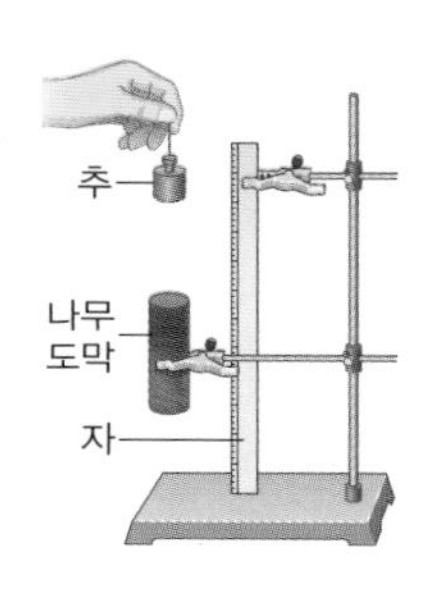

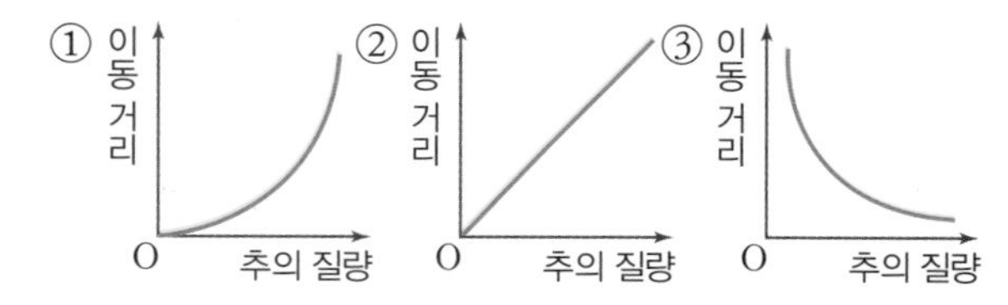

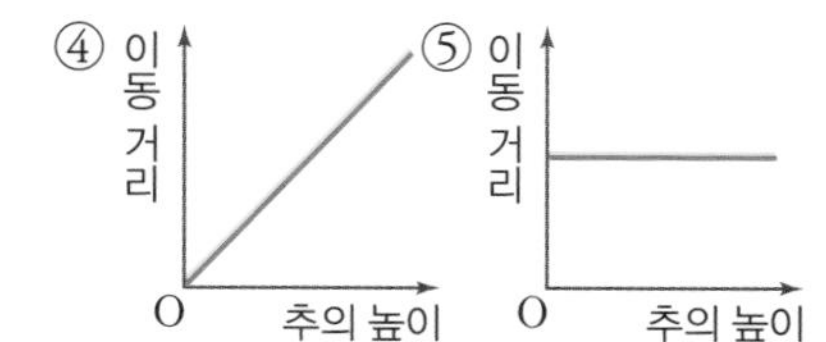

03 질량이 1 kg인 물체 A는 4 m/s의 속력으로 운동하고 있고, 질량 2 kg인 물체 B는 2 m/s의 속력으로 운동하고 있다. 물체 A의 운동 에너지는 B의 몇 배인가?

① 1배 ② 2배 ③ 4배 ④ 8배 ⑤ 16배

04 그림은 사람 눈의 구조를 나타낸 것이다.

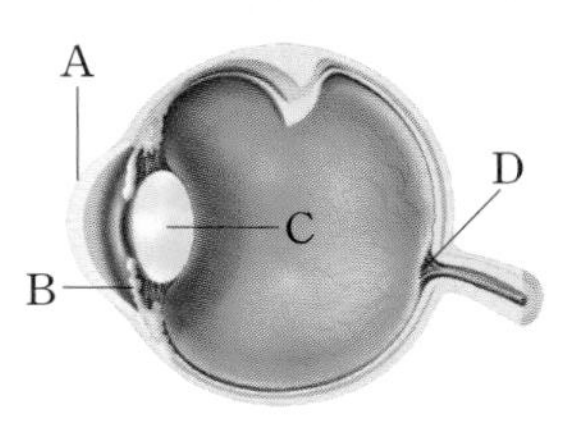

각 구조에 대한 설명으로 옳은 것을 〈보기〉에서 모두 고른 것은?

보기
ㄱ. A는 홍채의 바깥을 둘러싸는 투명한 막이다.
ㄴ. B와 C에서 빛의 양과 원근에 따른 눈의 조절 작용이 일어난다.
ㄷ. D에 물체의 상이 맺히면 선명하게 볼 수 있다.

① ㄱ ② ㄴ ③ ㄷ ④ ㄱ, ㄴ ⑤ ㄴ, ㄷ

05 그림은 주변의 밝기에 따른 동공의 크기 변화를 나타낸 것이다.

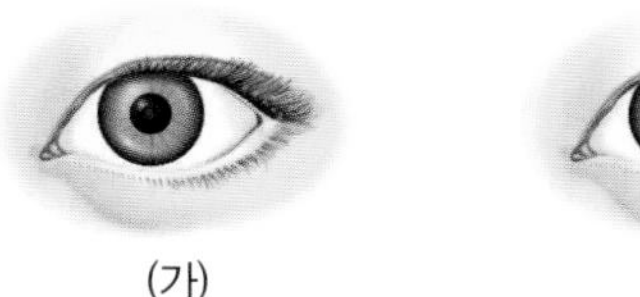
(가) (나)

이에 대한 설명으로 옳은 것을 〈보기〉에서 모두 고른 것은?

보기
ㄱ. (가)는 밝은 곳에서의 동공의 모습이다.
ㄴ. (나)는 어두운 곳에서의 동공의 모습이다.
ㄷ. 밝은 곳에서는 홍채가 축소되어 동공의 크기가 작아지며, 어두운 곳에서는 홍채가 확장되어 동공의 크기가 커진다.

① ㄱ ② ㄴ ③ ㄷ ④ ㄱ, ㄴ ⑤ ㄴ, ㄷ

06 그림은 눈과 물체 사이의 거리에 따른 수정체의 변화를 나타낸 것이다. 이에 대한 설명으로 옳지 않은 것은?

① (가)는 가까운 곳을 볼 때의 수정체의 모습이다.
② (가)는 섬모체가 수축되어 수정체가 두꺼워졌다.
③ (나)는 먼 곳을 볼 때의 수정체의 모습이다.
④ (나)는 섬모체가 이완되어 수정체가 얇아졌다.
⑤ 책을 보다가 먼 곳의 산을 바라보면 수정체가 (나)에서 (가)의 형태로 변한다.

07 그림은 사람 귀의 구조를 나타낸 것이다.

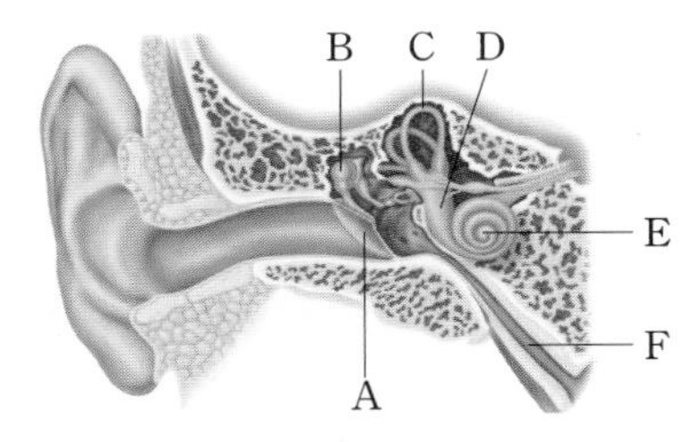

다음 현상과 관련 있는 구조의 기호와 이름을 옳게 짝 지은 것은?

> (가) 회전하는 놀이기구를 탈 때 어지러움을 느꼈다.
> (나) 좁은 징검다리를 물에 빠지지 않고 건널 수 있었다.

	(가)	(나)
①	A, 고막	C, 반고리관
②	B, 귓속뼈	D, 전정 기관
③	C, 반고리관	D, 전정 기관
④	D, 전정 기관	F, 귀인두관
⑤	F, 귀인두관	C, 반고리관

08 사람의 피부 감각 중 감각점이 가장 많아서 우리 몸을 위험으로부터 보호하는 데 유리한 것은?

① 온점 ② 냉점 ③ 압점
④ 촉점 ⑤ 통점

09 다음 (가)~(다) 반응의 중추 신경계를 옳게 짝 지은 것은?

> (가) 눈 깜빡임이나 동공의 크기가 조절되었다.
> (나) 무릎 아래를 고무망치로 쳤더니 다리가 올라갔다.
> (다) 축구 선수가 날아오는 공을 보면서 떨어질 위치를 예측하여 이동하였다.

	(가)	(나)	(다)
①	연수	중간뇌	대뇌
②	척수	중간뇌	소뇌
③	척수	대뇌	연수
④	중간뇌	척수	대뇌
⑤	대뇌	척수	소뇌

10 그림은 사람의 주요 내분비샘을 나타낸 것이다. 이에 대한 설명으로 옳지 않은 것은?

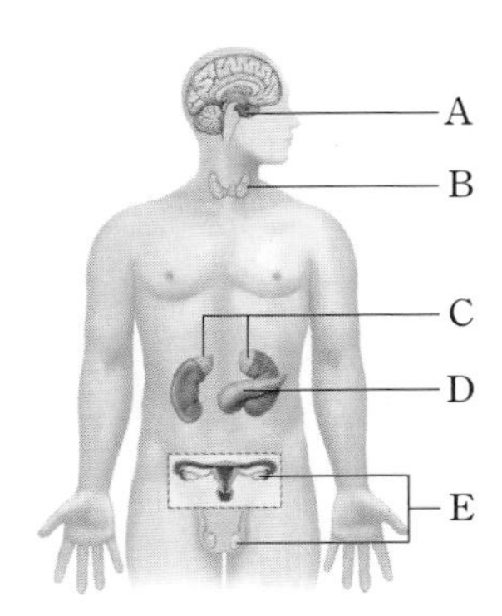

① A는 생장을 촉진하는 호르몬을 분비한다.
② B는 세포 호흡을 촉진하여 체온을 유지하는 호르몬을 분비한다.
③ C는 단백질을 합성하는 호르몬을 분비한다.
④ D는 혈당량을 감소시키는 호르몬을 분비한다.
⑤ E는 2차 성징의 발현과 관련된 호르몬을 분비한다.

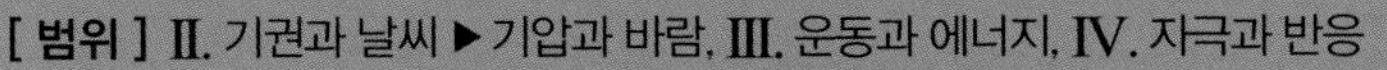

서술형·사고력 테스트

01 그림 (가)와 같이 장치한 다음, 전등을 켠 후 2분 간격으로 온도 변화를 측정하고, 이후 전등을 끄고 온도 변화를 측정했더니 (나)와 같았다.

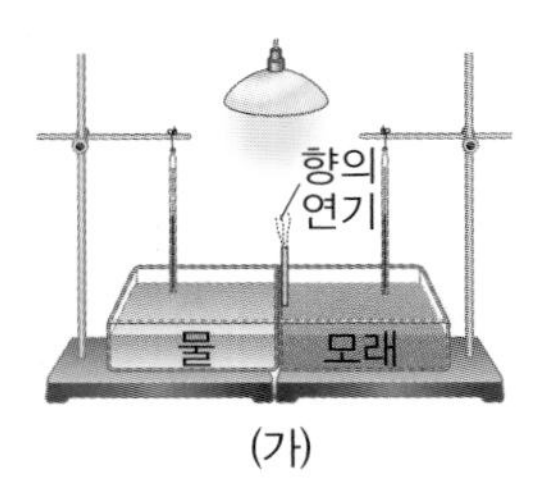

(가)

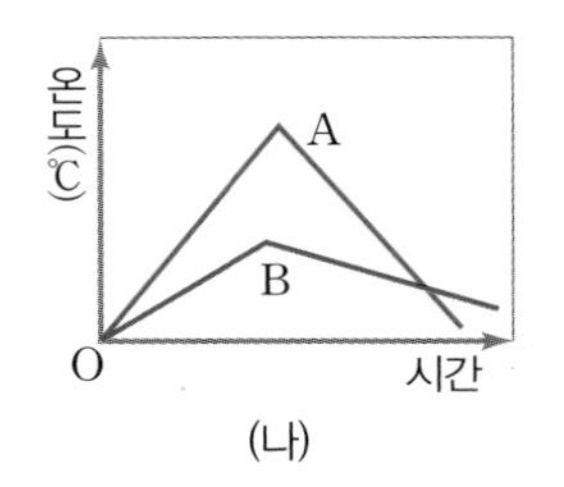

(나)

(1) 물의 온도 변화를 나타내는 것은 A, B 중 무엇인지 쓰시오. (　　　　　)

(2) 전등을 켜면 향 연기는 어디서 어디로 이동할지 그 까닭과 함께 서술하시오.

02 그림은 어떤 물체의 운동을 0.2초 간격으로 5번 촬영하여 한 화면에 나타낸 것이다.

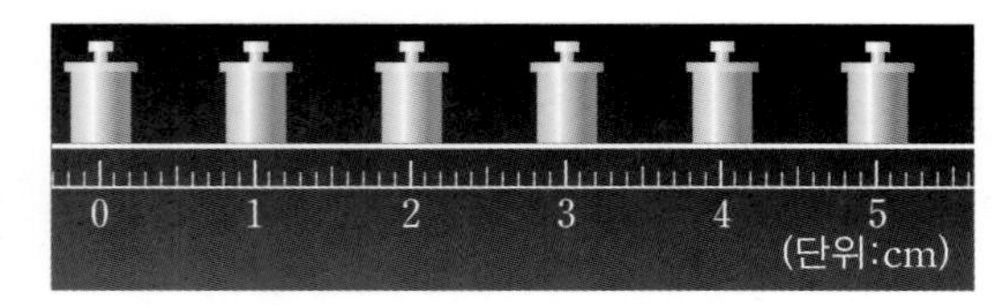

(1) 물체의 속력은 몇 m/s인지 구하시오.
(　　　　　)

(2) 물체가 30초 동안 이동한 거리를 풀이 과정과 함께 구하시오.

03 그림은 어떤 물체의 운동을 시간－속력 그래프로 나타낸 것이다.

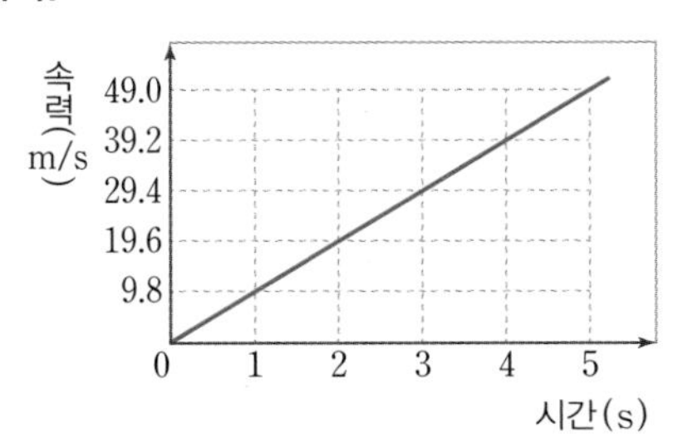

(1) 이 물체의 1초 동안의 속력 변화(m/s)를 구하시오. (　　　　　)

(2) 이 물체의 운동을 다음 용어를 포함하여 서술하시오.

운동 방향	중력	속력

04 그림과 같이 달 표면으로부터 같은 높이에서 쇠공과 고무공을 동시에 떨어뜨렸다. (단, 쇠공의 질량이 고무공보다 크다.)

(1) 달에서 쇠공과 고무공 중 무게가 더 큰 것을 쓰시오. (　　　　　)

(2) 달에서 쇠공과 고무공이 바닥에 어떻게 떨어지는지 다음 용어를 포함하여 서술하시오.

자유 낙하	질량	속력 변화

05 그림과 같이 장치하고 추를 높은 곳에서 떨어뜨렸더니 나무 도막이 밀려났다. 이때 추의 낙하 높이와 추의 질량에 따라 나무 도막이 이동한 거리가 표와 같다.

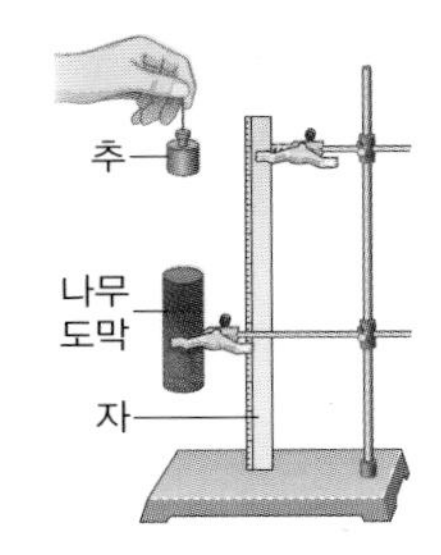

추의 낙하 높이(cm)	추의 질량(g)	나무 도막의 이동 거리(cm)
50	100	1
50	200	2
50	300	3
100	100	2
100	200	4
100	300	6

(1) 추의 낙하 높이가 같을 때 나무 도막의 이동 거리에 영향을 주는 요인을 쓰시오.

( )

(2) 추의 질량이 같을 때 나무 도막의 이동 거리에 영향을 주는 요인을 쓰시오.

( )

(3) 추의 위치 에너지의 크기에 영향을 주는 요인을 두 가지 쓰시오.

( )

(4) 추의 중력에 의한 위치 에너지와 나무 도막의 이동 거리와의 관계를 서술하시오.

06 다음은 일상생활에서 경험할 수 있는 반응과 신경계의 구성을 나타낸 것이다.

> 실습 시간에 바느질을 하다가 실수로 손끝이 바늘에 찔리면서 나도 모르게 급히 손을 움츠렸다.

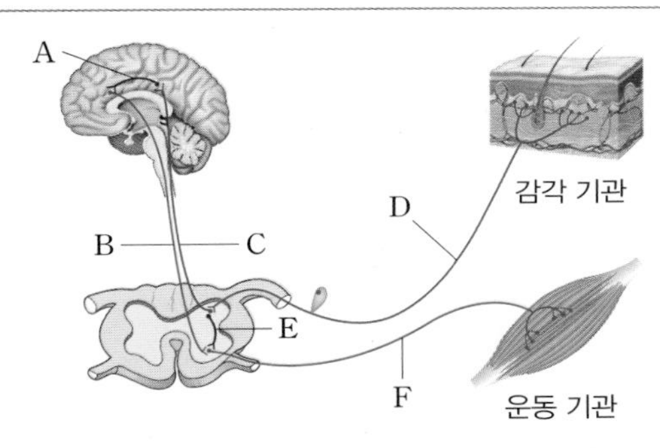

위의 반응이 일어난 경로를 기호로 쓰고, 이러한 반응이 우리 몸에 이로운 까닭을 대뇌가 관여하는 반응과 비교하여 서술하시오.

07 그림은 건강한 사람의 몸에서 식사 후와 운동 후에 분비되는 호르몬에 의해 나타나는 혈당량 변화를 나타낸 것이다.

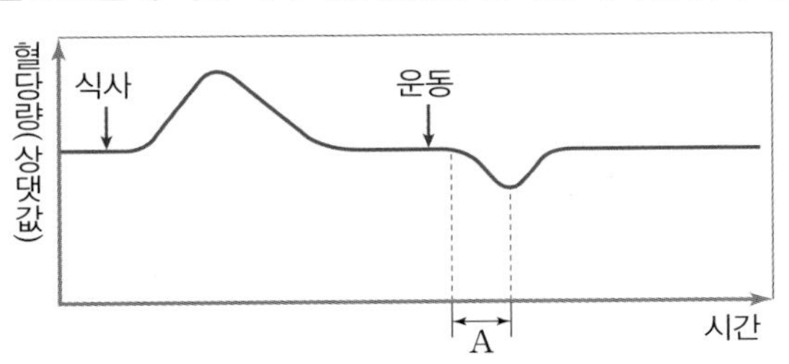

A 구간에서 분비량이 증가하는 호르몬에 의해 간에서 일어나는 반응과, 그 결과 혈당량의 변화를 서술하시오.

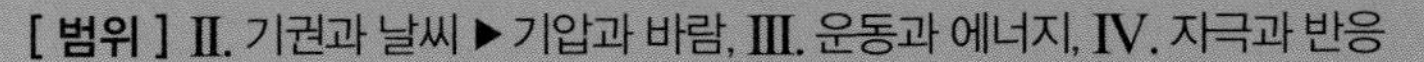

6일 창의·융합·코딩 테스트

창의

01 그림 (가)와 (나)는 어느 해안가의 모습을 나타낸 것이다. 잘못된 부분을 모두 찾아 ○ 표시를 하시오.

(가)

(나)

창의

02 그림은 질량이 1 kg인 추의 자유 낙하 운동을 기록한 종이테이프를 5 타점 간격으로 잘라 순서대로 붙인 것이다.

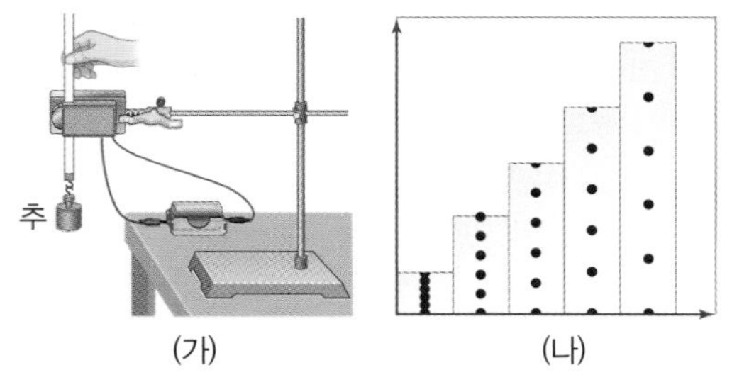

(가) (나)

이때 추에 작용하는 힘과 속력은 시간에 따라 어떻게 변하는지 아래 그래프에 간단히 나타내시오. (단, 공기 저항은 무시한다.)

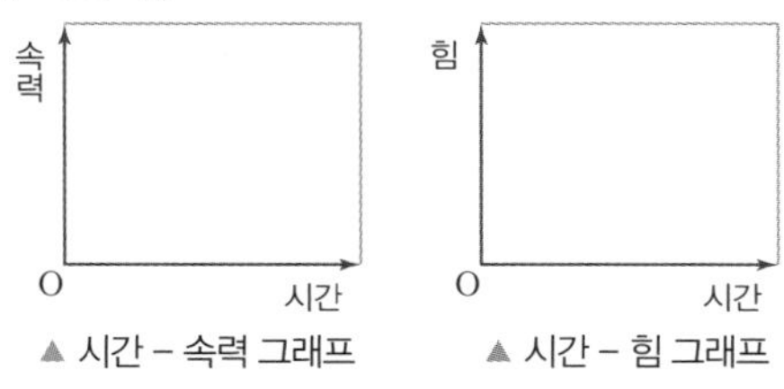

▲ 시간 – 속력 그래프 ▲ 시간 – 힘 그래프

코딩

03 그림은 수평 구간을 움직이는 장난감 자동차의 운동을 1초 간격으로 찍은 연속 사진의 일부이다.

(단위 : cm)

(1) 첫 번째 자동차를 기준으로 하여 다음 표의 시간에 따른 이동 거리를 채우고, 시간－이동 거리 그래프를 완성하시오.

시간(s)	0	1	2	3	4
이동 거리(cm)	0				

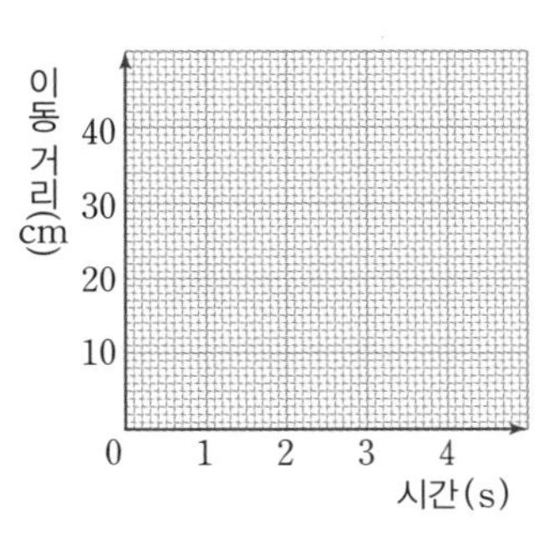

(2) 이때 자동차의 속력을 구하고, 자동차는 어떤 운동을 하였는지 서술하시오.

창의 융합

04 그림과 같이 장치하고 막대를 이용하여 질량이 다른 수레를 동시에 밀 때 나무 도막이 밀려난 거리가 표와 같았다.

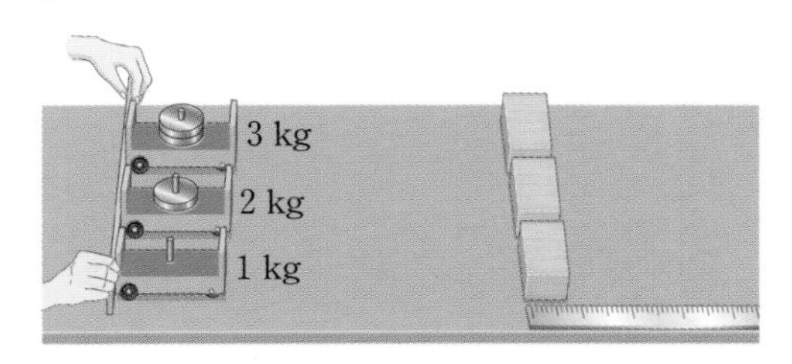

수레의 질량(kg)	1	2	3
나무 도막의 이동 거리(cm)	4	8	12

이를 통해 알 수 있는 물체의 운동 에너지에 영향을 주는 요인을 쓰고, 그 요인과 운동 에너지의 관계를 서술하시오.

창의

05 그림과 같이 3 m 높이에서 가만히 놓은 질량 1 kg인 물체가 지면에 떨어졌다. (단 공기 저항은 무시한다.)

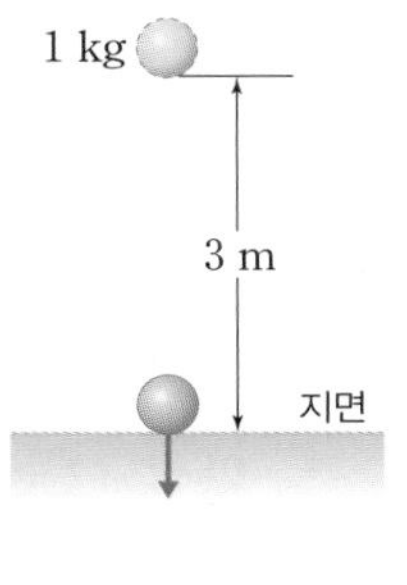

(1) 낙하하는 동안 중력이 물체에 한 일의 양은 몇 J인지 구하시오.

( )

(2) 바닥에 도달한 순간 물체의 운동 에너지는 몇 J인지 구하시오.

( )

창의 융합

06 다음은 귀의 구조와 관련하여 우리 몸에서 나타나는 변화를 설명한 것이다.

> 높은 산에 올라가거나 비행기가 이륙할 때 귀가 먹먹해지는 경우가 있는데, 이때 침을 삼키면 그 증상이 사라진다.

(1) 이와 관련 있는 귀의 구조의 이름을 쓰시오.

( )

(2) 이러한 현상이 나타나는 까닭을 귀의 구조의 이름을 포함하여 서술하시오.

창의

07 신속한 반응이 일어나도록 하는 신경계와 느리지만 지속적으로 반응이 일어나도록 하는 호르몬의 상호 작용으로 우리 몸의 항상성이 유지된다. 그림은 체온이 낮을 때 우리 몸에서 일어나는 조절 작용을 나타낸 것이다.

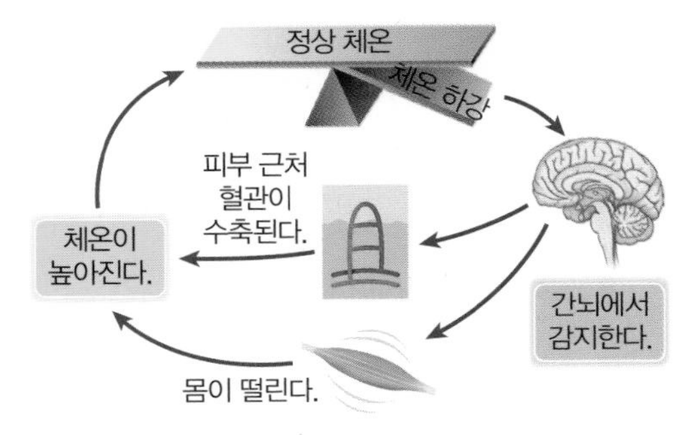

정상 체온으로 회복되기 위한 우리 몸의 변화를 열 방출량 및 열 발생량을 포함하여 서술하시오.

[범위] Ⅱ. 기권과 날씨 ▶ 기압과 바람, Ⅲ. 운동과 에너지, Ⅳ. 자극과 반응

7일 학교시험 기본 테스트 1회

01 다음과 같은 조건에서 각각 토리첼리 실험을 하였을 때 수은 기둥의 높이를 옳게 비교한 것은?

- A : 달 표면에서 실험했을 때
- B : 한라산 정상에서 실험했을 때
- C : 기압이 1013 hPa인 평지에서 실험했을 때

① A = B = C ② A > B = C
③ B > A > C ④ C > A > B
⑤ C > B > A

02 다음은 차등 가열에 따른 기압 차 발생에 대한 설명이다. 빈칸에 들어갈 알맞은 말을 쓰시오.

지표면이 차등 가열되면 가열된 쪽 지표면 부근에는 ㉠(   )기압이 형성되고, 냉각된 쪽 지표면 부근에는 ㉡(   )기압이 형성된다.

03 북반구 저기압에서의 바람을 옳게 표현한 것은?

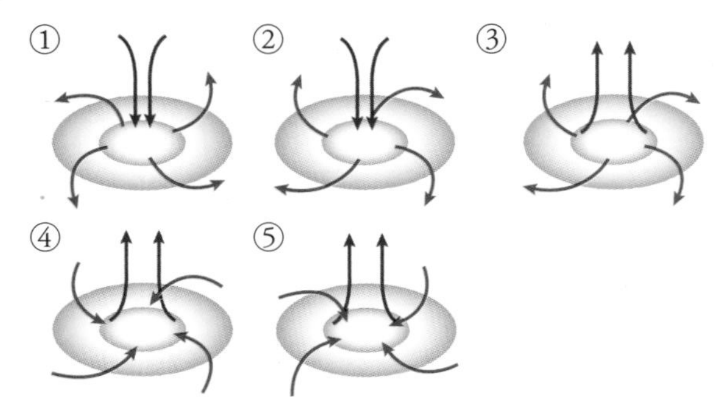

04 그림은 어느 날 우리나라 부근의 일기도를 나타낸 것이다.

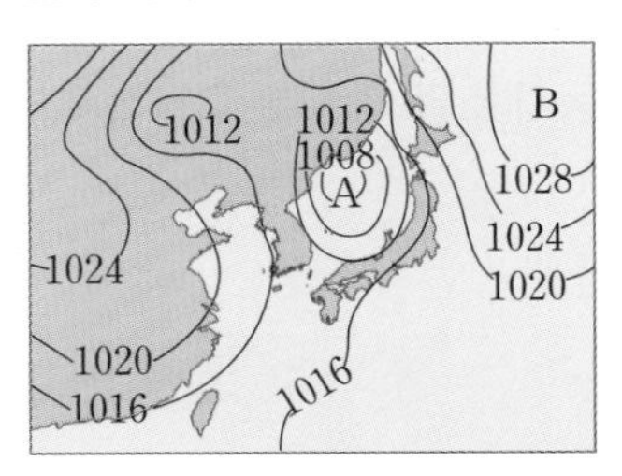

이에 대한 설명으로 옳은 것을 〈보기〉에서 모두 고른 것은?

보기
ㄱ. A 지역은 고기압 중심이다.
ㄴ. B 지역에는 상승 기류가 발달한다.
ㄷ. A 지역은 날씨가 흐리고, B 지역은 날씨가 맑다.

① ㄱ ② ㄷ ③ ㄱ, ㄴ
④ ㄴ, ㄷ ⑤ ㄱ, ㄴ, ㄷ

05 그림은 직선상을 굴러가는 공을 1 초 간격으로 찍은 다중 섬광 사진이다.

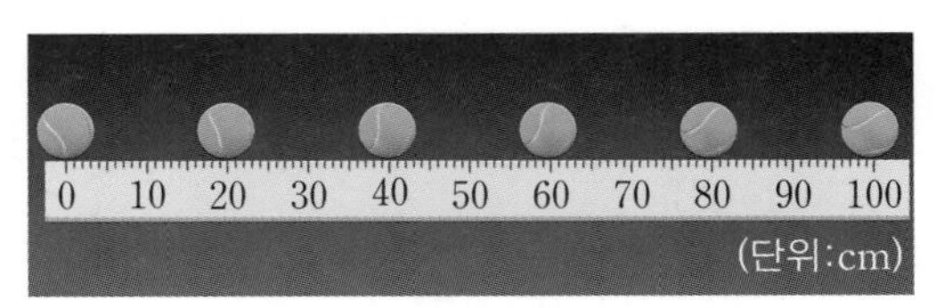

이 공의 운동에 대한 설명으로 옳지 않은 것은?

① 공은 등속 운동을 한다.
② 공의 속력은 0.2 m/s이다.
③ 공의 이동 거리는 시간에 관계없이 일정하다.
④ 공이 10초 동안 이동한 거리는 2 m이다.
⑤ 공은 속력과 운동 방향이 일정한 운동을 한다.

06 그래프는 직선상을 운동하는 두 물체 A, B의 시간에 따른 이동 거리를 나타낸 것이다. 이 그래프에 대한 해석으로 옳지 않은 것은?

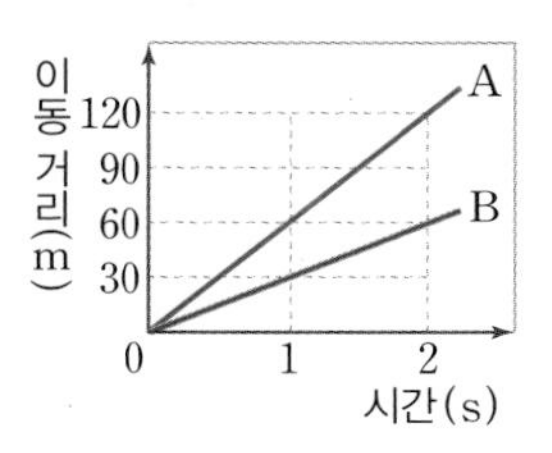

① A의 속력은 60 m/s이다.
② B의 속력은 30 m/s이다.
③ B는 90 m를 이동하는 데 3 초가 걸린다.
④ A, B 모두 속력이 증가하는 운동을 한다.
⑤ A와 B 모두 이동 거리는 시간에 비례하여 일정하게 증가한다.

07 그림은 어떤 물체의 운동을 일정한 시간 간격으로 기록하고, 일정 구간 간격을 잘라 순서대로 세운 그래프이다.

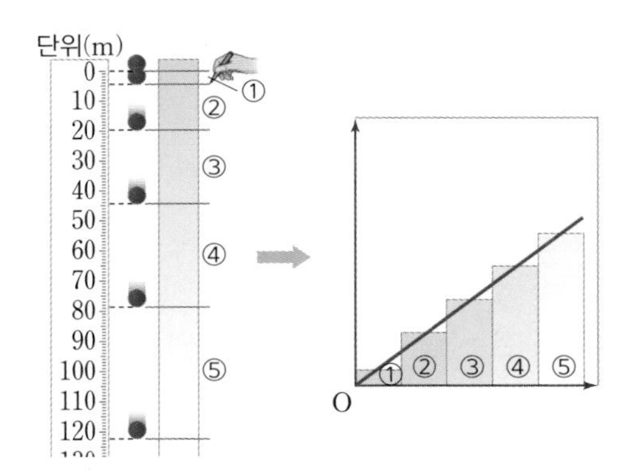

이와 같은 운동을 하는 예로 옳은 것은?

① 위로 던진 공
② 자유 낙하 하는 공
③ 스키장의 리프트
④ 브레이크를 밟은 자동차
⑤ 수평면을 이동하는 무빙워크

08 그림은 A 지점에서 가만히 놓은 공의 운동을 1초 간격으로 나타낸 것이다. 이에 대한 설명으로 옳지 않은 것은? (단, 공기와의 마찰은 무시하며, 중력 가속도 상수는 9.8이다.)

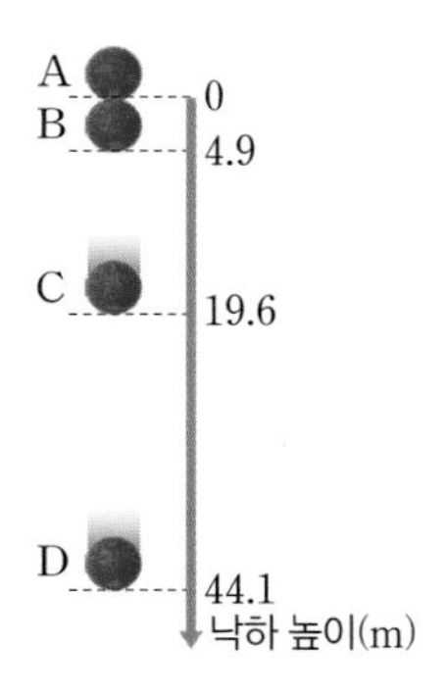

① 공은 자유 낙하 운동을 한다.
② B에서의 속력은 9.8 m/s이다.
③ C에서의 속력은 B에서의 2배이다.
④ 속력은 시간에 비례하여 일정하게 증가한다.
⑤ A에서부터 D까지의 평균 속력은 24.5 m/s이다.

09 그림과 같이 옥상에 10 kg의 물체가 놓여 있다. 이 물체의 중력에 의한 위치 에너지의 비(지면 : 베란다)는?

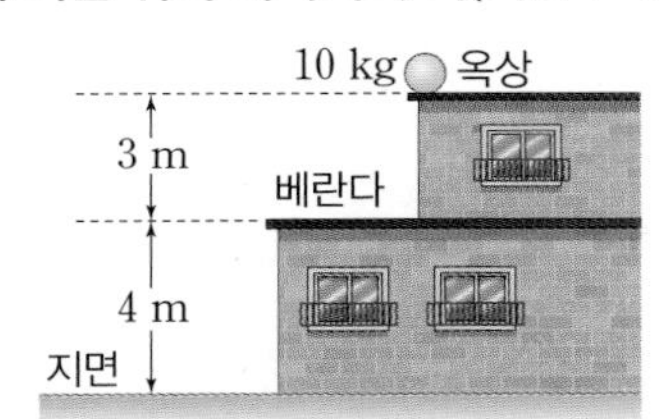

① 1 : 1 ② 3 : 4 ③ 4 : 3
④ 7 : 3 ⑤ 7 : 4

10 물체의 운동 에너지와 질량 및 속력의 관계를 나타낸 그래프로 옳은 것을 모두 고르면? (정답 2 개)

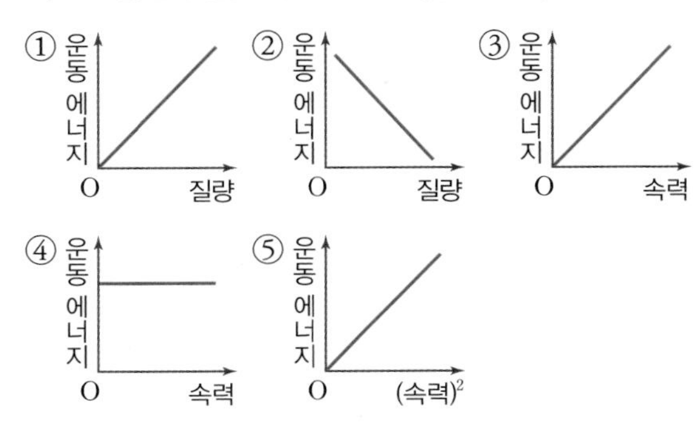

7일 학교시험 기본 테스트 1회

11 그래프는 속력이 서로 다른 두 물체 A, B의 질량과 운동 에너지를 나타낸 것이다.

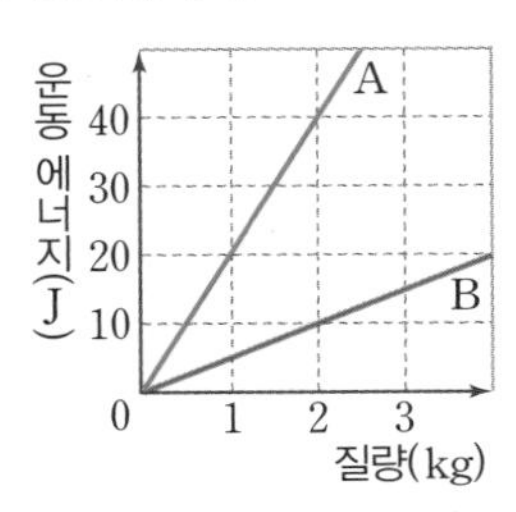

물체 A의 속력은 B의 몇 배인가?

① 2배 ② 3배 ③ 4배
④ 8배 ⑤ 9배

12 그림과 같은 운동 에너지 측정 장치에서 수레의 질량과 속력에 따른 자의 이동 거리를 표와 같이 정리하였다.

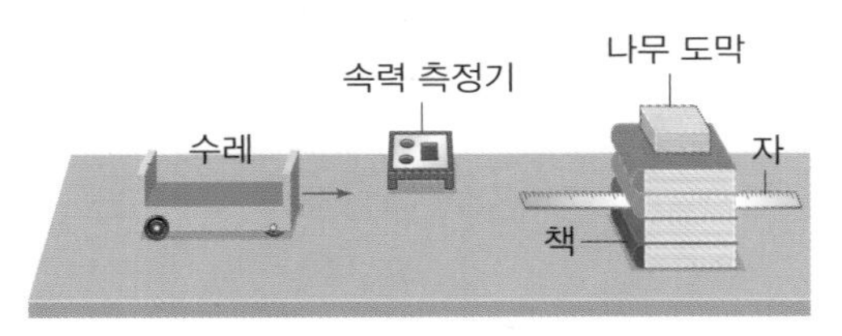

구분	수레의 질량 (kg)	수레의 속력 (m/s)	자의 이동 거리 (cm)
A	2	2	2
B	4	2	4
C	2	4	(나)
D	4	(가)	16

(가)와 (나)에 알맞은 값을 옳게 짝 지은 것은?

	(가)	(나)		(가)	(나)
①	2	2	②	4	4
③	8	4	④	2	8
⑤	4	8			

13 그림은 사람 눈의 구조를 나타낸 것이다. 이에 대한 설명으로 옳지 않은 것은?

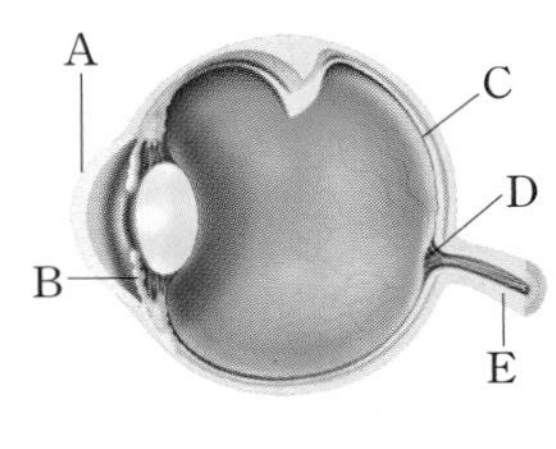

① A는 홍채의 바깥을 감싸는 투명한 막이다.
② B는 망막에 상이 정확히 맺히도록 조절한다.
③ C는 시각 세포가 있어 빛을 자극으로 받아들인다.
④ D는 시각 신경이 모여 나가는 곳으로, 시각 세포가 없다.
⑤ E는 시각 세포에서 받아들인 자극을 뇌로 전달한다.

14 그림은 수정체의 두께 변화를 나타낸 것이다. 눈의 상태가 (가)에서 (나)로 변할 때의 설명으로 옳지 않은 것을 모두 고르면? (정답 2개)

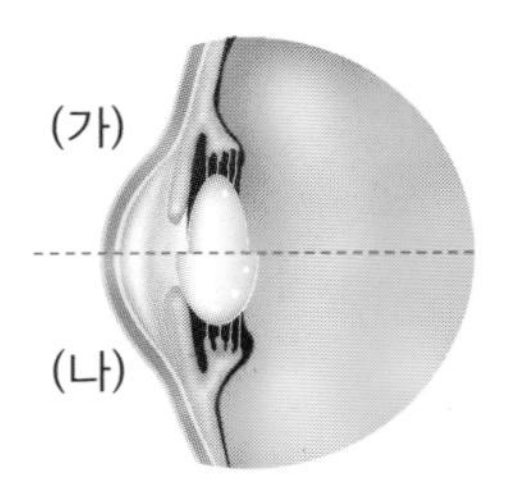

① 수정체가 두꺼워졌다.
② 섬모체가 수축하였다.
③ 가까운 곳을 보다가 먼 곳을 보았다.
④ 먼 곳을 보다가 가까운 곳을 보았다.
⑤ 밝은 곳에서 어두운 곳으로 들어갔다.

15 그림은 사람 귀의 구조를 나타낸 것이다. A~F 중에서 청각 세포가 있는 구조의 기호와 이름을 쓰시오.

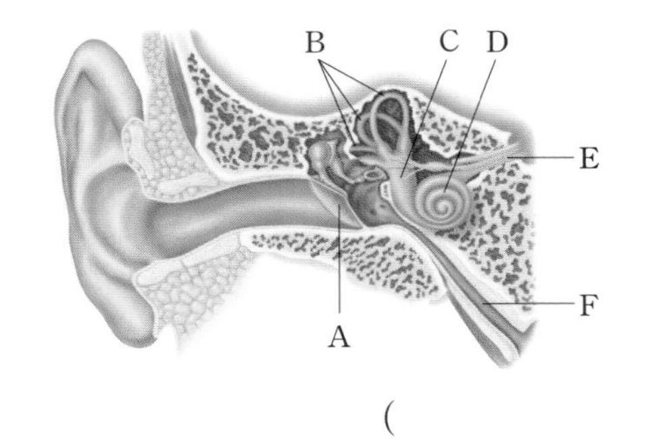

(　　　　　　　　)

16 다음은 감각점의 분포를 알아보는 실험이다.

(가) 자에 이쑤시개 2개를 붙여서 손가락 끝에 살짝 대어 보고 2개로 느끼는 최단 거리를 조사한다.

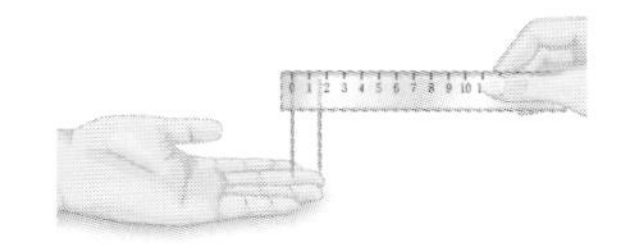

(나) 같은 방법으로 손바닥, 이마, 등에도 이쑤시개를 대어 2개로 느끼는 최단 거리를 조사한다.

부위	손가락 끝	손바닥	이마	등
최단 거리(mm)	2.5	6	11	41

이에 대한 설명으로 옳지 않은 것은?

① 손가락 끝이 가장 예민하다.
② 이마보다 손바닥에 감각점이 더 많다.
③ 몸의 부위에 따라 감각점의 분포 정도가 다르다.
④ 이쑤시개 거리가 20 mm일 때 등에서는 두 점으로 느껴진다.
⑤ 두 점으로 느끼는 최단 거리가 짧을수록 감각점이 많이 분포한다.

17 신경계에 대한 설명으로 옳지 않은 것은?

① 중추 신경계는 뇌와 척수로 구성되며, 연합 신경이 밀집해 있다.
② 감각 신경은 중추 신경계에서 내린 명령을 반응 기관으로 전달한다.
③ 중추 신경계는 자극에 대해 판단하고 적절한 반응을 하도록 명령을 내린다.
④ 말초 신경계는 온몸에 그물처럼 퍼져 있어 몸의 각 부분과 중추 신경계를 연결한다.
⑤ 자율 신경은 대뇌의 직접적인 명령 없이 심장 박동, 호흡 운동 등을 자율적으로 조절한다.

18 미각에 대한 설명으로 옳은 것을 모두 고르면? (정답 2개)

① 사람의 감각 중 가장 예민하다.
② 혀의 기본 맛에는 떫은맛도 포함된다.
③ 음식 맛은 미각만으로 모두 느낄 수 있다.
④ 감기에 걸려 코가 막히면 미각 기능이 떨어진다.
⑤ 혀는 맛봉오리의 맛세포에서 자극을 받아들인다.

19 그림과 같이 고무망치로 무릎뼈 아래를 가볍게 두드렸더니 다리가 저절로 올라갔다. 이에 대한 설명으로 옳은 것은?

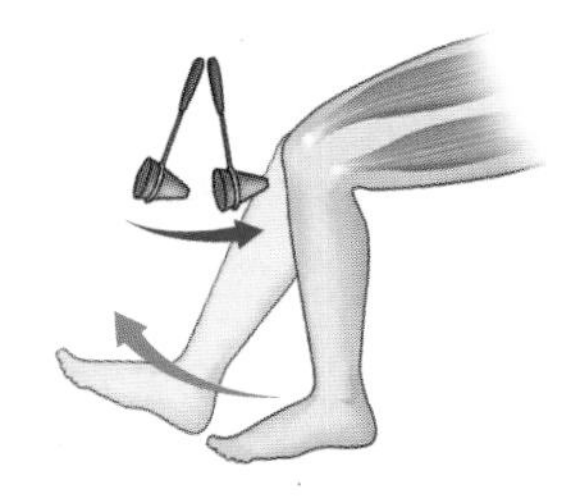

① 조절 중추는 대뇌이다.
② 연수가 중추인 반응이다.
③ 위험한 상황에서 우리 몸을 보호하는 반응 경로와 같다.
④ 대뇌를 거쳐서 반응이 일어나므로 반응 속도가 느리다.
⑤ 야구 선수가 날아오는 공을 보면서 공을 받는 것과 반응 경로가 같다.

20 다음과 같은 결핍증과 과다증을 일으키는 호르몬의 이름을 각각 쓰시오.

(가) 갑상샘의 기능이 떨어져 호르몬이 적게 분비되면 기운이 없고 피로하여 추위를 잘 탄다.
(나) 성인이 된 후에도 호르몬이 계속 분비되면 손, 발, 코 등 몸의 말단 부위가 비정상적으로 커진다.

(가) : (   ), (나) : (   )

7일 학교시험 기본 테스트 2회

[범위] Ⅱ. 기권과 날씨 ▶ 기압과 바람, Ⅲ. 운동과 에너지, Ⅳ. 자극과 반응

01 다음 중 기압을 이용한 기구가 아닌 것은?

① 빨대 ② 분무기 ③ 에어컨
④ 흡착 빨판 ⑤ 진공 청소기

02 그림은 우리나라에 영향을 주는 어느 계절풍을 나타낸 것이다. 이에 대한 설명으로 옳은 것은?

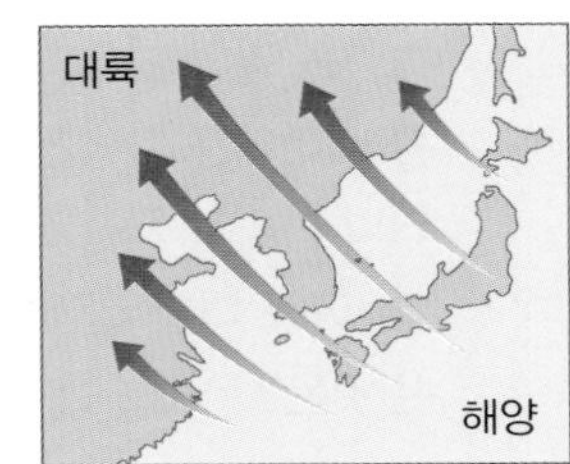

① 남동 계절풍이다.
② 차고 건조한 바람이다.
③ 겨울철에 부는 계절풍이다.
④ 대륙보다 해양의 기온이 높다.
⑤ 시베리아 지역에 고기압이 위치한다.

03 그림은 전선의 형성 원리를 알아보는 실험 장치를 나타낸 것이다. 칸막이를 천천히 들어 올릴 때 찬물과 더운물의 움직임을 옳게 나타낸 것은?

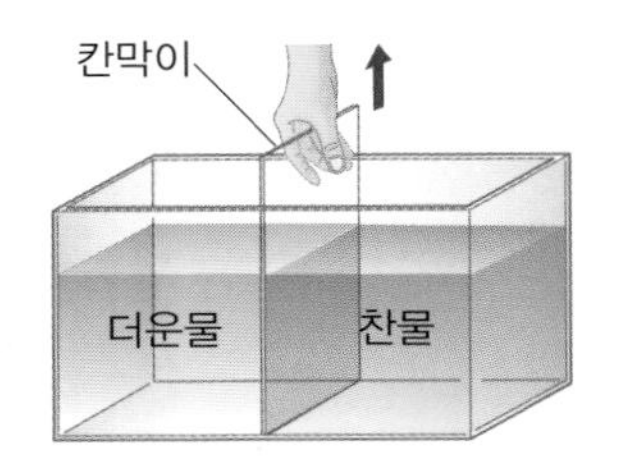

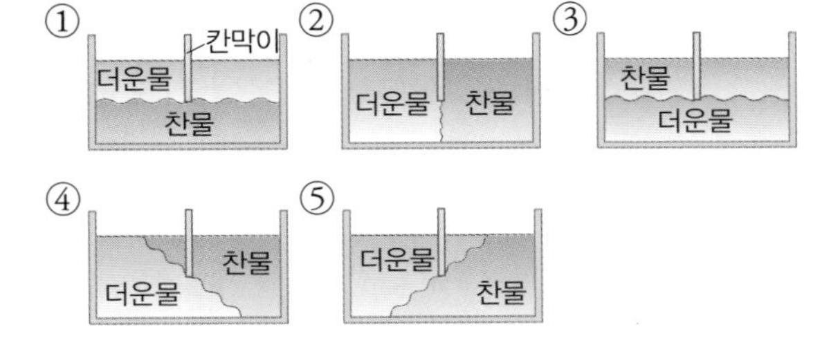

04 그림은 어느 계절 우리나라 부근의 대표적인 일기도를 나타낸 것이다.

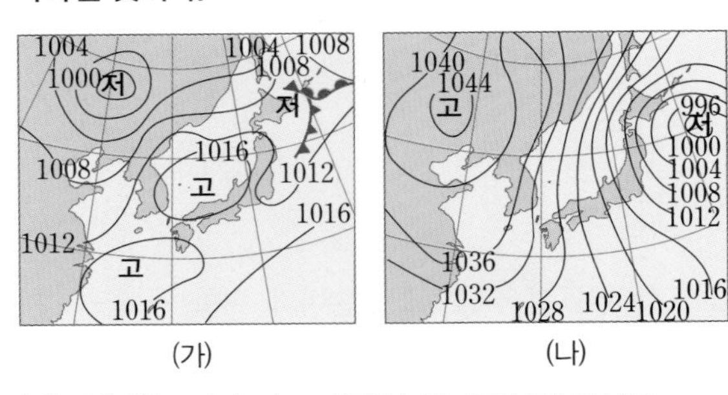

(가) (나)

(가)와 (나)는 각각 어느 계절의 일기도인지 쓰시오.

(가) : (   ), (나) : (   )

05 다음은 물체 A～D의 운동 기록이다.

> A : 2 시간 동안 144 km를 달리는 자동차
> B : 100 m를 20 초에 달리는 자전거
> C : 1 분에 2400 m를 달리는 치타
> D : 시속 108 km로 날아가는 야구공

속력이 빠른 물체부터 순서대로 옳게 나열하시오.

(   )

06 그림은 어떤 물체의 시간에 따른 속력과 이동 거리를 나타낸 것이다. 이에 대한 설명으로 옳지 않은 것은?

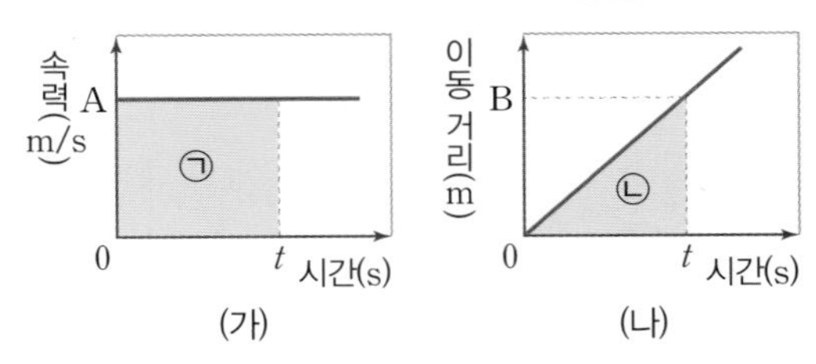

(가) (나)

① 이 물체는 등속 운동을 한다.
② (가)에서 ㉠의 넓이는 (나)의 B와 같다.
③ (나)에서 그래프의 기울기는 (가)의 A와 같다.
④ (나)에서 ㉡의 넓이는 속력을 나타낸다.
⑤ 이동 거리는 시간에 비례하여 일정하게 증가한다.

07 그림 (가), (나)는 두 물체의 시간에 따른 속력을 나타낸 그래프이다.

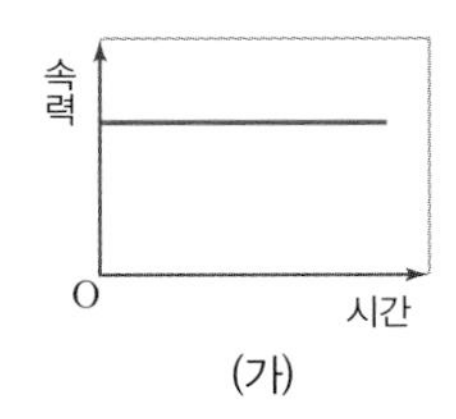

(가)

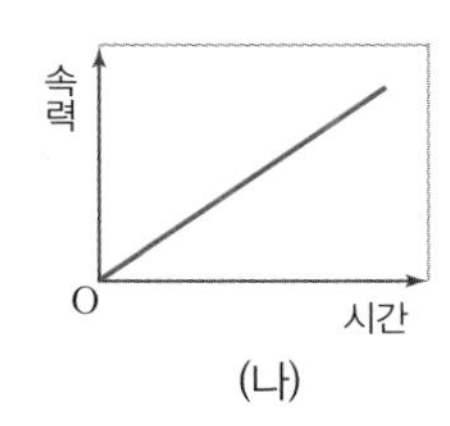

(나)

이에 대한 설명으로 옳은 것을 〈보기〉에서 모두 고른 것은?

보기
ㄱ. (가)는 물체가 정지해 있다.
ㄴ. 무빙워크의 속력은 (가)와 같다.
ㄷ. (나)는 등속 운동을 나타낸다.

① ㄱ ② ㄴ ③ ㄱ, ㄴ
④ ㄱ, ㄷ ⑤ ㄴ, ㄷ

08 그림은 공중에서 가만히 놓은 공의 운동을 일정 시간 간격으로 촬영하여 한 화면에 나타낸 것이다. 이에 대한 설명으로 옳은 것을 〈보기〉에서 모두 고른 것은? (단, 공기의 저항은 무시한다.)

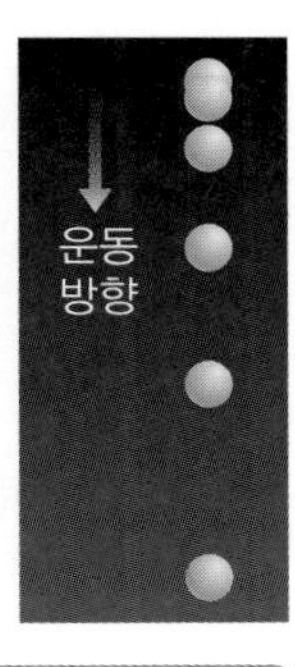

보기
ㄱ. 물체의 속력이 일정하게 증가한다.
ㄴ. 물체의 질량이 클수록 낙하하는 동안 속력이 빠르게 증가한다.
ㄷ. 물체가 낙하하는 동안 물체에 작용하는 중력이 증가한다.

① ㄱ ② ㄴ ③ ㄱ, ㄴ
④ ㄱ, ㄷ ⑤ ㄴ, ㄷ

09 과학에서 의미하는 일에 대한 설명으로 옳은 것을 〈보기〉에서 모두 고른 것은?

보기
ㄱ. 물체에 힘이 작용하여 힘의 방향으로 물체가 이동할 때 일을 한 것이다.
ㄴ. 일의 단위로 N(뉴턴)을 사용한다.
ㄷ. 같은 크기의 힘이 작용하더라도 물체를 힘의 방향으로 이동한 거리가 클수록 한 일은 크다.

① ㄱ ② ㄱ, ㄴ ③ ㄱ, ㄷ
④ ㄴ, ㄷ ⑤ ㄱ, ㄴ, ㄷ

10 그림과 같이 장치하고 추의 질량과 높이를 다르게 하면서 추를 떨어뜨렸을 때 나무 도막이 밀려난 거리를 측정하였다. 이 실험에서 그 관계가 다른 하나는?

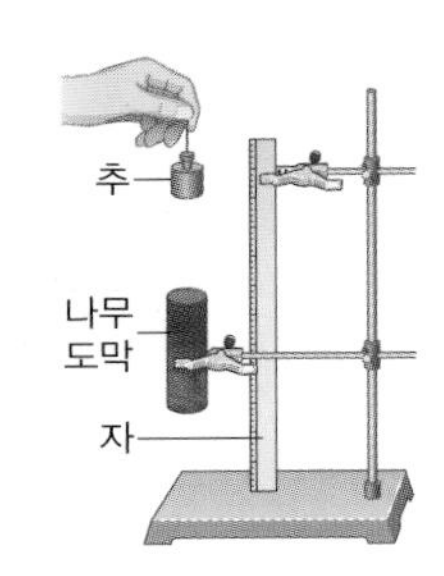

① 추의 질량과 나무 도막이 밀려난 거리
② 추의 높이와 나무 도막이 밀려난 거리
③ 추의 중력에 의한 위치 에너지와 나무 도막이 밀려난 거리
④ 나무 도막을 밀어내는 힘과 나무 도막이 밀려난 거리
⑤ 추의 중력에 의한 위치 에너지와 추의 높이

학교시험 기본 테스트 2회

11 그림과 같이 장치하고 질량이 다른 수레를 같은 속력으로 밀 때 자가 밀려난 거리가 표와 같았다.

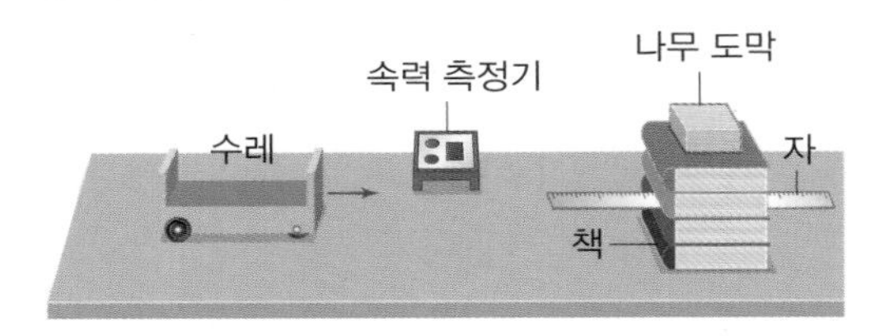

수레의 질량(kg)	1	2	3
자가 밀려난 거리(cm)	4	8	12

이에 대한 설명으로 옳은 것을 <보기>에서 모두 고른 것은?

보기
ㄱ. 수레의 운동 에너지는 자를 밀고 가는 일을 한다.
ㄴ. 자가 밀려난 거리는 수레의 운동 에너지에 비례한다.
ㄷ. 운동 에너지는 수레의 질량에 비례한다.

① ㄱ ② ㄴ ③ ㄷ
④ ㄱ, ㄴ ⑤ ㄱ, ㄴ, ㄷ

12 그림 (가)와 같이 수평면 위에 놓인 질량 4 kg인 수레에 5 N의 힘을 작용하였더니 속력이 (나)와 같았다.

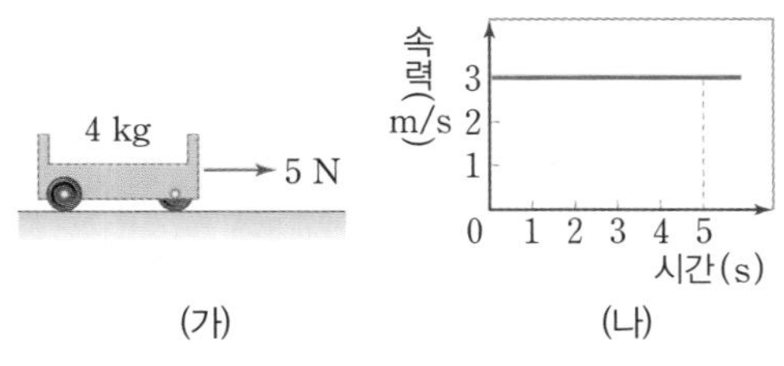

(가) (나)

5초 동안 수레에 한 일의 양과 5초일 때 수레의 운동 에너지를 옳게 짝 지은 것은?

	한 일의 양(J)	운동 에너지(J)
①	15	15
②	18	18
③	18	75
④	75	18
⑤	75	75

13 시각의 전달 경로를 순서대로 옳게 나열한 것은?

① 빛 → 각막 → 유리체 → 수정체 → 망막 → 시각 신경 → 뇌
② 빛 → 각막 → 수정체 → 망막 → 유리체 → 시각 신경 → 뇌
③ 빛 → 각막 → 수정체 → 유리체 → 망막 → 시각 신경 → 뇌
④ 빛 → 망막 → 수정체 → 유리체 → 각막 → 시각 신경 → 뇌
⑤ 빛 → 각막 → 수정체 → 유리체 → 시각 신경 → 망막 → 뇌

14 같은 냄새를 오래 맡으면 그 냄새를 잘 느끼지 못한다. 그 까닭을 후각의 특성과 관련지어 서술하시오.

15 그림은 주변 밝기에 따른 홍채와 동공의 변화를 나타낸 것이다.

이에 대한 설명으로 옳은 것을 <보기>에서 모두 고른 것은?

보기
ㄱ. 어두운 실내에서 밝은 야외로 나갈 때의 상황이다.
ㄴ. 책을 보다가 창밖의 먼 곳을 바라볼 때의 상황이다.
ㄷ. 홍채가 확장되면서 동공의 크기가 작아지고, 눈으로 들어오는 빛의 양이 감소한다.

① ㄱ ② ㄴ ③ ㄷ
④ ㄱ, ㄴ ⑤ ㄱ, ㄷ

16 그림은 사람 귀의 일부 구조를 나타낸 것이다. 이에 대한 설명으로 옳지 않은 것은?

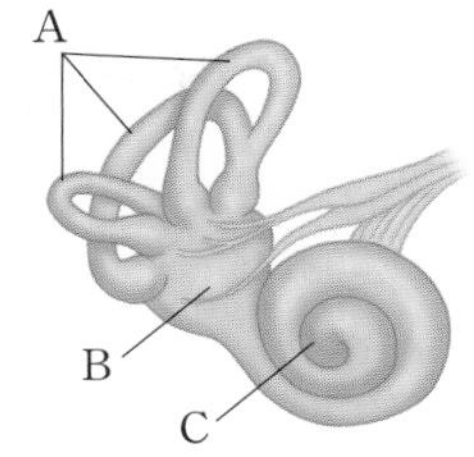

① A에는 림프액이 들어 있다.
② A의 작용으로 회전하는 놀이기구를 타고 내렸을 때 어지러움을 느낀다.
③ B에 이상이 생기면 걸으면서 중심을 잘 잡지 못한다.
④ C에는 공기의 진동을 감지하는 청각 세포가 있다.
⑤ C에 의해 몸이 어느 쪽으로 기울어지는지 알 수 있다.

17 혀는 액체 상태의 화학 물질을 자극으로 받아들여 맛을 느끼며, 5가지의 기본 맛을 감지한다. 미각의 기본 맛으로 옳지 않은 것은?

① 단맛　② 쓴맛　③ 신맛
④ 매운맛　⑤ 감칠맛

18 말초 신경계에 대한 설명으로 옳지 않은 것은?

① 온몸에 그물처럼 퍼져 있다.
② 중추 신경계와 몸의 각 부분을 연결한다.
③ 감각 신경과 운동 신경으로 이루어져 있다.
④ 무릎 반사와 같은 무조건 반사의 중추이다.
⑤ 자율 신경은 교감 신경과 부교감 신경으로 이루어져 있다.

19 표는 자극에 대한 반응 시간을 알아보기 위해 떨어지는 자를 눈으로 보고 잡을 때와 눈을 감고 '땅' 소리를 듣고 잡을 때의 실험 결과를 나타낸 것이다.

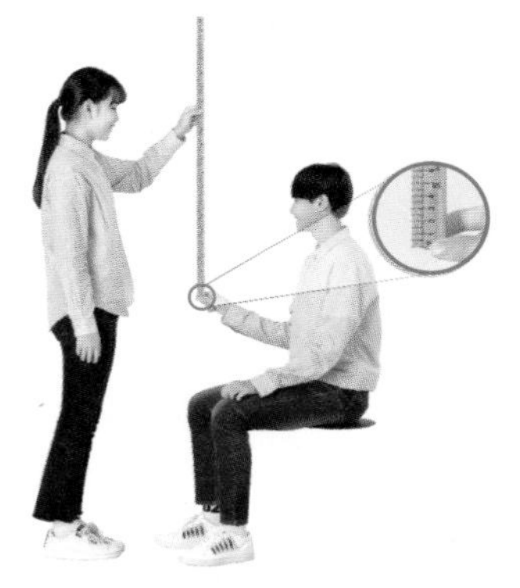

부위	1회	2회	3회	4회	5회
눈으로 볼 때(cm)	9	10	9	8	7
소리를 들을 때(cm)	30	28	29	27	26

이에 대한 설명으로 옳지 않은 것은?

① 대뇌의 판단에 의해 반응이 일어난다.
② 실험을 반복할수록 반응 시간이 짧아진다.
③ 소리를 듣고 잡는 반응은 무의식적 반응이다.
④ 자가 떨어진 거리가 길수록 반응 시간이 길다.
⑤ 자극의 종류에 따라 반응하기까지 걸리는 시간이 다르다.

20 그림은 이자에서 분비되는 호르몬 A, B에 의해 혈당량이 조절되는 과정을 나타낸 것이다.

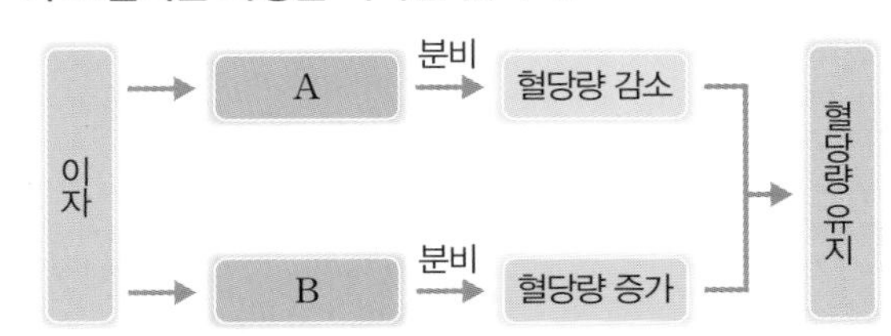

호르몬 A, B의 이름과, 호르몬 A, B가 작용하는 기관의 이름을 옳게 짝 지은 것은?

	A	B	작용하는 기관
①	글루카곤	인슐린	간
②	글루카곤	티록신	갑상샘
③	인슐린	글루카곤	간
④	인슐린	티록신	갑상샘
⑤	인슐린	아드레날린	생식샘

memo

기말 대비

정답과 해설

1일 기압과 바람

기초 확인 문제 11, 13쪽

01 ④ 02 ④ 03 낮아진다. 04 ③ 05 ③
06 (1) 육지 (2) 바다 07 ← 08 (1) – ㉡ – ⓒ
(2) – ㉣ – ⓓ (3) – ㉠ – ⓑ (4) – ㉢ – ⓐ 09 B, D
10 (1) 한랭 전선 (2) 온난 전선 (3) 폐색 전선 (4) 정체 전선
11 (1) ㄱ, ㄹ, ㅂ, ㅇ, ㅈ (2) ㄴ, ㄷ, ㅁ, ㅅ, ㅊ 12 (1) C (2) A

01 공기는 끊임없이 움직이면서 이동하므로 같은 장소라 하더라도 시간에 따라 기압은 계속 변한다.

오답 풀이
① 공기는 끊임없이 움직이면서 이동하므로 시간과 장소에 따라 기압은 계속 변한다.
② 기압은 모든 방향으로 작용한다.
③ 높이 올라갈수록 공기 양이 감소하므로 기압은 낮아진다.
⑤ 1기압은 수은 기둥 76 cm의 압력과 같다.

02 물의 밀도는 수은의 밀도보다 약 13.6배 작으므로 같은 기압 하에서 물 기둥의 높이는 수은 기둥 높이의 약 13.6배가 된다.

오답 풀이
① 토리첼리는 1643년 피사에서 1 m 유리관에 수은을 채운 후 기압에 의한 수은 높이를 측정하였다. 이 실험을 통해 인공적으로 진공 상태를 만들 수 있음을 증명하였다. 즉, A는 진공 상태이다.
② 1기압에서 수은 기둥의 높이 h는 76 cm이다.
③, ⑤ 토리첼리의 실험에서 유리관을 기울이거나 유리관의 굵기를 다르게 하여도 수은 기둥의 높이 h는 일정하다.

03 토리첼리의 실험에서 수은 기둥의 높이는 기압의 크기에 비례한다. 한편, 높이 올라가면 공기가 희박해지므로 기압이 낮아진다. 따라서 높은 산으로 올라갈수록 수은 기둥의 높이는 낮아진다.

04 1기압 = 수은 기둥 76 cm의 압력 = 1013 hPa = 물기둥 약 10 m의 압력 = 공기 기둥 약 1000 km의 압력이며, 1000 hPa은 1기압보다 기압이 작다.

05 기온은 상승 기류가 있는 육지 쪽이 하강 기류가 있는 바다보다 높다.

오답 풀이
①, ② 지표면 부근에서는 바다에서 육지 쪽으로 바람이 불므로 해풍이며, 해풍은 낮에 부는 바람이다.
④ 바람은 기압이 높은 곳에서 낮은 곳으로 공기가 이동하는 것이므로 기압은 바다 쪽이 육지 쪽보다 높다.
⑤ 해안가에서 바다와 육지의 차등 가열로 낮에는 해풍이 불고, 밤에는 육풍이 불며, 해륙풍의 주기는 1일이다.

자료 분석+ 해륙풍

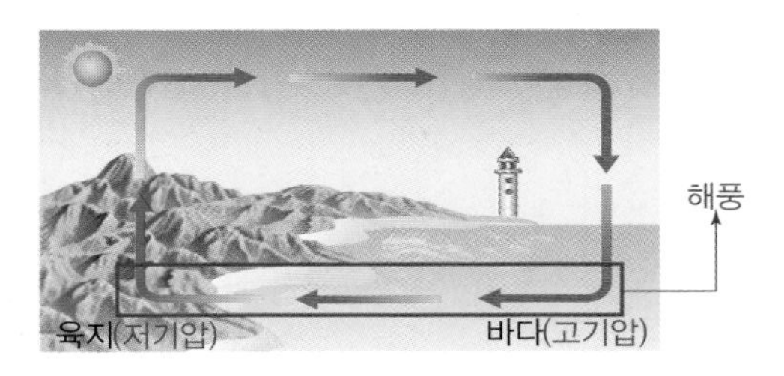

• 해안가에서 하루를 주기로 낮에는 해풍, 밤에는 육풍이 분다.
• 해륙풍의 생성 원인 : 바다와 육지의 차등 가열로 인한 기압 차이
• 차등 가열에 의한 기압 배치 : 가열된 쪽의 지표면 부근은 저기압, 냉각된 쪽의 지표면 부근은 고기압 형성

구분	해풍	육풍
부는 시기	낮	밤
기온	육지 > 바다	육지 < 바다
기압	육지 < 바다	육지 > 바다
풍향	육지←바다	육지→바다

06 해륙풍의 발생 원리를 알아보는 실험에서 모래는 물보다 빨리 가열되고 빨리 냉각되므로 모래는 육지, 물은 바다에 비유된다.

07 적외선 전등을 켜면 모래가 물보다 빨리 데워지므로 모래 쪽은 저기압, 물 쪽은 고기압이 형성된다. 따라서 이

러한 기압 분포로 물에서 모래 쪽으로 공기가 이동하므로 향의 연기도 물에서 모래 쪽으로 이동한다.

08 고위도에서 발원한 A, B 기단은 한랭하고, 저위도에서 발원한 C, D 기단은 온난하며, 육지에서 발원한 A, C 기단은 건조하고, 해양에서 발원한 B, D 기단은 다습하다.

09 초여름에 저온 다습한 오호츠크해 기단(B 기단)과 고온 다습한 북태평양 기단(D 기단)이 만나 장마 전선을 형성한다.

10 한랭 전선의 이동 속도는 온난 전선의 이동 속도보다 빠르므로 한랭 전선이 온난 전선을 따라잡아 두 전선이 겹쳐져서 폐색 전선이 만들어지고, 정체 전선은 남하하려는 오호츠크해 기단과 북상하려는 북태평양 기단의 세력이 비슷하여 동서 방향으로 발달하는 전선이다.

11 (가)는 따뜻한 공기가 찬 공기 위를 타고 완만하게 상승하면서 층운형 구름을 만들므로 온난 전선이고, (나)는 찬 공기가 따뜻한 공기 밑을 파고들면서 따뜻한 공기를 위로 강하게 상승시키면서 적운형 구름을 만들므로 한랭 전선이다. 온난 전선의 앞쪽에는 층운형 구름에 의해 이슬비가 내리고, 한랭 전선의 뒤쪽에는 적운형 구름에 의해 소나기가 내린다.

자료 분석+ 온난 전선과 한랭 전선

(가) 온난 전선

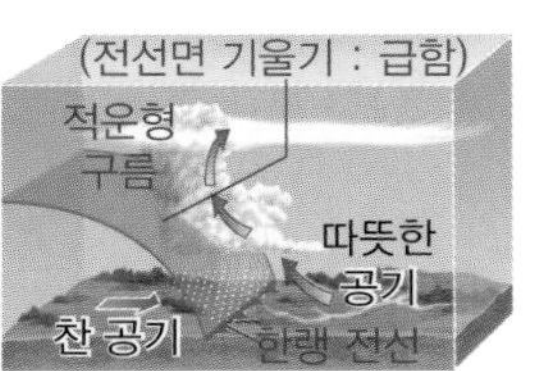

(나) 한랭 전선

온난 전선	구분	한랭 전선
완만하다	전선면 경사	급하다
느리다	이동 속도	빠르다
층운형	구름 모양	적운형
약한 비	비의 형태	강한 비
기온 상승, 기압 하강	통과 후 변화	기온 하강, 기압 상승

12 A는 한랭 전선 뒤쪽의 지역으로 북서풍이 불고 기온이 낮으며, B는 온난 전선과 한랭 전선 사이의 지역으로 맑고 따뜻한 날씨를 보인다. C는 온난 전선 앞쪽의 지역으로 남동풍이 불고 기온이 낮다.

자료 분석+ 온대 저기압

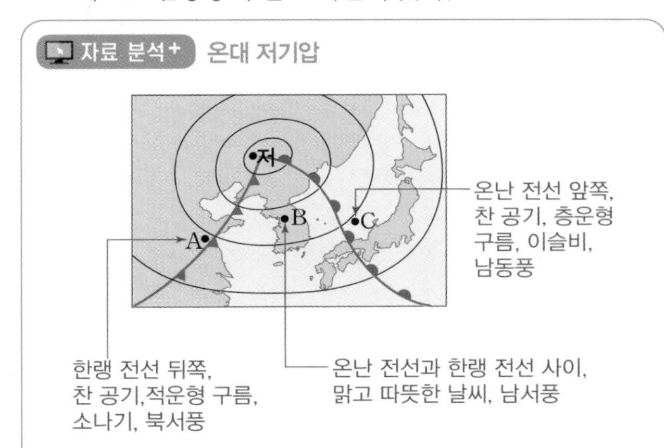

- 온대 저기압은 남서쪽으로 한랭 전선, 남동쪽으로 온난 전선을 동반한다.
- 온대 저기압 중심은 대체로 동쪽으로 이동한다.
- 구름이 생기는 영역 : 온난 전선 앞쪽의 넓은 지역에 두께가 얇은 층운형 구름이 형성되고, 한랭 전선 뒤쪽의 좁은 지역에 수직으로 발달한 적운형 구름이 형성된다.

내신 기출 베스트 14~15쪽

1 ⑤ 2 (1) 38 (2) 해안가 3 (1) B (2) A
4 (1) (가) : 밤, (나) : 여름 (2) (가) : 바다, (나) : 육지
5 (1) B, 북태평양 기단 (2) D, 양쯔강 기단
6 (1) 온난 전선 (2) 한랭 전선 (3) 폐색 전선 (4) 정체 전선
7 (1) A (2) B 8 ①

1 기압의 크기를 표현하는 단위는 hPa이다. 1 hPa은 1 m^2의 면적에 100 N의 힘이 작용할 때의 압력이다. 1기압은 1013 hPa이며, 수은 기둥 76 cm가 가하는 압력과 같다. Hg는 수은의 원소 기호이므로 cmHg는 수은 기둥의 높이를 cm 단위로 표현한 것이다.

2 (1) 수은 기둥의 높이는 기압에 비례한다. 1기압일 때 수은 기둥의 높이가 76 cm이므로 0.5기압일 때 수은

기둥의 높이는 76 cm의 절반인 38 cm가 된다.

(2) 높이 올라갈수록 공기가 희박해지면서 기압이 낮아진다. 따라서 해안가와 고산 지대 중에서 기압이 높아서 수은 기둥의 높이가 더 높은 곳은 해안가이다.

자료 분석+ 토리첼리의 실험

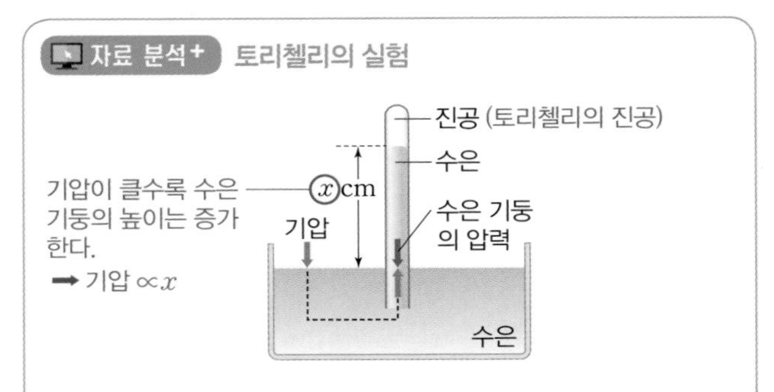

- 기압의 크기와 수은 기둥의 높이는 비례 관계가 있다.
- 높은 지대로 올라가면 대기가 점점 희박해진다.
- 높은 지대로 올라갈수록 수은 기둥의 높이가 낮아진다.

3 (1) 지표면이 차등 가열될 때 가열된 지표면 바로 위의 공기는 지표면으로부터 열을 받아 데워지면서 부피가 팽창하여 위로 상승하므로 A와 B 중에서 지표면이 더 많이 가열된 쪽은 B이다.

(2) 바람은 수평으로 이동하는 공기의 흐름으로 같은 높이의 기압을 비교했을 때 기압이 높은 곳에서 낮은 곳으로 바람이 분다. 따라서 A와 B 중에서 고기압이 형성된 쪽은 A이다.

자료 분석+ 차등 가열에 따른 기압 배치

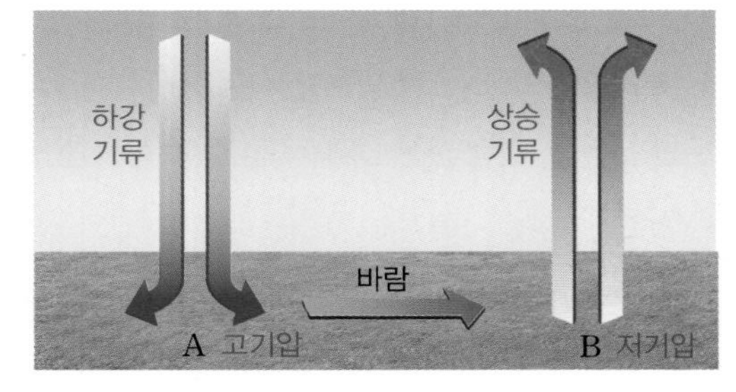

- 차등 가열이 일어날 때 가열된 쪽 지표면 부근에는 저기압, 냉각된 쪽 지표면 부근에는 고기압이 형성된다.
- 고기압 : 하강 기류 → 단열 압축 → 기온 상승 → 상대 습도 감소 → 맑은 날씨
- 저기압 : 상승 기류 → 단열 팽창 → 기온 하강 → 상대 습도 증가 → 흐린 날씨

4 (1) (가)는 육지에서 바다 쪽으로 바람이 불므로 육풍이고, (나)는 남동쪽에서 북서쪽으로 부는 계절풍이므로 남동 계절풍이다. 육풍은 해안가에서 밤에 부는 바람이고, 남동 계절풍은 우리나라에서 여름철에 부는 계절풍이다.

(2) 차등 가열에 의한 기압 차이로 바람이 불 때 가열된 쪽은 상승 기류가 발생하므로 저기압, 냉각된 쪽은 하강 기류가 발생하므로 고기압이 형성된다. 즉, 온도가 높은 쪽에 저기압, 온도가 낮은 쪽에 고기압이 형성된다.

5 (1) A는 저온 다습하므로 오호츠크해 기단, B는 고온 다습하므로 북태평양 기단, C는 한랭 건조하므로 시베리아 기단, D는 온난 건조하므로 양쯔강 기단의 성질을 나타낸다. 우리나라에서 여름철에 무덥고 습한 날씨에 영향을 주는 기단은 북태평양 기단이다.

(2) 봄철과 가을철에 우리나라에 영향을 주는 기단은 온난 건조(D)한 성질을 지닌 양쯔강 기단이다.

6 (1), (2) 온난 전선은 전선면의 기울기가 완만하고 전선의 앞쪽에 층운형 구름이 형성되며, 한랭 전선은 전선면의 기울기가 급하고, 전선의 뒤쪽에 적운형 구름이 형성된다.

(3) 한랭 전선은 온대 저기압 중심을 기준으로 남서쪽으로 발달한 전선이고, 온난 전선은 남동쪽으로 발달한 전선이다. 한랭 전선은 온난 전선보다 이동하는 속도가 빠르므로 두 전선은 겹쳐져서 폐색 전선이 형성된다.

(4) 두 기단의 세력이 비슷하면 두 기단의 경계에 생긴 전선이 쉽게 이동하지 못하고 한곳에 오래 머문다. 전선 주변에는 오랫동안 비가 내리므로 이 전선을 장마 전선 또는 정체 전선이라고 한다.

7 (1) 지표면에 고기압이 형성되면 상층에서 지표 쪽으로 하강 기류가 형성되고, 지표면에 저기압이 형성되면 지표에서 상층 대기 쪽으로 상승 기류가 형성된다. 따라서 A는 하강 기류가 있으므로 고기압이고, B는 상승 기류가 있으므로 저기압이다.

(2) 고기압에서는 하강 기류에 의해 단열 압축이 일어나

므로 맑은 날씨가 나타나고, 저기압에서는 상승 기류에 의해 단열 팽창이 일어나므로 흐린 날씨가 나타난다. 따라서 A는 맑은 날씨, B는 흐린 날씨가 나타난다.

자료 분석+ 고기압과 저기압에서의 바람(북반구)

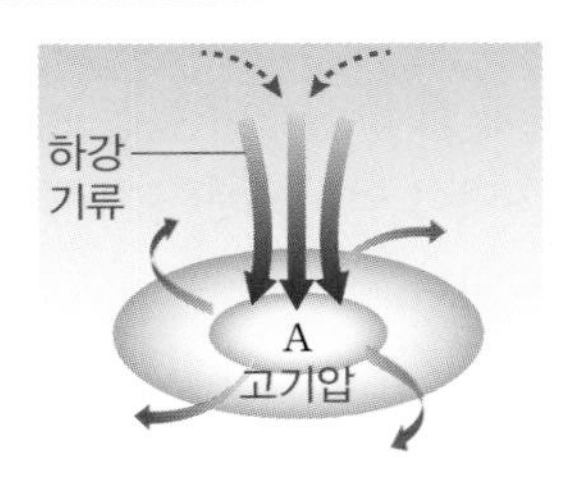

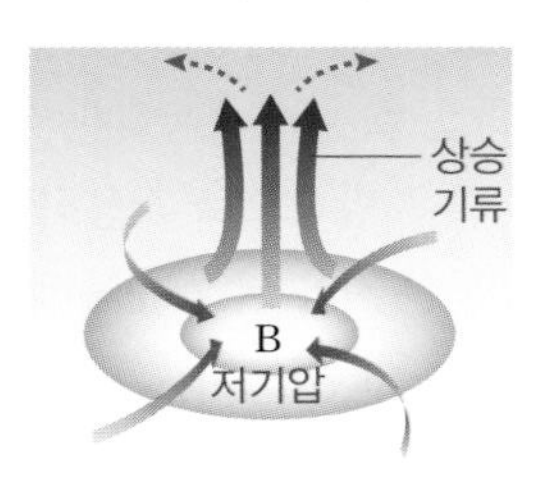

- 지표면 부근에 고기압 중심이 형성될 때 : 상층 공기 수렴 → 하강 기류 → 지표면 부근 공기 발산
- 지표면 부근에 저기압 중심이 형성될 때 : 지표면 부근 공기 수렴 → 상승 기류 → 상층 공기 발산
- 공기가 발산하거나 수렴할 때 바람은 직선 형태로 불지 않고, 휘어지면서 분다.

구분	고기압	저기압
북반구	시계 방향	시계 반대 방향
남반구	시계 반대 방향	시계 방향

▲ 북반구와 남반구에서 바람이 부는 방향

8 우리나라 부근의 온대 저기압에서 온난 전선은 저기압 중심의 남동쪽, 한랭 전선은 저기압 중심의 남서쪽으로 발달한다. 따라서 (가)는 한랭 전선, (나)는 온난 전선이다. 온난 전선에 있는 반원 모양과 한랭 전선에 있는 삼각형 모양은 전선이 진행하는 쪽으로 그려주므로 모두 동쪽 방향에 그린다.

2일 운동

기초 확인 문제 19, 21쪽

01 (1) 운동 (2) 시간 (3) 속력 **02** ㉠ 속력, ㉡ 평균 속력
03 25 km/h **04** ⑤ **05** (1) 4 m/s (2) 64 m
06 ② **07** (1) 등속 (2) 자유 (3) 등속 (4) 자유
08 (1) 중력 (2) ㉠ 질량, ㉡ 9.8 (3) 속력 (4) 같은
09 네 물체 A~D가 동시에 떨어진다 **10** ③ **11** ③

01 (1) 시간에 따라 물체의 위치가 변하는 현상을 운동이라고 한다.
(2) 운동하는 물체를 일정한 시간 간격으로 촬영하여 운동을 기록한다.
(3) 일정한 시간 동안 물체가 이동한 거리는 물체의 속력으로 나타낸다.

02 물체의 빠르기는 이동 거리를 걸린 시간으로 나누어 구한다. 물체의 빠르기를 속력이라고 말한다.

03 평균 속력$=\frac{\text{이동 거리(km)}}{\text{걸린 시간(h)}}=\frac{100\ \text{km}}{4\ \text{h}}=25\ \text{km/h}$

04 시간-이동 거리 그래프가 원점을 지나는 기울기가 일정한 직선이므로 속력이 일정한 운동이다. 이때 기울기 = 속력이므로 속력$=\frac{10}{4}=2.5$ (m/s)이다.

05 (가)에서 물체의 속력$=\frac{8\ \text{m}}{2\ \text{s}}=4$ m/s이다. (나) 시간 - 속력 그래프의 아랫부분 넓이는 이동 거리이므로 0~4초 동안 이동한 거리는 16 m/s × 4 s = 64 m이다.

06 엘리베이터는 올라가는 순간 속력이 빨라지고, 멈추는 순간은 속력이 느려진다.

07 (1) 속력이 시간에 따라 변하지 않고 일정한 운동은 등속 운동이다.
(2) 운동 방향으로 중력만을 계속 받는 운동은 자유 낙하 운동이다.
(3) 시간에 따라 이동 거리가 일정하게 증가하는 운동은 등속 운동이다.
(4) 속력이 1초마다 9.8 m/s씩 증가하는 운동은 자유 낙하 운동이다.

08 자유 낙하 하는 물체에는 운동 방향과 같은 방향으로 힘(중력)이 계속 작용하여 속력이 일정하게 증가하는 운동을 한다.

09 지구에서 물체가 자유 낙하 운동을 할 때 물체의 크기나 질량에 관계없이 속력은 1초마다 9.8 m/s씩 일정하게 증가한다.

10 자유 낙하 하는 물체는 낙하하는 동안 중력만을 받으며, 1초마다 속력이 9.8 m/s씩 빨라진다.

11 자유 낙하 하는 물체의 속력은 시간에 비례하여 일정하게 증가한다.

내신 기출 베스트 22~23쪽

1 ④	2 ⑤	3 ②	4 A	5 ②	6 (1) ㄱ, ㄴ
(2) ㄷ, ㄹ, ㅁ		7 ③	8 ②		

1 같은 시간 동안 이동한 거리가 클수록, 같은 거리를 이동하는 데 걸린 시간이 짧을수록 빠르다.

2 등속 운동 하는 물체의 시간에 따른 이동 거리 그래프는 원점을 지나는 직선 모양이다.

3 $\text{속력}=\frac{\text{이동 거리}}{\text{걸린 시간}}=\frac{4\text{ cm}}{0.1\text{초}}=\frac{0.04\text{ m}}{0.1\text{초}}=0.4\text{ m/s}$

자료 분석+ 종이테이프의 타점과 속력

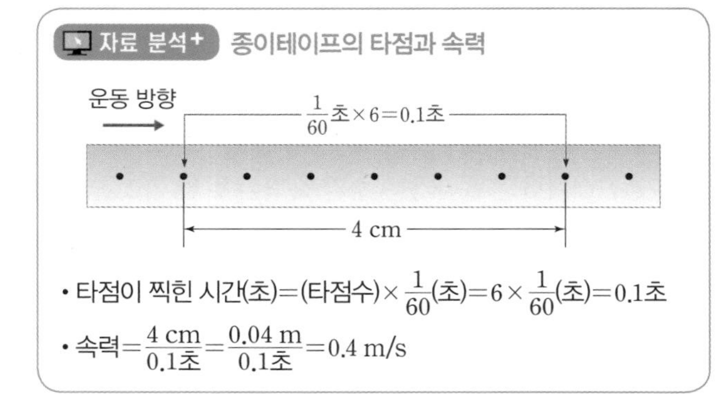

- 타점이 찍힌 시간(초)=(타점수)$\times\frac{1}{60}$(초)$=6\times\frac{1}{60}$(초)$=0.1$초
- $\text{속력}=\frac{4\text{ cm}}{0.1\text{초}}=\frac{0.04\text{ m}}{0.1\text{초}}=0.4\text{ m/s}$

4 시간－이동 거리 그래프의 기울기는 속력을 나타내므로 기울기가 가장 큰 A의 속력이 가장 빠르다.

5 진공에서 쇠구슬과 깃털을 동시에 자유 낙하시키면 쇠구슬과 깃털에 중력이 작용하여 매초 9.8 m/s씩 속력이 일정하게 커지므로 동시에 바닥에 도달한다. 중력의 크기는 물체의 질량에 비례하므로 질량이 큰 쇠구슬에 작용하는 중력이 더 크다.

6 ㄱ, ㄴ. 같은 시간 동안 움직인 거리가 일정하고 시간－속력 그래프가 시간축과 나란한 모양은 등속 운동에 해당한다.
ㄷ, ㄹ, ㅁ. 운동하는 물체에 일정한 힘이 운동 방향과 같은 방향으로 작용하여 속력이 일정하게 증가하는 운동은 자유 낙하 운동에 해당한다.

7 공중에서 정지해 있던 물체가 중력만을 받아 떨어지는 운동을 자유 낙하 운동이라고 하며, 자유 낙하 운동을 하는 물체의 속력은 1초마다 9.8 m/s씩 일정하게 증가한다. 따라서 3초일 때 속력$=9.8\times3=29.4$(m/s)이다.

자료 분석+ 자유 낙하 운동의 시간－속력 그래프

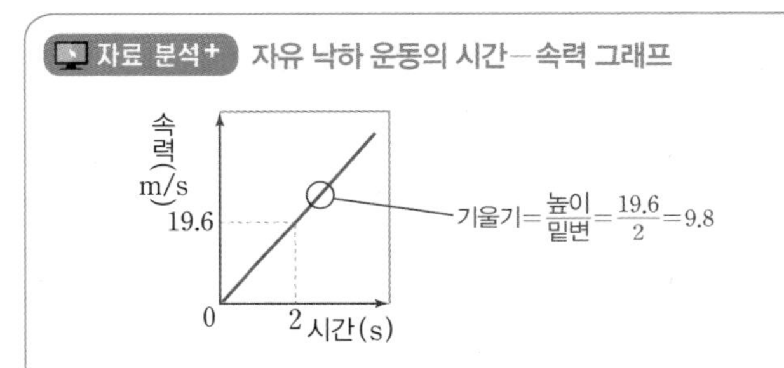

- 시간－속력 그래프가 원점을 지나고, 기울기가 9.8로 일정하기 때문에 속력이 시간에 비례하여 일정하게 증가한다.
- 속력이 일정하게 증가하는 까닭은 운동 방향과 같은 방향으로 힘(중력)을 받기 때문이다.

8 (가)는 시간－이동 거리 그래프에서 기울기가 일정한 운동, 즉 속력이 일정한 운동이고, (나)는 시간에 비례하여 속력이 일정하게 증가하는 운동이다.

자료 분석+ 등속 운동과 자유 낙하 운동

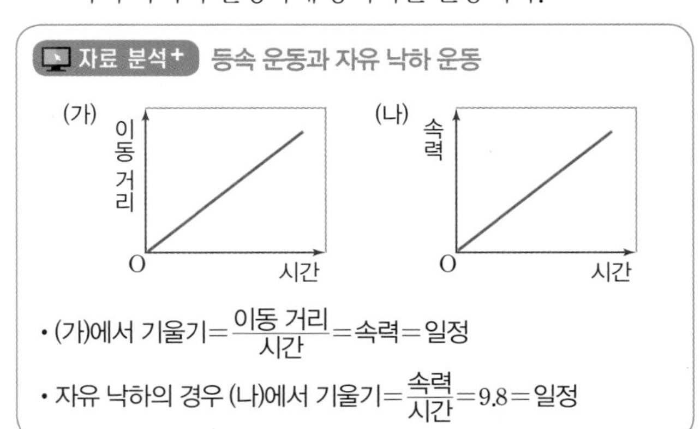

- (가)에서 $\text{기울기}=\frac{\text{이동 거리}}{\text{시간}}=\text{속력}=\text{일정}$
- 자유 낙하의 경우 (나)에서 $\text{기울기}=\frac{\text{속력}}{\text{시간}}=9.8=\text{일정}$

3일 일과 에너지

기초 확인 문제 27, 29쪽

01 (1) ㉠ 힘, ㉡ 일 (2) 거리 (3) 힘 **02** ㄷ **03** (1) 4 J (2) 0 (3) 0 **04** ③ **05** (1) 14.7 J (2) 14.7 J **06** (1) 위치 (2) ㉠ 질량, ㉡ 높이 (3) 9.8 (4) 일 **07** ㄱ, ㄴ **08** ② **09** ④ **10** (1) 비례 (2) 4 **11** ③

01 과학에서의 한 일의 양은 작용한 힘의 크기와 힘의 방향으로 이동한 거리에 비례한다.

02 과학에서 한 일의 양은 작용한 힘과 힘의 방향으로 이동한 거리의 곱으로 구한다. 일의 단위는 J(줄)을 사용한다.

03 (1) 중력에 대하여 한 일=무게×높이=2 N×2 m=4 J
(2) 무게는 중력의 크기이고 물체가 이동한 방향은 중력과 수직인 수평 방향이므로 중력에 대하여 한 일의 양은 0이다. (3) 무게는 중력의 크기이고 중력 방향으로 이동한 거리가 0이므로 한 일의 양은 0이다.

04 한 일의 양=작용한 힘×힘의 방향으로 이동한 거리이므로 이동 거리-힘 그래프에서 둘러싸인 넓이는 한 일의 양을 나타낸다.

05 (1) 중력에 대하여 한 일=중력×들어 올린 높이, 질량 1 kg인 물체에 작용하는 중력은 9.8 N이므로 9.8 N× 1.5 m= 14.7 (J)
(2) 중력이 한 일의 양=물체의 무게×떨어진 높이 =(중력 가속도 상수 × 물체의 질량)×떨어진 높이 =9.8×1×1.5=14.7 (J)

06 (1) 높은 곳에 있는 물체가 가지는 에너지를 중력에 의한 위치 에너지라고 한다.
(2) 중력에 의한 위치 에너지는 물체의 질량과 기준면으로부터의 높이에 각각 비례한다.
(3) 지면으로부터 1 m 높이에 있는 질량 1 kg인 물체가 가지는 중력에 의한 위치 에너지는 9.8 J이다.
(4) 중력에 의한 위치 에너지는 물체가 기준면까지 떨어지면서 할 수 있는 일의 양과 같다.

07 물체의 중력에 의한 위치 에너지는 물체를 그 높이까지 들어 올리는 일과 같으며 물체가 낙하하면서 지면에 할 수 있는 일의 양과 같다.

08 굴러가는 볼링공, 고속도로 위를 달리는 자동차, 풍력 발전기의 날개를 돌리는 바람, 높은 곳에서 떨어지고 있는 우박은 운동 에너지를 가지고 있다. 높은 댐에 괴어 있는 물은 위치 에너지를 가지고 있다.

09 물체를 들어 올릴 때 중력에 대하여 일을 한다.

10 운동 에너지는 속력이 일정할 때 물체의 질량에 비례한다. 또 질량이 일정하고 속력이 두 배가 되면 운동 에너지는 속력의 제곱에 비례하므로 4배가 된다.

11 운동 에너지는 $\frac{1}{2}\times$질량(kg)$\times$\{속력(m/s)\}^{2}
이므로 수레의 운동 에너지$=\frac{1}{2}\times 1\times(1)^2=0.5$(J)이다.

내신 기출 베스트 14~15쪽

1 ⑤ **2** ③ **3** ㄱ, ㅁ **4** ⑤ **5** ④ **6** ④ **7** ④ **8** ④

1 과학에서는 물체에 힘이 작용하고 힘의 방향으로 물체가 이동하였을 때 일을 했다고 한다.

2 한 일의 양=힘×이동 거리=10 N×0.5 m=5 J

3 위치 에너지는 기준면으로부터 일정한 높이에 있는 물체가 가지는 에너지이다. ㄴ은 운동 에너지만 가지는 경우이고, ㄷ은 위치 에너지와 운동 에너지 모두 가지지 않은 경우이고, ㄹ은 위치 에너지와 운동 에너지를 모두 가지는 경우이다.

4 중력에 대하여 한 일=물체의 무게×들어 올린 높이이므로 196(J)=9.8×10×h에서 유미가 물체를 들어 올린 높이 h는 2 m이다.

5 힘이 물체에 한 일의 양은 힘의 크기와 물체가 힘의 방향으로 이동한 거리의 곱으로 구한다. 물체에 중력에 대하여 (9.8×10) N의 힘을 작용하여 1.5 m 이동시켰으므로, 힘이 한 일의 양=98 N×1.5 m=147 J이다.

6 중력에 의한 위치 에너지는 질량×높이에 비례한다. 따라서 물체 C와 E는 중력에 의한 위치 에너지가 서로 같다.

자료 분석+ 위치 에너지의 크기

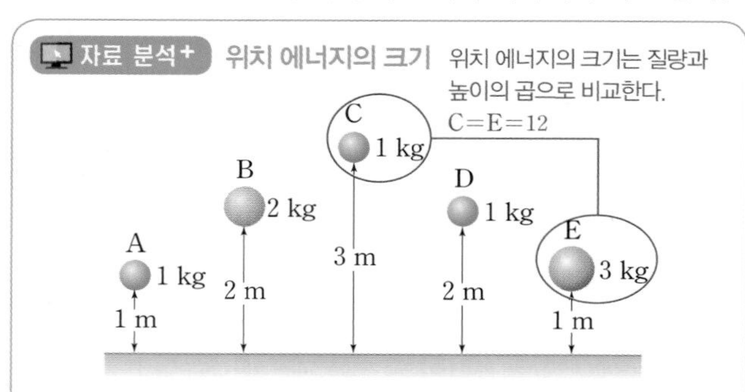

- 위치 에너지의 크기=9.8×질량(kg)×높이(m)
- 질량×높이로 비교한다.

7 운동 에너지는 $\frac{1}{2}$×질량(kg)×속력^2(m/s)^{2}이므로 물체 A는 질량이 물체 B의 $\frac{1}{2}$배, 속력은 2배이다. 따라서 물체 A의 운동 에너지는 물체 B의 2배이다.

자료 분석+ 운동 에너지의 크기

물체	질량(kg)	속력(m/s)
A	2 ↘ 2배	4 ↖ 2배
B	4	2

운동 에너지는 질량과 속력의 제곱에 비례하므로 A는 질량이 B의 $\frac{1}{2}$배, 속력은 2배이므로 A는 B의 2배이다.

8 수레의 운동 에너지는 수레의 속력의 제곱에 비례하므로, 수레의 속력이 2배가 되면 자가 밀려난 거리는 2^2=4배가 된다.

4일 감각 기관

기초 확인 문제 35, 37쪽

01 (1) D (2) A (3) B (4) E (5) C **02** ㄱ, ㄷ
03 (1) ㉢ (2) ㉣ (3) ㉠ (4) ㉡ **04** ㉠ 각막, ㉡ 시각 세포
05 ㉠ 축소, ㉡ 커 **06** (1) B (2) A (3) E (4) C (5) D
07 (1) 반고리관 (2) 전정 기관 **08** ㉠ 고막, ㉡ 청각 세포
09 (1) 코 (2) 혀 (3) 피부 **10** ㄱ, ㄷ

01 A는 각막, B는 동공, C는 수정체, D는 유리체, E는 망막을 나타낸 것이다.
(1) 유리체는 눈 안을 채우고 있는 투명한 물질이며, 눈의 형태를 유지해 준다.
(2) 각막은 홍채의 바깥을 감싸는 투명한 막으로, 빛을 통과시키며, 공막과 연결되어 있다.
(3) 동공은 홍채 사이에 뚫려 있는 구멍으로, 빛이 들어가는 통로가 된다.
(4) 망막에는 시각 세포가 있으며, 물체의 상이 맺히는 곳이다.
(5) 수정체는 빛을 굴절시켜 망막에 상이 맺히게 하며, 사진기의 볼록 렌즈 역할을 한다.

02 맹점은 망막에서 시각 신경이 모여 나가는 부분으로, 시각 세포가 없다.

03 홍채의 작용으로 동공의 크기가 변해 눈으로 들어오는 빛의 양이 조절되며, 물체와의 거리에 따라 수정체의 두께가 변해 망막에 뚜렷한 상이 맺힌다.
(1) 밝은 곳에서는 홍채가 확장되고 동공의 크기가 작아지면서 눈으로 들어오는 빛의 양이 감소한다.
(2) 어두운 곳에서는 홍채가 축소되고 동공의 크기가 커지면서 눈으로 들어오는 빛의 양이 증가한다.
(3) 가까운 곳을 볼 때는 섬모체가 수축하면서 수정체가 두꺼워진다.
(4) 먼 곳을 볼 때는 섬모체가 이완하면서 수정체가 얇아진다.

개념 체크+ 눈의 이상

• 근시 : 먼 곳의 물체를 볼 때 상이 망막 앞에 맺혀 잘 보이지 않음 → 오목 렌즈로 교정

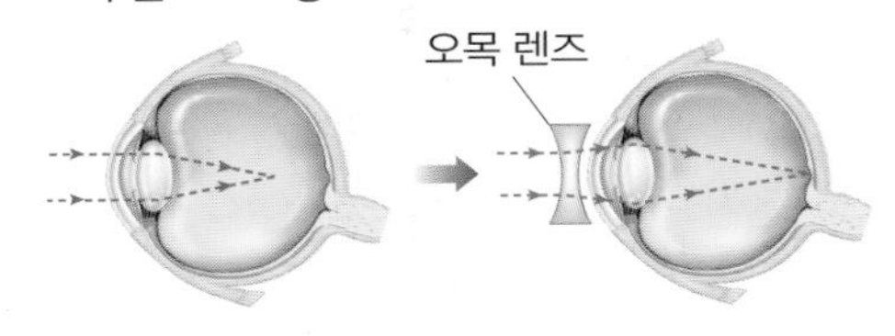

• 원시 : 가까운 곳의 물체를 볼 때 상이 망막 뒤에 맺혀 잘 보이지 않음 → 볼록 렌즈로 교정

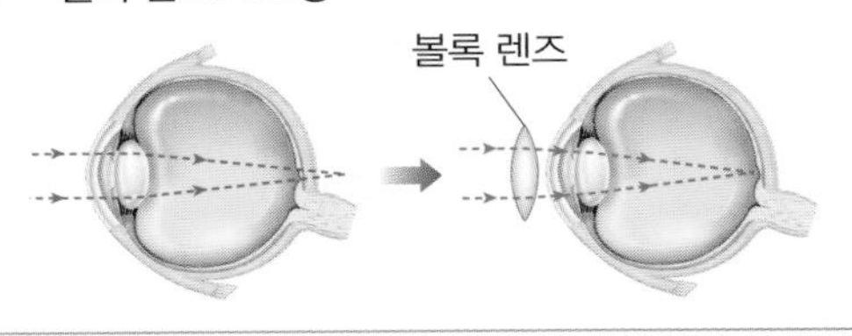

04 시각은 빛 → 각막 → 수정체 → 유리체 → 망막의 시각 세포 → 시각 신경 → 뇌의 순서로 자극이 전달되면서 물체의 모양, 크기, 색깔 등을 느낄 수 있다.

05 밝은 곳에 있다가 어두운 곳으로 들어가면 홍채가 축소되면서 동공의 크기가 커져서 눈으로 들어오는 빛의 양이 많아진다. 반면, 어두운 곳에 있다가 밝은 곳으로 들어가면 홍채가 확장되어 동공의 크기가 작아져서 눈으로 들어오는 빛의 양이 감소한다.

06 A는 외이도, B는 고막, C는 귓속뼈, D는 달팽이관, E는 귀인두관을 나타낸 것이다. 외이도는 귓바퀴와 고막 사이의 통로이며, 고막은 소리에 의해 진동하는 얇은 막이다. 귓속뼈는 고막의 진동을 증폭시켜 달팽이관에 전달하는 작은 뼈이며, 달팽이관은 청각 세포가 들어 있어 소리 자극을 청각 신경으로 전달한다. 귀인두관은 고막 바깥쪽과 안쪽의 압력이 같도록 조절한다.

07 반고리관은 3개의 고리가 서로 직각으로 연결되어 있고, 림프액이 들어 있어 몸이 회전하면 림프액이 움직이고 감각 세포를 흥분시켜 몸이 회전하는 것을 감지하게 된다. 전정 기관은 몸이 기울어짐에 따라 작은 돌이 움직이고, 이것이 감각 세포를 흥분시켜 몸의 기울어짐을 감지하게 된다.

08 청각은 소리 → 귓바퀴 → 외이도 → 고막 → 귓속뼈 → 달팽이관의 청각 세포 → 청각 신경 → 뇌의 순서로 전달된다.

09 코에서는 기체 상태의 화학 물질을 자극으로 받아들여 여러 가지 냄새를 맡으며, 가장 예민한 감각 기관이다. 혀에서는 액체 상태의 화학 물질을 자극으로 받아들여 맛을 느끼며, 기본 맛으로 단맛, 짠맛, 신맛, 쓴맛, 감칠맛이 있다. 피부에서는 접촉, 압력, 온도 변화 등을 자극으로 받아들여 촉감, 눌림, 아픔, 따뜻함, 차가움 등을 느끼며, 몸의 부위에 따라 감각점의 분포가 다르다.

10 피부 감각점은 특히 손끝, 입술, 목 등에 많이 분포하고, 몸의 부위에 따라 분포하는 정도가 달라서 부위마다 예민하게 느끼는 감각에 차이가 있다.

오답 풀이

ㄴ. 우리 몸의 감각점 수는 통점이 가장 많고, 그 다음으로 압점, 촉점, 냉점, 온점 순으로 분포한다.

내신 기출 베스트

38~39쪽

1 ④ 2 ② 3 (가), 오목 렌즈 4 ③
5 A → B → C → F 6 몸의 회전 : C, 반고리관, 몸의 기울어짐 : D, 전정 기관 7 ④ 8 ③

1 A는 각막, B는 홍채, C는 수정체, D는 망막을 나타낸 것이다. 빛을 굴절시켜 망막에 물체의 상이 맺히게 하는 곳은 수정체이며, 동공의 크기를 조절하여 눈으로 들어가는 빛의 양을 조절하는 곳은 홍채이다.

2 망막은 물체의 상이 맺히는 부분이며, 시각 세포가 있어 빛 자극을 받아들인다. 동공은 홍채 사이에 뚫려 있는 구멍으로, 빛이 들어가는 통로이다. 홍채는 동공의 크기를 조절하여 눈으로 들어가는 빛의 양을 조절한다. 어두운 곳에서 밝은 곳으로 나가면 홍채가 확장하고 동공의 크기가 작아지면서 눈으로 들어오는 빛의 양이 감소한다.

3 근시는 먼 곳의 물체를 볼 때 상이 망막 앞에 맺혀 잘 보이지 않는 상태로, 오목 렌즈로 교정한다. 반면 원시는 가까운 곳의 물체를 볼 때 상이 망막 뒤에 맺혀 잘 보이

지 않는 상태로, 볼록 렌즈로 교정한다.

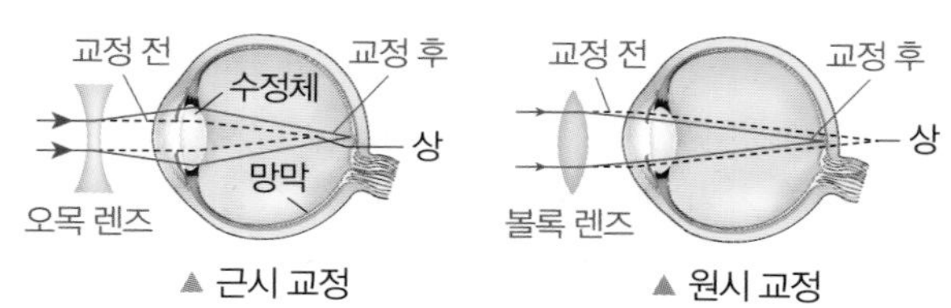

▲ 근시 교정 ▲ 원시 교정

4 맹점은 망막에서 시각 신경이 모여 나가는 부분으로, 시각 세포가 없어 상이 맺혀도 대뇌가 이를 인식할 수 없다.

5 A는 외이도, B는 고막, C는 귓속뼈, D는 반고리관, E는 전정 기관, F는 달팽이관, G는 귀인두관을 나타낸 것이다. 청각은 소리 → 귓바퀴 → 외이도 → 고막 → 귓속뼈 → 달팽이관(청각 세포) → 청각 신경 → 뇌의 순서로 전달된다.

6 A는 고막, B는 귓속뼈, C는 반고리관, D는 전정 기관, E는 달팽이관, F는 귀인두관을 나타낸 것이다. 몸이 회전하는 것은 반고리관에서, 몸이 기울어지는 것은 전정 기관에서 감지한다. 반고리관과 전정 기관에서 받아들인 자극이 평형 감각 신경을 통해 뇌로 전달되면 몸의 회전과 기울기를 감지하여 몸의 균형을 유지할 수 있다.

7 혀에서는 액체 상태의 화학 물질을 자극으로 받아들여 맛을 느끼며, 기본 맛으로는 단맛, 짠맛, 신맛, 쓴맛, 감칠맛이 있다. 음식 맛은 미각과 후각이 함께 작용하여 다양하게 느껴지는 것이다.

오답 풀이

ㄴ. 매운맛과 떫은맛은 혀의 맛세포에서 감지하여 느끼는 기본 맛이 아니라 각각 혀와 입속 피부의 통점과 압점에서 자극을 받아들여 느끼는 피부 감각이다.

8 후각은 다른 감각에 비해 예민하여 냄새 자극의 작은 변화에도 반응하지만, 쉽게 피로해져서 같은 냄새를 오래 느끼지 못한다.

5일 신경계

기초 확인 문제 43, 45쪽

01 (1) B (2) C (3) A 02 (1) 척수 (2) 대뇌 (3) 연수 (4) 신호 03 자율 신경 04 (1) B (2) C (3) A
05 (1) ㉡ (2) ㉠ (3) ㉣ (4) ㉤ (5) ㉢ 06 ㉠ 감각 신경, ㉡ 운동 신경 07 (1) 연수 (2) 중간뇌 (3) 척수
08 (1) E → C → A → B → F (2) E → D → F
09 (1) 내분비샘 (2) 이상 (3) 항상성 10 ㄱ, ㄴ
11 (1) ㉣ (2) ㉠ (3) ㉡ (4) ㉤ (5) ㉢

01 A는 가지 돌기, B는 신경 세포체, C는 축삭 돌기를 나타낸 것이다.
(1) 신경 세포체는 핵과 대부분의 세포질이 모여 있는 부분이다.
(2) 축삭 돌기는 신경 세포체에서 길게 뻗어 나온 돌기 부분으로, 가지 돌기에서 받아들인 자극을 다른 뉴런이나 기관으로 전달한다.
(3) 가지 돌기는 신경 세포체 주위에 나뭇가지처럼 나와 있는 돌기 부분으로, 다른 뉴런이나 기관으로부터 자극을 받아들인다.

02 (1) 중추 신경계는 뇌와 척수로 구성되며, 자극에 대해 판단하여 적절한 반응을 하도록 명령을 내린다.
(2) 대뇌는 감각 기관을 통해 받아들인 정보를 판단하여 적절한 명령을 내리며, 기억, 추리, 감정 등 다양한 정신 활동을 담당한다.
(3) 연수는 심장 박동, 소화액 분비, 호흡 운동 등을 조절하여 생명을 유지하는 중추 역할을 한다.
(4) 척수는 뇌와 말초 신경 사이에서 신호를 전달하는 통로이며, 자신의 의지와 관계없이 일어나는 반응의 조절 중추이다.

03 말초 신경계 중 자율 신경은 교감 신경과 부교감 신경으로 구분된다. 자율 신경은 내장 기관에 연결되어 있어 대뇌의 직접적인 명령 없이 심장 박동, 호흡 운동 등을 자율적으로 조절한다.

> **개념 체크+** 자율 신경
>
> 교감 신경과 부교감 신경은 같은 내장 기관에 분포하여 서로 반대 작용을 한다.

구분	교감 신경	부교감 신경
동공	확대	축소
침 분비	억제	촉진
심장 박동	촉진	억제
소화 운동	억제	촉진
호흡 운동	촉진	억제

04 뉴런은 기능에 따라 감각 뉴런, 연합 뉴런, 운동 뉴런으로 구분한다.

(1) 연합 뉴런은 감각 뉴런에서 전달된 자극을 종합, 판단하여 운동 뉴런에 명령을 내리며, 감각 뉴런과 운동 뉴런을 연결한다. 연합 뉴런은 뇌와 척수를 구성한다.

(2) 운동 뉴런은 연합 뉴런의 명령을 반응 기관에 전달한다.

(3) 감각 뉴런은 감각 기관에서 받아들인 자극을 연합 뉴런에 전달한다.

05 (1) 대뇌는 기억·추리·판단·감정 등 고등 정신 작용의 중추이며, 좌우 두 개의 반구로 이루어져 있고, 많은 주름이 있다. 감각 기관에서 받아들인 정보를 종합하여 운동 기관에 적절한 명령을 내린다.

(2) 소뇌는 근육 운동을 조절하고, 몸의 자세와 균형을 유지하는 역할을 한다.

(3) 중간뇌는 눈의 운동, 홍채의 수축과 이완을 조절한다.

(4) 간뇌는 체온 조절이나 체액의 농도 유지 등 몸의 상태를 일정하게 유지하는 역할을 한다.

(5) 연수는 심장 박동, 소화 운동, 호흡 운동 등을 조절하여 생명 유지의 중추 역할을 한다.

06 귀에서는 소리 자극을 받아들인다. 이러한 소리 자극은 감각 신경인 청각 신경을 통해 대뇌로 전달되어 분석된다. 대뇌의 연합 신경이 출발하라는 명령을 내리면, 이 명령은 척수를 지나 운동 신경을 거쳐 다리와 팔의 근육으로 전달되고, 최종적으로 몸의 근육을 움직여 출발하게 된다.

07 무조건 반사는 대뇌가 관여하지 않아 자신의 의지와 관계없이 일어나는 무의식적인 반응으로, 무조건 반사의 중추에는 척수, 연수, 중간뇌가 있다. 아이스크림을 먹었을 때 입안에서 침이 분비되는 것은 연수가 중추이고, 밝은 데서 어두운 영화관으로 들어갔더니 눈의 동공이 커지는 것은 중간뇌가 중추이며, 장미의 가시에 손이 닿자마자 나도 모르게 손을 떼는 것은 척수가 중추이다.

> **개념 체크+** 무조건 반사의 중추와 예
>
> 무조건 반사의 중추로는 척수, 연수, 중간뇌가 있다. 무조건 반사는 대뇌의 판단을 거치지 않기 때문에 반응하는 데까지 걸리는 시간이 짧다.

중추	예
척수	• 무릎 반사 • 뜨거운 것을 만지거나 날카로운 물체에 찔렸을 때 손을 떼는 행동 등
연수	• 재채기, 딸꾹질, 침 분비 등
중간뇌	• 눈 깜박임, 동공 반사

08 의식적 반응은 대뇌의 판단 과정을 거쳐 일어나며, 반응 경로는 E → C → A → B → F이다. 무릎 반사는 척수가 중추인 반응이며, 반응 경로는 E → D → F이다.

09 호르몬은 내분비샘에서 만들어져 혈액으로 분비되며, 혈관을 따라 온몸을 순환하다가 표적 세포나 표적 기관에 작용하여 그 기능을 조절한다. 적은 양으로도 큰 효과를 나타내며, 호르몬 분비량이 너무 많거나 적으면 몸에 이상 증상이 나타난다. 체온, 혈당량 유지 등 몸 안팎의 환경이 변해도 적절하게 반응하여 몸의 상태를 일정하게 유지하려는 성질을 항상성이라고 하며, 신경과 호르몬의 조절 작용으로 유지된다.

10 호르몬은 신경에 비해 작용 범위가 넓고, 효과가 지속적으로 나타난다.

오답 풀이

ㄷ. 신경은 호르몬에 비해 전달 속도가 느리다.

개념 체크+ 호르몬과 신경의 작용 비교

호르몬과 신경의 작용은 전달 속도, 작용 범위, 효과의 지속성 등에 차이가 있다.

구분	호르몬	신경
전달 매체	혈액	뉴런
전달 속도	비교적 느림	비교적 빠름
작용 범위	넓음	좁음
지속성	지속적	일시적

11 뇌하수체에서는 생장 호르몬, 갑상샘 자극 호르몬, 항이뇨 호르몬이 분비되고, 갑상샘에서는 티록신이 분비되며, 부신에서는 아드레날린이 분비된다. 이자에서는 인슐린과 글루카곤이 분비되고, 정소에서는 테스토스테론이 분비되며, 난소에서는 에스트로젠이 분비된다.

내신 기출 베스트 46~47쪽

1 ㄱ, ㄴ　2 ④　3 ②　4 ④　5 ⑤
6 (가) 연수, (나) 척수, (다) 중간뇌
7 호르몬 : 생장 호르몬, 내분비샘 : 뇌하수체
8 (1) 호르몬 A : 인슐린, 호르몬 B : 글루카곤 (2) 인슐린

1 A는 가지 돌기, B는 신경 세포체, C는 축삭 돌기를 나타낸 것이다. 가지 돌기는 감각 기관이나 주변의 뉴런으로부터 자극을 받아들인다. 신경 세포체는 핵과 대부분의 세포질이 모여 있는 부분으로, 여러 가지 생명 활동이 일어난다. 축삭 돌기는 주변의 뉴런이나 반응 기관으로 자극을 전달한다. 자극은 뉴런 내에서 가지 돌기에서 축삭 돌기 쪽으로 전달된다.

2 A는 대뇌, B는 간뇌, C는 중간뇌, D는 연수, E는 소뇌를 나타낸 것이다. 심장 박동, 소화 운동, 호흡 운동 등 생명 유지의 중추 역할을 하는 것은 연수이다.

3 A는 중추 신경계, B는 말초 신경계를 나타낸 것이다. 중추 신경계는 뇌와 척수로 구성되며, 자극에 대해 판단하여 적절한 반응을 하도록 명령을 내리며, 연합 신경으로 이루어진다. 말초 신경계는 온몸에 그물처럼 퍼져 있어 몸의 각 부분과 중추 신경계를 연결하며, 감각 신경과 운동 신경으로 구성되어 있다. 또한 말초 신경계에는 교감 신경과 부교감 신경으로 구분되는 자율 신경도 포함되며, 이는 내장 기관에 연결되어 있어 대뇌의 직접적인 명령 없이 심장 박동, 호흡 운동 등을 자율적으로 조절한다.

4 A는 중추 신경계인 척수를 나타낸 것이다. 척수는 등뼈인 척추 속에 들어 있는 신경 세포의 다발로, 뇌와 말초 신경 사이에서 신호를 전달하는 통로이며, 자신의 의지와 관계없이 일어나는 반응의 조절 중추이다.

오답 풀이

ㄷ. 근육 운동이나 몸의 자세와 균형을 유지하는 중추는 소뇌이다.

5 내분비샘에서 만들어진 호르몬은 별도의 분비관 없이 혈액으로 직접 분비되며, 특정 세포(표적 세포)나 기관(표적 기관)에 이르러 중요하고 고유한 조절 작용을 나타낸다. 또한 호르몬은 적은 양으로도 큰 효과를 나타내며, 분비량이 적절하지 않으면 몸에 이상 증상이 나타난다. 예를 들어 생장 호르몬이 과다 분비되면 거인증, 말단 비대증이 나타나고, 생장 호르몬이 부족하면 소인증이 나타난다.

오답 풀이

⑤ 호르몬은 내분비샘에서 만들어져 분비되고 혈액을 따라 특정 세포(표적 세포)나 기관(표적 기관)으로 이동한다.

6 딸꾹질이나 재채기, 침 분비는 연수, 뜨거운 물건을 만졌을 때 손을 급히 떼는 행동이나 무릎 반사는 척수, 눈 깜빡임이나 동공 반사는 중간뇌가 조절 중추이다.

7 호르몬은 적은 양으로도 큰 효과를 나타내기 때문에 분비량이 적절하지 않으면 몸에 이상 증상이 나타난다. 예를 들어 유년기에 생장 호르몬이 너무 많이 분비되면 거인증이 나타나고, 너무 적게 분비되면 소인증이 나타난다.

8 이자는 소화액과 호르몬을 모두 분비하므로, 외분비샘이자 내분비샘이다. 이자의 내분비샘에서 분비되는 호르몬 중 인슐린은 혈당량을 감소시키고, 글루카곤은 혈당량을 증가시킨다.

6일

누구나 100점 테스트 1회 48~49쪽

01 ⑤	02 ②	03 ③	04 ②	05 ㄱ
06 ②, ③	07 ①, ⑤	08 ④	09 ②	

10 ㉠ 위치 에너지, ㉡ 운동 에너지

01 토리첼리의 실험에서 대기가 누르는 압력에 의해 유리관 속의 수은 기둥이 어느 정도 내려오다가 멈추게 된다. 즉, 수은 기둥의 압력과 대기압이 평형 관계에 있다.

02 과자 봉지 속에 든 공기에 의한 압력과 과자 봉지 바깥에 있는 대기의 압력 차이에 의해 과자 봉지의 부피가 변한다. 만약 하늘을 날고 있는 비행기 내부와 같이 기압이 낮은 곳에서는 과자 봉지가 부풀어 오르고, 비행기가 착륙하면 외부 대기압이 높아지므로 과자 봉지의 부피가 줄어든다.

오답 풀이

ㄱ. 높이 올라갈수록 공기가 희박해지므로 기압이 낮아진다.

ㄷ. 바람은 기압이 높은 곳에서 낮은 곳으로 분다.

03 한랭 전선이 지나가면 기온은 하강하고 기압은 상승한다. 온난 전선은 따뜻한 공기가 찬 공기 위를 비스듬히 타고 상승하면서 구름을 형성하므로 층운형 구름이 발달한다.

오답 풀이

ㄷ. 폐색 전선은 한랭 전선의 이동 속도가 온난 전선의 이동 속도보다 빨라서 두 전선이 겹쳐져서 형성되므로 온대 저기압 발생 말기에 나타난다.

04 기압 배치로 볼 때 우리나라의 남동쪽에 고기압이 형성되어 있고 북서쪽에 저기압이 형성되어 있으므로 여름철의 전형적인 일기도이다.

05 운동하는 물체의 빠르기는 같은 시간 동안 이동한 거리가 클수록, 같은 거리를 이동하는 데 걸린 시간이 짧을수록 빠르다.

06 이웃한 자동차 간격이 일정하므로 자동차는 속력이 일정한 등속 운동을 한다. 등속 운동에서 이동 거리는 시간에 비례하여 일정하게 증가하는 직선 형태이고, 속력은 시간에 따라 변하지 않고 일정하므로 시간축에 나란한 직선 형태이다.

자료 분석+ 등속 운동

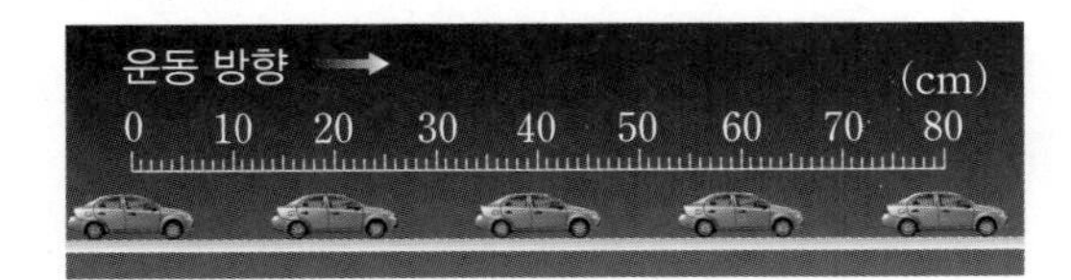

- 자동차의 운동 시간(초)$=0.1$(초)$\times 4=0.4$초
- 속력$=\dfrac{\text{이동 거리(cm)}}{\text{걸린 시간(초)}}=\dfrac{80\text{ cm}}{0.4\text{초}}=\dfrac{0.8\text{ m}}{0.4\text{초}}=2\text{ m/s}$
- 이동 거리는 0.1초마다 20 cm씩 증가한다. 즉 시간이 지날수록 이동 거리는 점점 증가한다. 시간－이동 거리 그래프는 원점을 지나는 기울기가 일정한 직선이다.

07 물체와 이웃한 물체 사이의 거리가 일정하므로 (가)와 (나) 물체는 모두 등속 운동을 한다. 일정 시간 간격으로 찍은 연속 사진의 경우 물체 사이의 거리가 멀수록 속력이 빠르므로 (나) 물체가 (가) 물체보다 속력이 더 빠르다.

오답 풀이

② (가)의 속력은 시간에 따라 변하지 않고 일정하다.

③ (나)의 속력은 일정하다.

④ (가)는 (나)보다 속력이 느리다.

자료 분석+ 등속 운동

구간 간격이 일정 ➜ 속력 일정
운동 방향
(가)
구간 간격 : (가) < (나)
운동 방향
(나)

- (가), (나) 모두 일정 시간 동안 이동한 거리가 일정하므로 속력이 일정한 등속 운동이다.
- 같은 시간 동안 (나)는 (가)보다 이동 거리가 크기 때문에 (가)보다 속력이 빠르다.

08 진공인 (나)에서 쇠구슬과 깃털의 속력이 점점 증가하는 까닭은 운동과 같은 방향으로 힘, 즉 중력이 작용하기 때문이다.

오답 풀이

④ 공기 중에서나 진공 중에서 떨어지는 물체는 모두 지구의 중력을 받는다. 다만 공기 중에서는 공기 저항을 중력과 반대 방향으로 받기 때문에 천천히 떨어진다.

09 물체의 무게는 2 N이다. 빗금 친 부분의 넓이는 일의 양과 같다. 한 일의 양$=2\ \mathrm{N}\times 4\ \mathrm{m}=8\ \mathrm{J}$. 물체에 한 일의 양은 이동 거리에 비례한다.

10 추를 들어 올리면 중력에 대해 추에 한 일이 추의 위치 에너지로 전환되고 추가 떨어지면 추의 위치 에너지가 감소하면서 추의 운동 에너지가 증가한다.

누구나 100점 테스트 2회 50~51쪽

01 ⑤	02 ②, ④	03 ②	04 ④	05 ④
06 ⑤	07 ③	08 ⑤	09 ④	10 ③

01 물체에 일을 해주면 물체의 에너지는 받은 일의 양만큼 증가하고, 물체가 일을 하면 물체의 에너지는 그만큼 감소한다. 즉, 에너지는 일의 양으로 나타낼 수 있으며 일과 에너지의 단위는 J(줄)을 사용한다.

02 추의 질량이 클수록, 추의 높이가 높을수록 추의 위치 에너지가 크다. 추의 위치 에너지가 나무 도막을 밀어내는 일을 하므로 나무 도막의 이동 거리는 추의 질량에 비례하고 추의 높이에 비례한다.

03 운동 에너지는 $\frac{1}{2}\times$질량(kg)$\times$속력^2(m/s)^{2}이므로 물체 A는 질량이 물체 B의 $\frac{1}{2}$배, 속력은 2배이다. 따라서 물체 A의 운동 에너지는 물체 B의 2배이다.

04 A는 각막, B는 홍채, C는 수정체, D는 맹점을 나타낸 것이다. 각막은 눈의 앞쪽에 있는 투명한 막으로, 빛을 통과시킨다. 홍채는 동공의 크기를 조절하여 눈으로 들어가는 빛의 양을 조절하며, 수정체는 볼록 렌즈와 같이 빛을 굴절시켜 망막에 물체의 상이 맺히게 한다.

오답 풀이

ㄷ. 맹점은 시각 신경이 모여 나가는 곳으로, 시각 세포가 없어 상이 맺혀도 볼 수 없다.

05 (가)는 밝은 곳에서의 동공의 크기를 나타낸 것이며, (나)는 어두운 곳에서의 동공의 크기를 나타낸 것이다. 눈에서는 홍채의 넓이 변화로 동공의 크기가 변하면서 눈으로 들어오는 빛의 양이 조절된다.

오답 풀이

ㄷ. 밝은 곳에서는 홍채가 확장되어 동공의 크기가 작아지며, 어두운 곳에서는 홍채가 축소되어 동공의 크기가 커진다.

06 (가)는 가까운 곳을 바라볼 때 섬모체가 수축되면서 수정체가 두꺼워진 상태를 나타낸 것이고, (나)는 먼 곳을 바라볼 때 섬모체가 이완되면서 수정체가 얇아진 상태를 나타낸 것이다. 눈에서는 수정체의 두께를 변화시켜 망막에 정확하게 상이 맺히도록 조절 작용이 일어난다.

오답 풀이

⑤ 가까운 곳에서 먼 곳을 바라보면 수정체의 두께가 (가)에서 (나)의 형태로 변하게 된다.

07 A는 고막, B는 귓속뼈, C는 반고리관, D는 전정 기관, E는 달팽이관, F는 귀인두관을 나타낸 것이다. 평형 감각은 눈으로 보지 않고도 몸이 회전하거나 기울어지는 것을 느끼는 감각을 말한다. 반고리관과 전정 기관에서 받아들인 자극이 평형 감각 신경을 통해 뇌로 전달되면 몸의 회전과 기울기를 감지하여 몸의 균형을 유지할 수 있다.

08 피부 감각점의 종류로는 통점, 압점, 촉점, 냉점, 온점이 있으며, 몸의 부위에 따라 분포하는 정도가 다르다. 분포 정도는 통점 > 압점 > 촉점 > 냉점 > 온점의 순서이고, 피부에 통점이 가장 많이 분포하기 때문에 우리 몸을 위험으로부터 보호하는 데 유리하다.

09 눈 깜빡임이나 동공의 크기가 조절되는 반응은 중간뇌가 조절 중추이고, 무릎 아래를 고무망치로 쳤더니 다리가 올라가는 반응은 척수가 조절 중추이며, 축구 선수가 날아오는 공을 보면서 떨어질 위치를 예측하여 이동하는 반응은 대뇌가 조절 중추이다.

10 A는 뇌하수체, B는 갑상샘, C는 부신, D는 이자, E는 정소와 난소이다. 뇌하수체에서는 생장 호르몬을 분비

하여 생장 촉진, 단백질 합성 촉진에 관여하고, 갑상샘에서는 티록신을 분비하여 물질대사(세포 호흡) 촉진, 체온의 유지에 관여한다. 이자에서는 인슐린과 글루카곤을 분비하며, 인슐린은 혈당량을 감소시키고(포도당 → 글리코젠) 글루카곤은 혈당량을 증가시킨다(글리코젠 → 포도당). 남성의 정소에서 분비되는 테스토스테론과 여성의 난소에서 분비되는 에스트로젠은 2차 성징의 발현에 관여한다. 부신에서 분비되는 아드레날린은 혈압 상승, 심장 박동 및 혈당량 증가에 관여한다.

서술형·사고력 **테스트** 52~53쪽

01 (1) B (2) 해설 참조 02 (1) 0.05 m/s (2) 해설 참조
03 (1) 9.8 m/s (2) 해설 참조 04 (1) 쇠공 (2) 해설 참조
05 (1) 추의 질량 (2) 추의 낙하 높이 (3) 추의 질량, 추의 높이 (4) 해설 참조 06 해설 참조 07 해설 참조

01 (1) 모래는 물보다 비열이 작아서 모래가 물보다 빨리 데워지고 빨리 식는다. 따라서 시간에 따른 온도 변화가 더 큰 A가 모래의 온도 변화선이고, B가 물의 온도 변화선이다.

(2) 모범 답안 향 연기는 물 쪽에서 모래 쪽으로 이동한다. 빨리 데워진 모래 바로 위 공기는 팽창하여 가벼워지므로 위로 상승한다. 이에 따라 모래 바로 위 공기가 줄어 기압이 낮아지므로 상대적으로 기압이 높은 물 쪽의 공기가 모래 쪽으로 이동하기 때문이다.

해설 | 차등 가열이 일어날 때 가열된 쪽 지표는 저기압, 냉각된 쪽 지표는 고기압이 형성되며, 기압 차로 인해 수평으로 바람이 분다.

채점 기준	배점(%)
물과 모래 위 공기의 부피와 기압 변화를 설명하고, 이를 통해 바람의 이동과 향 연기의 이동을 서술한 경우	100
공기의 부피와 기압 변화를 설명하지 않고 바람의 이동을 통해 향 연기의 이동만 서술한 경우	50

02 (1) 물체의 속력 $=\dfrac{\text{물체의 이동 거리}}{\text{걸린 시간}}$이다. 물체가 0.2초 동안 이동한 거리가 1 cm이므로 물체의 속력은 $\dfrac{1\ \text{cm}}{0.2\ \text{s}}=\dfrac{0.01\ \text{m}}{0.2\ \text{s}}=0.05\ \text{m/s}$이다.

(2) 모범 답안 등속 운동에서 이동 거리 = 속력 × 시간이므로 30초 동안 이동한 거리는 0.05 m/s × 30 초 = 1.5 m이다.

채점 기준	배점(%)
등속 운동의 식을 사용하여 옳게 구한 경우	100
계산 과정 없이 이동 거리만 구한 경우	50

03 (1) 시간 − 속력 그래프에서 기울기는 속력 변화이다. 1초 동안의 속력 변화 = 9.8 m/s

(2) 모범 답안 운동 방향과 같은 방향으로 물체에 중력이 작용하여 매초마다 속력이 9.8 m/s씩 빨라지는 자유 낙하 운동을 한다.

해설 | 시간 − 속력 그래프에서 속력이 1초마다 9.8 m/s씩 증가하는 운동은 자유 낙하 운동이다. 자유 낙하 운동은 물체가 운동 방향으로 중력을 받기 때문에 속력이 점점 빨라지는 운동이다.

채점 기준	배점(%)
주어진 용어와 속력 변화 값 9.8 m/s를 포함하여 옳게 서술한 경우	100
주어진 용어를 포함하고 속력이 빨라진다고 서술한 경우	50

04 (1) 무게는 물체의 질량에 중력 가속도 상수를 곱한 값이다. 달에서도 중력 가속도 상수는 일정하므로 질량이 큰 쇠공의 무게가 고무공보다 크다.

(2) 모범 답안 달에서 자유 낙하 하는 물체는 질량에 관계없이 속력 변화가 같기 때문에 같은 높이에서 떨어뜨린 쇠공과 고무공은 바닥에 동시에 떨어진다.

해설 | 질량이 다른 쇠공과 고무공을 같은 높이에서 동시에 놓아 떨어뜨리면 물체의 질량에 관계없이 속력 변화는 같으므로 바닥에 동시에 떨어진다.

채점 기준	배점(%)
질량과 관계없이 동시에 떨어진다고 서술한 경우	100
질량에 대한 언급없이 속력 변화가 같기 때문이라고 서술한 경우	50

05 (1) 추의 낙하 거리가 같을 때 나무 도막의 이동 거리는 추의 질량에 비례한다.
(2) 추의 질량이 같을 때 나무 도막의 이동 거리는 추의 낙하 높이에 비례한다.
(3) 추의 중력에 의한 위치 에너지는 낙하 높이와 질량에 각각 비례한다.
(4) 모범 답안 추의 중력에 의한 위치 에너지는 나무 도막의 이동 거리에 비례한다.
해설 | 높은 곳에 있는 추는 중력에 의한 위치 에너지를 가지고 있으며 갖고 있는 에너지가 나무 도막을 밀어내는 일로 전환된다. 따라서 나무 도막의 이동 거리는 추의 중력에 의한 위치 에너지에 비례한다.

채점 기준	배점(%)
위치 에너지와 나무 도막의 이동 거리 관계를 옳게 서술한 경우	100
비례라는 용어를 사용하지 않고 서술한 경우	30

06 모범 답안 D → E → F, 무조건 반사는 대뇌가 관여하는 의식적 반응보다 반응 속도가 빨라서 위험한 상황으로부터 우리 몸을 보호하는 데 유리하다.
해설 | 무조건 반사는 자극 → 감각 기관 → 감각 신경 → 반사 중추(척수, 연수, 중간뇌) → 운동 신경 → 반응 기관 → 반응의 경로를 거친다. 무조건 반사는 대뇌의 판단을 거치지 않기 때문에 반응하기까지 걸리는 시간이 짧아 위급하거나 위험한 상황에서 우리 몸을 보호하는 데 유리하다.

채점 기준	배점(%)
반응 경로를 쓰고, 대뇌가 관여하는 반응의 속도와 비교하여 우리 몸에 이로운 까닭을 옳게 서술한 경우	100
반응 경로만 옳게 서술한 경우	50

07 모범 답안 글루카곤은 간에 저장된 글리코젠을 포도당으로 분해하며, 그 결과 혈당량을 증가시킨다.
해설 | 혈당량이 정상보다 증가하면 이자에서 인슐린이 분비되어 혈당량을 낮추며, 혈당량이 감소하면 이자에서 글루카곤이 분비되어 간에 저장된 글리코젠을 포도당으로 분해하여 혈액으로 내보내어 혈당량을 증가시킨다.

채점 기준	배점(%)
작용하는 호르몬의 이름과 일어나는 반응, 그리고 결과를 모두 옳게 서술한 경우	100
작용하는 호르몬의 이름과 일어나는 반응 또는 그 결과 중 한 가지만 옳게 서술한 경우	50

창의·융합·코딩 테스트 54~55쪽

01 해설 참조 **02** 해설 참조 **03** (1) 해설 참조 (2) 0.1 m/s, 속력이 일정한 등속 운동을 한다. **04** 해설 참조 **05** (1) 29.4 J (2) 29.4 J **06** (1) 귀인두관 (2) 해설 참조 **07** 해설 참조

01 모범 답안

(가)

(나)

해설 | 해안가에서는 바다와 육지의 차등 가열로 낮에는 바다에서 육지로 해풍이 불고, 밤에는 육지에서 바다로 육풍이 분다.

채점 기준	배점(%)
(가)와 (나)에서 잘못된 부분을 모두 옳게 찾은 경우	100
(가)와 (나) 중에서 잘못된 부분을 한 가지만 옳게 찾은 경우	50

02 답

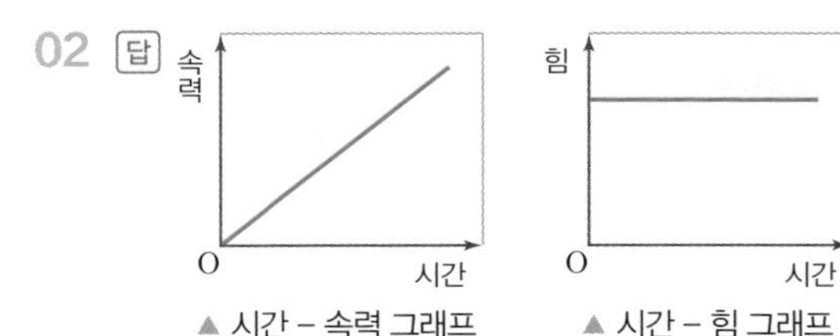

▲ 시간 – 속력 그래프 ▲ 시간 – 힘 그래프

해설 | 자유 낙하 하는 동안 일정한 크기의 중력이 추에 작용하고, 추는 중력을 받으며 떨어지기 때문에 속력이 일정하게 증가한다.

03 (1) 모범 답안

시간(s)	0	1	2	3	4
이동 거리(cm)	0	10	20	30	40

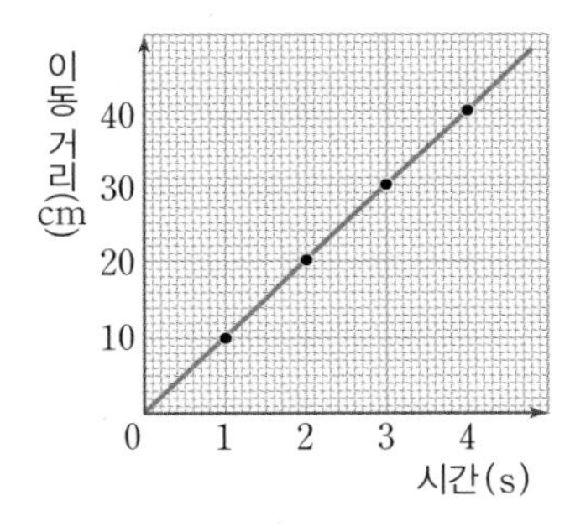

해설 | 자동차는 매초마다 10 cm씩 이동하였다. 따라서 이동 거리는 시간에 비례하여 일정하게 증가한다. 따라서 시간－이동 거리 그래프는 기울기가 10인 원점을 지나는 기울어진 직선 그래프이다.

(2) 모범 답안 속력이 0.1 m/s인 등속 운동을 한다.

채점 기준	배점(%)
(1) 표의 빈칸을 채우고 그래프를 옳게 그린 경우	100
(2) 속력과 등속 운동을 옳게 쓴 경우	
(1) 표의 빈칸과 그래프 중 한 가지만 옳게 쓴 경우	50
(2) 속력만 옳게 구한 경우	

04 모범 답안 물체의 질량, 물체의 운동 에너지는 물체의 질량에 비례한다.

해설 | 수레의 운동 에너지는 나무 도막을 밀어내는 일로 전환되므로, 나무 도막이 밀려난 거리는 수레의 운동 에너지에 비례한다. 수레가 나무 도막에 같은 속력으로 부딪치더라도 수레의 질량이 2배, 3배, …가 되면 나무 도막의 이동 거리도 2배, 3배, …가 되므로, 수레의 운동 에너지는 수레의 질량에 비례한다는 것을 알 수 있다.

채점 기준	배점(%)
요인을 옳게 쓰고 운동 에너지와 관계를 옳게 서술한 경우	100
요인과 운동 에너지와의 관계 중 한 가지만 옳게 서술한 경우	50

05 (1) 중력이 물체에 한 일의 양은 물체의 무게×낙하한 거리$=(9.8\times1)\text{N}\times3\text{ m}=29.4\text{ J}$이다.

(2) 중력이 물체에 해 준 일이 물체의 운동 에너지로 전환되므로 바닥에 도달하는 순간 물체의 운동 에너지는 일의 양과 같은 29.4 J이다.

06 (1) 귀인두관은 고막 바깥쪽과 안쪽의 압력이 같도록 조절한다.

(2) 모범 답안 침을 삼킬 때 귀인두관으로 공기가 들어오거나 빠져나오면서 고막 안쪽과 바깥쪽의 압력 차이가 조절되기 때문이다.

해설 | 높은 산이나 비행기가 이륙할 때 고막, 안쪽과 바깥쪽의 기압 차가 발생하여 귀가 먹먹해진다. 귀 안쪽의 귀인두관은 보통 닫혀 있다가 하품을 하거나 침을 삼킬 때 순간적으로 열리며, 이때 고막 안쪽과 바깥쪽의 압력 차이가 조절된다.

채점 기준	배점(%)
귀인두관과 이를 통해 압력의 조절 과정을 옳게 서술한 경우	100
귀인두관의 구조만 설명하고 압력의 조절 과정을 옳게 서술하지 못한 경우	50

07 모범 답안 피부 근처 혈관이 수축되면서 열 방출량이 줄어들고, 몸이 떨리는 근육 운동을 통해 열 발생량이 늘어난다.

해설 | 체온이 낮아지면 신경계의 작용으로 피부 근처 혈관이 수축되고, 몸이 떨리는 근육 운동이 나타난다.

채점 기준	배점(%)
몸의 변화를 열 방출량과 열 발생량의 두 가지와 연관시켜 옳게 서술한 경우	100
몸의 변화를 열 방출량과 열 발생량 중 한 가지만 연관시켜 옳게 서술한 경우	50

7일

학교시험 기본 테스트 1회

56~59쪽

01 ⑤	02 ㉠ 저, ㉡ 고	03 ④	04 ②	05 ③
06 ④	07 ②	08 ⑤	09 ④	10 ①, ⑤
11 ①	12 ⑤	13 ②	14 ③, ⑤	
15 D, 달팽이관	16 ④	17 ②	18 ④, ⑤	
19 ③	20 (가) 티록신, (나) 생장 호르몬			

01 달에는 대기가 없으므로 대기에 의한 압력이 작용하지 않는다. 또한 지구의 지표면에서 평균 기압은 1기압으로 1013 hPa이고, 고도가 높아질수록 공기가 희박해져서 기압은 점차 낮아진다. 따라서 A, B, C 기압의 대소 관계는 C > B > A이다.

02 지표면이 차등 가열되면 가열된 지표면 바로 위의 공기가 데워져 부피가 팽창하므로 가벼워져 상승하게 된다. 그렇게 되면 공기의 양이 줄어들어 저기압이 형성된다. 반면, 냉각된 쪽은 상층에서 하강한 공기로 인해 지표면 부근에 고기압이 형성된다.

03 지표 부근에 고기압이 형성되면 고기압 중심에서 바깥쪽으로 공기가 발산하고, 상층에서 지표 쪽으로 하강 기류가 형성된다. 이때 지표 부근에서 발산하는 공기는 지구 자전의 영향으로 북반구에서는 시계 방향, 남반구에서는 시계 반대 방향으로 불어 나간다. 반면, 지표 부근에 저기압이 형성되면 바깥쪽에서 저기압 중심 쪽으로 공기가 수렴하고, 지표에서 상층 쪽으로 상승 기류가 형성된다. 이때 지표 부근에서 수렴하는 공기는 지구 자전의 영향으로 북반구에서는 시계 반대 방향, 남반구에서는 시계 방향으로 불어 들어온다.

04 저기압이 형성된 A 지역에서는 상승 기류로 인해 날씨가 흐리고, 고기압이 형성된 B 지역에서는 하강 기류로 인해 날씨가 맑다.

오답 풀이

ㄱ, ㄴ. A 지역은 주변보다 기압이 낮고, B 지역은 주변보다 기압이 높다.

자료 분석+ 일기도 해석

A 쪽으로 갈수록 기압 감소

B 쪽으로 갈수록 기압 증가

- A는 주변보다 기압이 낮으므로 저기압이고, B는 주변보다 기압이 높으므로 고기압이다.
- 일기도상에서 고기압이 형성된 지역은 하강 기류가 나타나 공기 덩어리가 단열 압축되므로 공기 덩어리의 온도가 상승하여 상대 습도가 낮아져 맑은 날씨가 나타난다.
- 일기도상에서 저기압이 형성된 지역은 상승 기류가 나타나 공기 덩어리가 단열 팽창하므로 공기 덩어리의 온도가 하강하여 상대 습도가 높아져 흐린 날씨가 나타난다.

05 ② $\frac{100\text{ cm}}{5\text{ 초}}=\frac{1\text{ m}}{5\text{ 초}}=0.2\text{ m/s}$

④ $0.2\text{ m/s}\times 10\text{초}=2\text{ m}$

자료 분석+ 등속 운동

- 1초 동안 이동한 거리가 20 cm로 일정하다. 시간이 증가할수록 이동 거리는 점점 증가한다.
- 속력 $=\frac{\text{이동 거리}}{\text{걸린 시간}}=\frac{0.2\text{ m}}{1\text{초}}=0.2\text{ m/s}$

오답 풀이

③ 공은 속력이 변하지 않는 등속 운동을 하므로 이동 거리는 시간에 비례하여 일정하게 증가한다.

06 ① A의 속력 $=\frac{120\text{ m}}{2\text{ s}}=60\text{ m/s}$

② B의 속력 $=\frac{60\text{ m}}{2\text{ s}}=30\text{ m/s}$

③ 이동 거리 = 속력 × 시간에서 B의 속력이 30 m/s이므로 90 m = 30 m/s × 3 초

④, ⑤ A와 B 모두 시간-이동 거리 그래프가 원점을 지나는 기울기가 일정한 직선이므로 이동 거리는

시간에 비례하여 일정하게 증가한다.

오답 풀이

④ 시간－이동 거리 그래프가 원점을 지나는 기울기(＝속력)가 일정한 운동은 속력이 일정한 등속 운동이다.

자료 분석+ 등속 운동의 시간－이동 거리 그래프

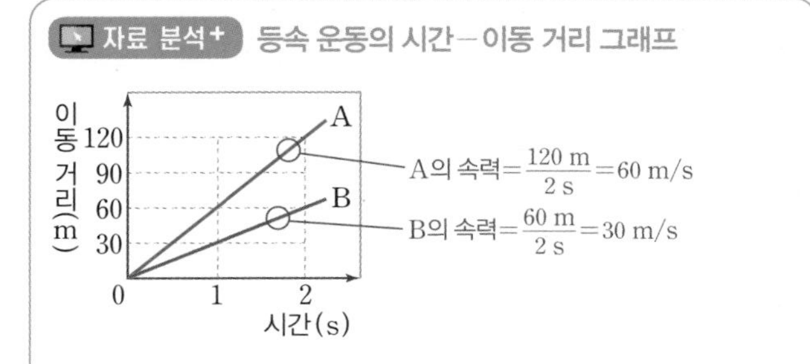

• 시간－이동 거리 그래프에서 직선의 기울기는 속력을 나타낸다.
• 같은 시간 동안 이동 거리는 A가 B보다 크다.
2초 동안 A는 120 m를 이동하고 B는 60 m를 이동하였다.

07 종이테이프를 잘라 붙인 그래프는 가로축이 시간, 세로축이 속력을 의미한다. 따라서 주어진 그래프는 속력이 시간에 비례하여 증가하는 물체의 운동을 나타낸다.

오답 풀이

③, ⑤는 속력이 일정한 운동, ①, ④는 속력이 감소하는 운동이다.

08 ②, ④ B는 낙하 후 1초가 지난 순간이므로 B에서의 속력은 9.8 m/s이다. 2초 후 C에서의 속력은 19.6 m/s, 3초 후 D에서의 속력은 29.4 m/s이다. 즉 속력이 점점 증가한다.

③ 낙하 후 2초가 지난 C에서의 속력은 1초가 지난 B에서의 속력의 2배이다.

오답 풀이

⑤ A에서부터 D까지의 평균 속력은 전체 낙하한 거리 44.1 m를 걸린 시간 3초로 나누어 구하므로 평균 속력$=\frac{44.1\text{ m}}{3\text{ 초}}=14.7$ m/s이다.

자료 분석+ 자유 낙하 운동

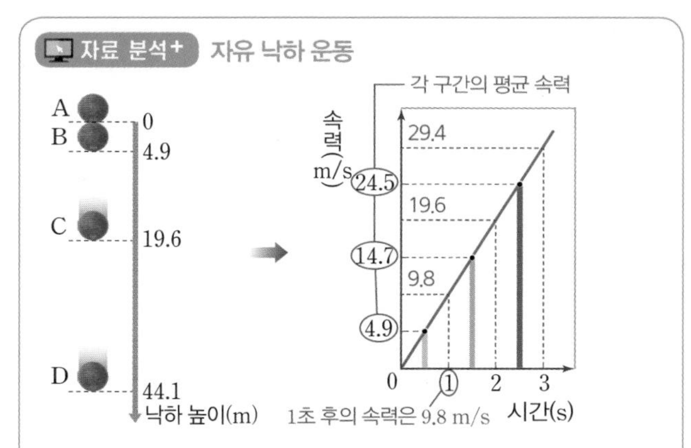

• 시간에 따른 물체의 구간 이동 간격이 일정하게 증가한다.
• 자유 낙하 하는 물체의 시간－속력 그래프는 원점을 지나는 기울기가 일정한 직선이다. 기울기는 중력 가속도 상수로 질량에 관계없이 9.8이다.
• 자유 낙하 하는 물체의 속력은 매초마다 9.8 m/s씩 증가하므로 2초 후의 속력은 19.6 m/s, 3초 후의 속력은 29.4 m/s이다.

09 위치 에너지는 높이에 비례하는데, 지면으로부터의 높이는 7 m, 베란다로부터의 높이는 3 m이므로 위치 에너지의 비는 7 : 3이다.

10 운동 에너지(J)$=\frac{1}{2}\times$질량(kg)$\times$속력^2(m/s)^2

11 물체의 질량이 2 kg으로 일정할 때, A의 운동 에너지는 B의 운동 에너지의 4배이다. 질량이 같을 때 운동 에너지는 속력의 제곱에 비례하므로 물체 A의 속력은 B의 2배이다.

12 D의 (가)는 질량이 같고 자의 이동 거리가 B의 4배이므로 이때 속력은 B의 속력(2 m/s)의 2배인 4 m/s가 된다. C의 (나)는 A와 질량은 같고 속력만 2배가 된 경우이므로 자의 이동 거리는 A의 2^2배, 즉 2 cm$\times 2^2=8$ cm가 된다.

자료 분석+ 운동 에너지 측정 값

구분	수레의 질량(kg)	수레의 속력(m/s)	자의 이동 거리(cm)
A	2	2	2
B	4	2	4
C	2	4	(나)
D	4	(가)	16

(A→C 속력 ×2 배, B→D 이동 거리 ×4 배)

- D는 B와 수레의 질량이 같은데 자의 이동 거리가 B의 4배, 즉 $4 \times 4 = 16$이므로 수레의 속력 (가)는 B의 2배인 4 m/s이다.
- C는 수레의 질량이 A와 같은데 속력이 2배이므로 자의 이동 거리는 A의 4배인 $2 \times 4 = 8$(cm)가 된다.

13 A는 각막, B는 홍채, C는 망막, D는 맹점, E는 시각 신경을 나타낸 것이다. 각막은 공막과 연결되어 있으며, 홍채의 바깥을 감싸는 투명한 막이다. 망막은 물체의 상이 맺히는 부분이며, 시각 세포가 있어 빛 자극을 받아들인다. 맹점은 시각 신경이 모여 나가는 곳으로, 시각 세포가 없어 상이 맺혀도 보이지 않는다. 시각 신경은 시각 세포에서 받아들인 자극을 뇌로 전달하는 감각 신경이다.

오답 풀이

② B는 홍채로, 동공의 크기를 조절하여 눈으로 들어오는 빛의 양을 조절한다.

14 물체와의 거리에 따라 수정체의 두께가 변해 망막에 또렷한 상이 맺히며, 가까운 곳을 볼 때는 섬모체가 수축하면서 수정체가 두꺼워지고 먼 곳을 볼 때는 섬모체가 이완하면서 수정체가 얇아진다.

오답 풀이

⑤ 눈의 밝기 조절은 홍채의 작용으로 눈으로 들어오는 빛의 양을 조절하면서 이루어진다.

15 A는 고막, B는 반고리관, C는 전정 기관, D는 달팽이관, E는 청각 신경, F는 귀인두관을 나타낸 것이다. 달팽이관에는 청각 세포가 있어 소리를 자극으로 받아들인다.

16 감각점이 많이 분포할수록 두 점으로 느끼는 최단 거리가 짧아진다. 등에서 두 개의 점으로 인식하는 최단 거리가 41 mm이므로 이쑤시개 거리가 20 mm인 경우에는 두 점으로 인식하지 못한다.

17 중추 신경계는 뇌와 척수로 구성되며, 자극에 대해 판단하여 적절한 반응을 하도록 명령을 내린다. 말초 신경계는 온몸에 그물처럼 퍼져 있어 몸의 각 부분과 중추 신경계를 연결하며, 감각 신경과 운동 신경으로 구성되어 있다. 자율 신경은 내장 기관에 연결되어 있어 대뇌의 직접적인 명령 없이 심장 박동, 호흡 운동 등을 자율적으로 조절한다.

오답 풀이

② 감각 신경은 감각 기관에서 받아들인 자극을 중추 신경계로 전달한다.

18 맛세포에서 액체 상태의 화학 물질을 자극으로 받아들이며, 미각과 후각이 함께 작용하여 다양한 맛을 느끼기 때문에 감기에 걸려 코가 막히면 맛을 잘 느낄 수 없게 된다.

오답 풀이

① 사람의 감각 중 가장 예민한 것은 후각이지만, 쉽게 피로해진다.
② 혀의 기본 맛에는 단맛, 쓴맛, 짠맛, 신맛, 감칠맛이 있다.
③ 음식의 다양한 맛은 미각과 후각이 함께 작용한다.

19 무조건 반사는 대뇌가 관여하지 않아 자신의 의지와 관계없이 일어나는 무의식적 반응으로, 조절 중추로는 척수, 연수, 중간뇌가 있다. 무조건 반사는 의식적 반응보다 반응이 빠르게 일어나 갑작스러운 위험에 처했을 때 신속하게 대처하여 우리 몸을 보호할 수 있다.

20 호르몬 분비량이 너무 많거나 적으면 몸에 이상 증상이 나타난다. 갑상샘에서 티록신이 너무 많이 분비되면 갑상샘 기능 항진증이, 너무 적게 분비되면 갑상샘 기능 저하증이 나타난다. 성장기에 생장 호르몬이 너무 많이 분비되면 키가 비정상적으로 커지며, 너무 적게 분비되면 몸의 생장이 제대로 이루어지지 않아 소인증이 나타난다. 성장기 이후에도 생장 호르몬이 계속 분비되면 손, 발, 코 등의 몸의 말단 부위가 비정상적으로 커지는 말단 비대증이 나타난다.

학교시험 기본 테스트 2회

60~63쪽

01 ③	02 ①	03 ⑤	04 (가) 여름, (나) 겨울		
05 C−D−A−B			06 ④	07 ②	08 ①
09 ③	10 ④	11 ⑤	12 ④	13 ③	
14 해설 참조		15 ⑤	16 ⑤	17 ④	18 ④
19 ③	20 ③				

01 에어컨은 냉매의 상태 변화에 따른 열의 출입을 이용한 장치이다.

오답 풀이

① 빨대를 빨아들이면 빨대 속 압력이 대기의 압력보다 낮아져 빨대 속으로 음료수가 들어온다.

② 분무기의 손잡이를 누르면 분무기 내부의 압력이 높아져 분무기 속 액체가 바깥으로 빠져나온다.

④ 흡착 빨판의 납작한 안쪽 부분을 유리에 밀착한 채로 밀면 흡착 빨판과 유리 사이의 공기가 빠지면서 외부 공기와 기압 차이가 커져서 빨판이 유리에 달라붙게 된다.

⑤ 모터를 회전시켜 진공 청소기 속의 공기를 밖으로 뽑아내면 청소기 안의 압력은 공기의 압력보다 낮아지게 된다. 이 압력 차이 때문에 먼지들이 공기와 함께 기압이 낮은 진공 청소기의 호스 속으로 들어간다.

02 바람의 방향은 바람이 불어가는 쪽이 아닌 바람이 불어오는 쪽을 가리킨다. 따라서 문제의 그림에 나와 있는 계절풍은 남동 계절풍이다.

오답 풀이

② 남동 계절풍은 북태평양 기단에서부터 불어오는 바람이므로 북태평양 기단의 성질을 닮아 고온 다습한 바람이다.

③ 남동 계절풍은 여름철에 부는 계절풍이다.

④ 바람은 고기압에서 저기압 쪽으로 불며, 고기압이 형성된 지역은 저기압이 형성된 지역보다 기온이 낮다.

⑤ 남동 계절풍은 우리나라를 기준으로 남동쪽에 고기압, 북서쪽에 저기압이 형성되었을 때 불게 된다. 따라서 시베리아 지역에 저기압이 위치한다.

03 찬물은 더운물보다 밀도가 크고, 찬물과 더운물은 바로 섞이지 않으므로 칸막이를 천천히 들어 올릴 때 찬물이 더운물 아래로 이동한다.

자료 분석+ 전선 형성 실험

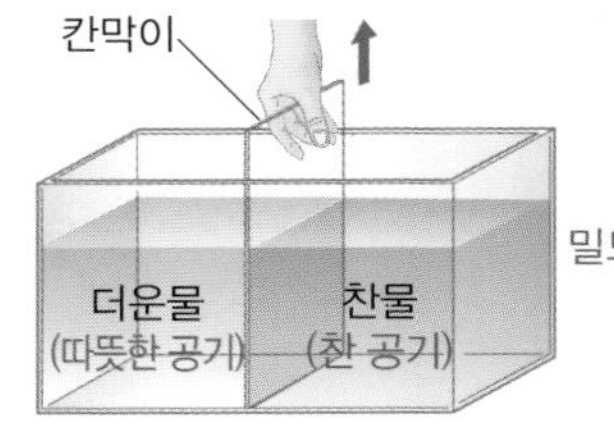

밀도: 찬물 > 따뜻한 물

• 찬물과 따뜻한 물이 만나거나 찬 공기와 따뜻한 공기가 만나면 금방 섞이지 않고 경계면을 만든다. 이때 생기는 경계면을 전선면이라 하고, 전선면과 지표면이 만나서 생기는 선을 전선이라고 한다.

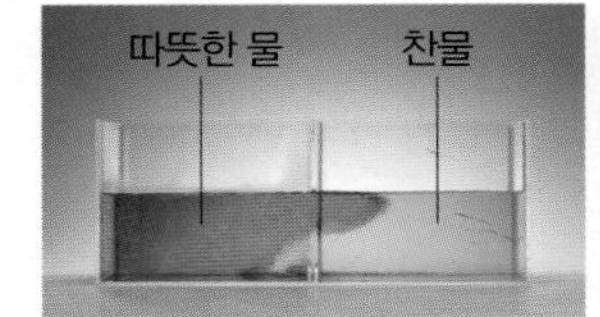

▲ 칸막이를 제거한 직후

▲ 칸막이를 제거한 후 어느 정도 시간이 흐른 후

04 (가)는 남고북저형의 기압 배치를 보이므로 여름철 일기도이고, (나)는 서고동저형의 기압 배치를 보이므로 겨울철 일기도이다.

자료 분석+ 계절별 일기도

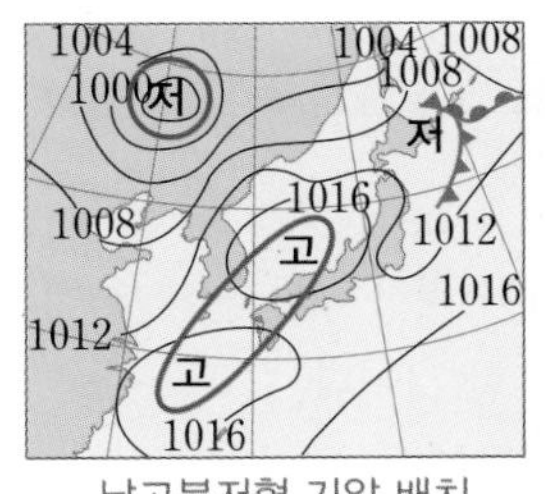

남고북저형 기압 배치

(가)

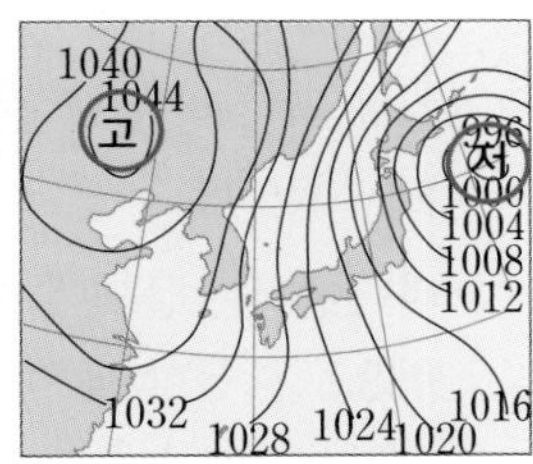

서고동저형 기압 배치

(나)

• (가) 남고북저형 기압 배치 : 여름철의 전형적인 기압 배치 → 남동 계절풍

• (나) 서고동저형 기압 배치 : 겨울철의 전형적인 기압 배치 → 북서 계절풍

• 봄·가을의 기압 배치 : 이동성 고기압과 저기압이 불규칙하게 분포한다.

• 등압선이 조밀하고 등압선 모양이 원형이면 태풍을 나타내므로 여름철 일기도일 확률이 높다.

05 A : $\frac{144\text{ km}}{2\text{ h}}=\frac{144000\text{ m}}{(2\times3600)\text{ s}}=20\text{ m/s}$

B : $\frac{100\text{ m}}{20\text{ s}}=5\text{ m/s}$

C : $\frac{2400\text{ m}}{1\text{분}}=\frac{2400\text{ m}}{60\text{ s}}=40\text{ m/s}$

D : $\frac{108\text{ km}}{1\text{ h}}=\frac{108000\text{ m}}{3600\text{ s}}=30\text{ m/s}$

06 물체의 속력이 시간에 따라 변하지 않고 일정하므로 등속 운동을 한다. 등속 운동의 시간－이동 거리 그래프에서 기울기는 일정한 시간 동안 이동한 거리이므로 속력을 나타낸다.

07 (가)는 등속 운동, (나)는 속력이 일정하게 증가하는 운동을 나타낸다. 무빙워크는 시간에 따라 속력이 변하지 않고 일정한 운동을 하므로 (가)에 해당한다.

오답 풀이

ㄱ. (가)는 속력이 일정한 운동을 한다.

ㄷ. (나)는 속력이 시간에 비례하여 일정하게 증가하는 운동을 한다.

08 다중 섬광 사진은 일정한 시간 간격으로 사진을 찍는다. 공이 단위 시간당 이동하는 거리가 점점 증가하므로 속력이 일정하게 증가하는 운동이다.

오답 풀이

ㄴ. 자유 낙하 운동은 물체의 질량에 관계없이 속력이 일정하게 증가한다.

ㄷ. 자유 낙하 하는 물체에 작용하는 힘은 크기가 일정한 중력이다.

09 ㄱ. 과학에서는 물체에 힘이 작용하여 물체가 힘의 방향으로 이동할 때 일을 한 것이다.

ㄴ. 일의 단위로 J(줄)을 사용한다.

ㄷ. 힘이 물체에 한 일의 양은 힘의 크기와 물체가 힘의 방향으로 이동한 거리의 곱으로 구하므로, 같은 크기의 힘을 작용하더라도 물체를 힘의 방향으로 이동한 거리가 클수록 물체에 한 일의 양이 크다.

10 나무 도막이 밀려난 거리는 추의 질량, 추의 높이 및 추의 중력에 의한 위치 에너지에 비례한다. 나무 도막을 밀어낼 때 클립(집게)과 나무 도막 사이의 접촉면에서 작용하는 힘은 항상 일정하다.

11 수레가 자에 같은 속력으로 부딪치더라도 수레의 질량이 2배, 3배, …가 되면 자의 이동 거리도 2배, 3배, …가 되므로, 운동 에너지는 수레의 질량에 비례한다는 것을 알 수 있다.

자료 분석+ 물체의 질량과 운동 에너지

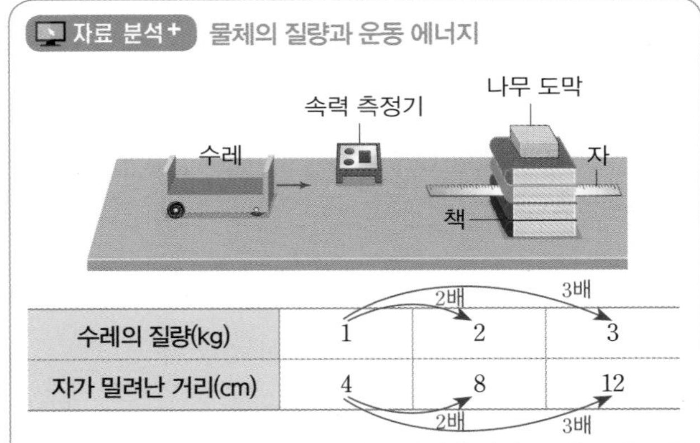

수레의 질량(kg)	1	2	3
자가 밀려난 거리(cm)	4	8	12

• 질량이 2배, 3배로 늘어날 때 자가 밀려난 거리도 2배, 3배로 증가한다.

• 수레의 운동 에너지가 자를 밀고 가는 일을 하므로 수레의 운동 에너지는 자의 이동 거리에 비례한다.

12 시간－속력 그래프 아랫부분의 넓이는 이동 거리를 나타내므로, 이동 거리는 3 m/s×5 s=15 m이다. 따라서 한 일의 양=5 N×15 m=75 J이다. 또 5초일 때 수레의 속력은 3 m/s이다. 수레의 질량은 4 kg이므로 수레의 운동 에너지는 $\frac{1}{2}\times4\text{ kg}\times(3\text{ m/s})^2=18\text{ J}$이다.

자료 분석+ 운동 에너지가 한 일

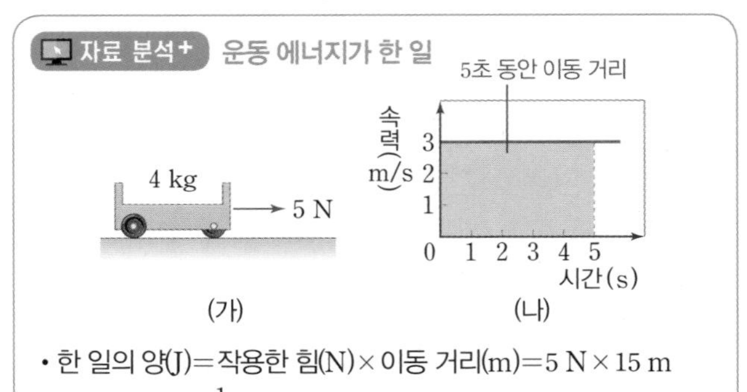

• 한 일의 양(J)＝작용한 힘(N)×이동 거리(m)＝5 N×15 m

• 운동 에너지＝$\frac{1}{2}mv^2=0.5\times4\times3^2=18$(J)

13 시각은 빛 → 각막 → 수정체 → 유리체 → 망막 → 시각 신경 → 뇌의 순서로 전달된다.

14 모범 답안 후각은 감각 기관 중 가장 예민하여 쉽게 피로해지기 때문이다.

해설 | 후각은 가장 예민하여 쉽게 피로해지므로 같은 냄새를 오래 맡으면 그 냄새를 잘 느끼지 못한다.

채점 기준	배점(%)
모범 답안과 같이 서술한 경우	100
가장 예민하기 때문이라고만 서술하거나 쉽게 피로해지기 때문이라고만 서술한 경우	50

15 어두운 곳에서 밝은 곳으로 이동하면 홍채가 확장되고 동공의 크기가 작아지면서 눈으로 들어오는 빛의 양이 감소한다.

오답 풀이

ㄴ. 책을 보다가 창밖의 먼 곳을 바라보면 섬모체가 이완하면서 수정체의 두께가 얇아진다.

16 A는 반고리관, B는 전정 기관, C는 달팽이관을 나타낸 것이다. 반고리관은 3개의 고리가 서로 직각으로 연결되어 있고, 림프액이 들어 있어 몸이 회전하면 림프액이 움직이고 감각 세포를 흥분시켜 몸이 회전하는 것을 감지한다. 놀이기구를 타다가 내렸을 때 한동안 어지럼증을 느끼는 까닭은 반고리관 속 액체인 림프액이 회전을 멈추더라도 한동안 돌기 때문이다. 전정 기관은 몸이 기울어짐에 따라 작은 돌이 움직이고, 이것이 감각 세포를 흥분시켜 몸이 기울어짐을 감지한다. 따라서 전정 기관에 이상이 생기면 걸음을 걸을 때 중심을 잘 잡지 못한다. 달팽이관에는 청각 세포가 들어 있어 공기의 진동을 자극으로 받아들인다.

17 혀에서 느끼는 5가지의 기본 맛에는 단맛, 짠맛, 신맛, 쓴맛, 감칠맛이 있으며, 매운맛은 혀와 입속 피부의 통점에서 자극을 받아들여 느끼는 피부 감각이다.

18 말초 신경계는 중추 신경계에서 뻗어 나와 온몸에 그물처럼 퍼져 있으며, 감각 신경과 운동 신경으로 구분된다. 감각 신경은 감각 기관에서 받아들인 자극을 중추 신경계로 전달하고, 운동 신경은 중추 신경계에서 내린 명령을 반응 기관에 전달한다. 자율 신경은 내장의 기능을 조절하여 몸의 내부 상태를 일정하게 유지하는 데 관여한다. 무릎 반사의 중추는 척수이다.

19 눈으로 보고 잡을 때는 빛 자극 → 눈(망막)의 시각 세포 → 시각 신경 → 대뇌 → 척수 → 운동 신경 → 손의 근육의 순서로 자극이 전달되고, 소리를 듣고 잡을 때는 소리 자극 → 귀(달팽이관)의 청각 세포 → 청각 신경 → 대뇌 → 척수 → 운동 신경 → 손의 근육의 순서로 자극이 전달된다. 따라서 자극의 종류에 따라 반응하기까지 걸리는 시간이 다르다. 실험을 반복할수록 학습 효과가 나타나 반응 시간이 짧아진다. 눈으로 볼 때와 소리를 들을 때의 반응 모두 대뇌가 관여하는 반응이다.

20 글루카곤은 이자에서 분비되며, 간에 저장된 글리코젠을 포도당으로 분해하여 혈당량을 높이는 역할을 한다. 인슐린은 이자에서 분비되며, 포도당을 글리코젠으로 전환하여 간에 저장함으로써 혈당량을 낮추는 역할을 한다.

초등에 나오는 과학 용어 풀이

❶ 기압 (기운 氣, 누를 壓)

공기의 ❶[ ]로 생기는 누르는 힘을 말하며, 기압의 차이로 공기가 이동하는 것을 ❷[ ]이라고 한다.

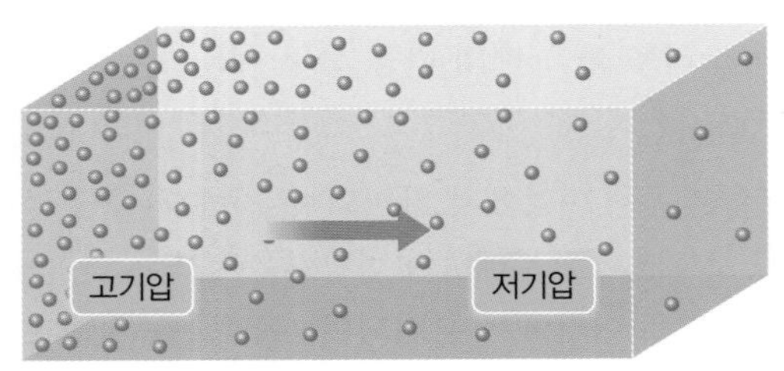

▲ 기압 차에 의한 공기의 이동

답 ❶ 무게 ❷ 바람

예1 일정한 부피에 공기 알갱이가 많을수록 공기는 무거워지고 기압이 높아진다.

예2 일정한 부피 속의 차가운 공기는 따뜻한 공기보다 공기 알갱이가 더 많아 무겁고 기압이 높다.

❷ 해풍(바다 海, 바람 風), 육풍(뭍 陸, 바람 風)

낮에 바다에서 육지로 부는 바람을 ❶[ ], 밤에 육지에서 바다로 부는 바람을 ❷[ ]이라고 한다.

▲ 해풍

▲ 육풍

답 ❶ 해풍 ❷ 육풍

예1 낮에 육지가 바다보다 온도가 높아 육지 위에 저기압이, 바다 위에 고기압이 형성되어 해풍이 분다.

예2 밤에 바다가 육지보다 온도가 높아 바다 위에 저기압이, 육지 위에 고기압이 형성되어 육풍이 분다.

❸ 신경계(신 神, 지날 經, 이을 系)

감각 기관이 받아들인 자극은 신경계로 전달되고, 신경계는 행동을 결정하여 ❶[ ] 기관에 명령한다.

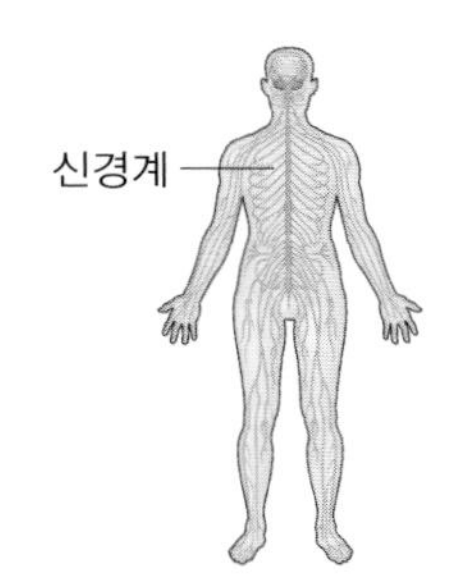

답 ❶ 운동

예1 감각 기관이 받아들인 자극은 온몸에 퍼져 있는 신경계를 통해 전달된다.

예2 신경계는 전달된 자극을 해석하여 행동을 결정하고, 운동 기관에 명령을 내린다.

❹ 기관 (그릇 器, 벼슬 官)

몸을 움직이기 위해서는 몸속의 ❶[ ], 소화 기관, 호흡 기관, 순환 기관, 배설 기관, ❷[ ] 등이 서로 영향을 주고받으며 각각의 기능을 수행해야 한다.

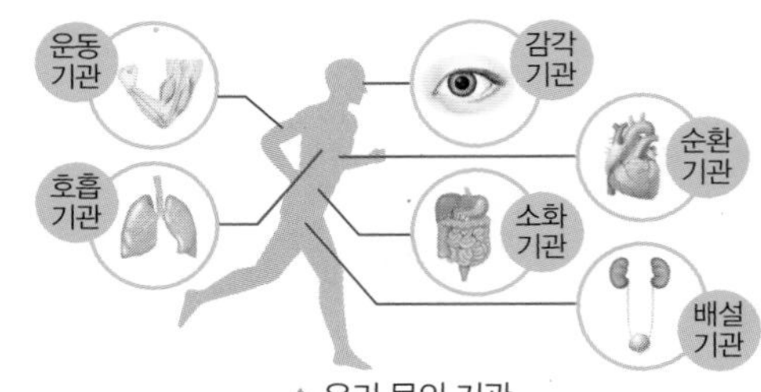

▲ 우리 몸의 기관

답 ❶ 운동 기관 ❷ 감각 기관

예1 영양소는 소화 기관에서 얻고, 산소는 호흡 기관에서 얻으며, 순환 기관을 거쳐 온몸으로 전달된다.

예2 이산화 탄소는 호흡 기관으로 전달되고, 노폐물은 배설 기관으로 전달되어 몸 밖으로 내보내진다.

핵심 정리 01 기압

● **기압(대기압)**

공기가 단위 넓이에 작용하는 힘 → ❶ [ ] 방향으로 동일하게 작용

● **1기압의 크기**

76 cm 높이의 수은 기둥이 누르는 압력에 해당하는 기압의 크기

1 기압 = ❷ [ ] hPa = 76 cmHg = 760 mmHg
= 10 m 물기둥의 압력
= 공기 기둥 약 1000 km의 압력

● **기압의 변화**

높이 올라갈수록 공기의 양이 줄어들므로 기압은 낮아지고, 공기가 계속 움직이므로 시간과 장소에 따라 기압이 달라진다.

답 ❶ 모든 ❷ 1013

핵심 정리 02 온난 전선과 한랭 전선

구분	온난 전선	한랭 전선
전선면	따뜻한 공기 / 찬 공기 / 이슬비 / 지표면 따뜻한 기단이 찬 기단 위로 타고 오르면서 생기는 기단	찬 공기 / 따뜻한 공기 / 소나기 / 지표면 찬 기단이 따뜻한 기단 아래로 파고들면서 생기는 기단
전선면의 기울기	❶ [ ]	급함
구름	층운형	❷ [ ]
강수	넓은 지역, 약한 비	좁은 지역, 강한 비
전선 통과 후 기온/기압	상승/하강	하강/상승

답 ❶ 완만함 ❷ 적운형

핵심 정리 03 운동의 표현

● **운동**

• 속력 : 물체가 단위 ❶ [ ] 동안 이동한 거리

$$속력(m/s)=\frac{이동\ 거리(m)}{시간(s)}$$

– 단위 : m/s(미터 매 초), km/h(킬로미터 매 시)

예 1 km=1000 m이고 1시간=3600초이므로 속력의 단위를 변환할 수 있다.

$$36\ km/h=\frac{36000\ m}{3600\ s}=10\ m/s$$

• 평균 속력 : 운동 중의 속력 변화에 상관없이 물체가 이동한 전체 ❷ [ ] 를 걸린 시간으로 나누어 구한 속력

● **운동의 기록(다중 섬광 사진)**

물체의 운동을 일정 시간 간격으로 촬영하여 기록함.

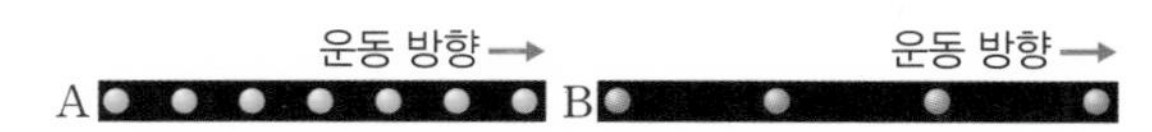

예 같은 시간 간격일 경우 물체 B가 A보다 속력이 빠르다.

답 ❶ 시간 ❷ 이동 거리

핵심 정리 04 등속 운동

● **등속 운동**

시간에 따라 ❶ [ ] 이 변하지 않고 일정한 운동

• 이동 거리는 ❷ [ ] 에 비례하여 일정하게 증가

$$이동\ 거리(m)=속력(m/s)\times 시간(s)$$

• 등속 운동의 예 : 모노레일, 무빙워크, 스키장 리프트, 컨베이어, 에스컬레이터 등

● **등속 운동 그래프**

시간–이동 거리 그래프	시간–속력 그래프
이동 거리 / 기울기가 일정한 직선 / 기울기 =속력 / O / 시간	속력 / 아랫부분의 넓이 =이동 거리 / O / 시간
이동 거리가 시간에 비례하여 일정하게 증가	속력이 시간에 따라 변하지 않고 일정

답 ❶ 속력 ❷ 시간

02 이것만은 꼭! 온난 전선과 한랭 전선

[예제] 그림과 같이 찬 기단이 따뜻한 기단 아래로 파고들면서 형성되는 기단은?

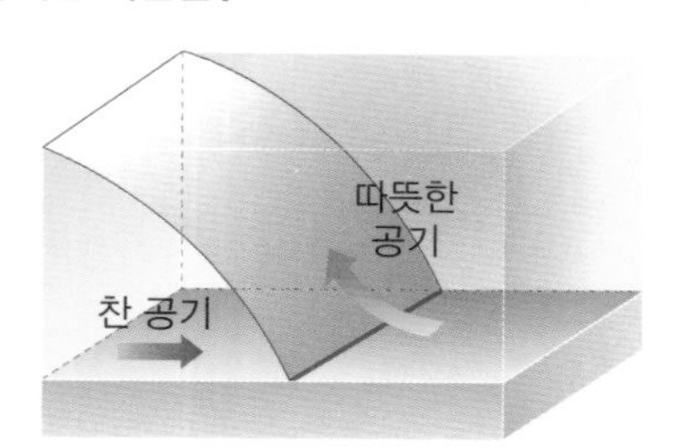

✓① 한랭 전선　② 온난 전선
③ 폐색 전선　④ 정체 전선
⑤ 장마 전선

기억해요!

이동 속력이 빠른 ______이 온난 전선을 따라잡아 겹쳐져서 생기는 전선을 ______이라고 한다.

답 한랭 전선, 폐색 전선

01 이것만은 꼭! 기압

[예제] 다음 〈보기〉의 기압 값을 크기가 작은 것부터 큰 것 순서로 나타낸 것으로 옳은 것은?

보기
ㄱ. 1024 hPa
ㄴ. 물기둥 76 cm의 압력
ㄷ. 수은 기둥 76 cm의 압력

① ㄱ－ㄴ－ㄷ　② ㄱ－ㄷ－ㄴ
✓③ ㄴ－ㄷ－ㄱ　④ ㄷ－ㄱ－ㄴ
⑤ ㄷ－ㄴ－ㄱ

기억해요!

기압은 대기가 작용하는 압력으로, 기압은 모든 방향으로 ______하게 작용한다.

1기압＝1013 hPa＝______ mmHg ≒ 10 m 물기둥

답 동일, 760

04 이것만은 꼭! 등속 운동

[예제] 리프트와 에스컬레이터의 운동에서 공통점으로 옳은 것을 〈보기〉에서 모두 고르시오.

▲ 리프트

▲ 에스컬레이터

보기
ㄱ. 속력이 일정한 운동을 한다.
ㄴ. 이동 거리가 시간에 비례하여 증가한다.
ㄷ. 시간－속력 그래프는 원점을 지나는 직선이다.

(ㄱ, ㄴ)

기억해요!

리프트와 에스컬레이터는 ______이 일정한 등속 운동을 하므로 이동 거리는 시간에 비례하여 일정하게 ______한다.

답 속력, 증가

03 이것만은 꼭! 운동의 표현

[예제] 그림과 같이 자동차가 A 위치에서 B 위치를 지나 C 위치까지 가는 데 각각 4초, 2초가 걸렸다.

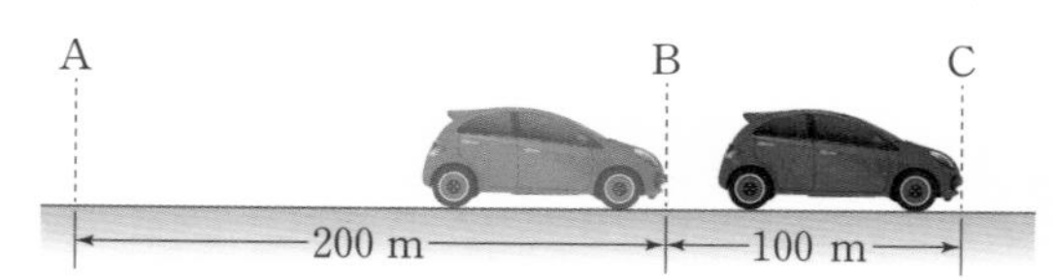

이 자동차가 A 위치에서 C 위치까지 이동하는 동안 평균 속력은 몇 m/s인가?

① 25 m/s　✓② 50 m/s　③ 60 m/s
④ 100 m/s　⑤ 125 m/s

기억해요!

평균 속력은 운동 중의 ______ 변화에 상관없이 물체가 이동한 전체 ______(＝300 m)를 걸린 시간(＝6초)으로 나누어 구한다.

답 속력, 이동 거리

핵심 정리 05 자유 낙하 운동

● **자유 낙하 운동**

공중에 정지해 있던 물체가 ❶ ______ 만을 계속 받으면서 아래로 떨어지는 운동

0
4.9
19.6
44.1 (m)

- 시간에 따른 속력 : 1초마다 ❷ ______ m/s씩 일정하게 증가

㊞ 높은 곳에서 물체를 가만히 놓을 때 2초 후의 속력은 19.6 m/s, 3초 후의 속력은 29.4 m/s, 4초 후의 속력은 39.2 m/s로 증가한다. 이러한 변화를 식으로 나타내면 자유 낙하 운동에서 속력(m/s) = 9.8 × 시간(초)가 된다.

- 속력이 일정하게 증가하는 까닭 : 물체의 운동 방향과 같은 방향으로 일정한 힘(중력)이 계속 작용하기 때문
- 물체에 작용하는 중력의 크기(N) = 9.8 × 물체의 질량(kg)

● **자유 낙하 운동에서 물체의 질량과 속력 변화의 관계**

공기 저항이 없을 때 자유 낙하 운동을 하는 물체의 속력 변화는 질량과 관계없이 일정

답 ❶ 중력 ❷ 9.8

핵심 정리 06 일과 에너지

● **과학에서의 일**

- 일의 양 : 힘의 크기와 힘의 방향으로 이동한 거리의 곱으로 구하며, 단위로 J(줄)을 사용

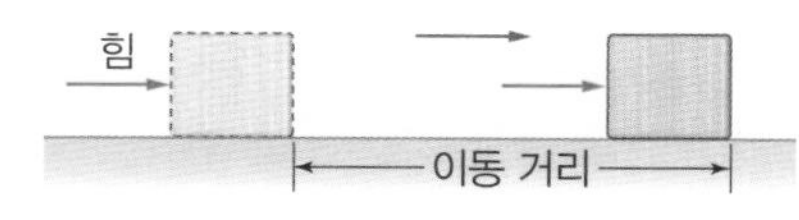

일의 양(J) = 힘의 크기(N) × 이동 거리(m)

- 1 J : 물체에 ❶ ______ 의 힘을 작용해 힘의 방향으로 1 m만큼 이동할 때 힘이 물체에 한 일의 양
- 과학에서 한 일의 양이 0인 경우 : 작용한 힘이 0이거나 힘의 방향으로 ❷ ______ 가 0인 경우

● **중력에 대하여 한 일과 중력이 한 일**

- 중력에 대하여 한 일(J) = 물체의 무게(N) × 들어 올린 거리(m)
- 중력이 한 일(J) = 중력(N) × 낙하한 거리(m)

답 ❶ 1 N ❷ 이동 거리

핵심 정리 07 중력에 의한 위치 에너지

● **에너지** ❶ ______ 을 할 수 있는 능력, 단위로 J(줄)을 사용

● **중력에 의한 위치 에너지**

- 높은 위치에 있는 물체가 가지는 에너지
- 크기는 물체의 ❷ ______ 과 높이에 각각 비례

중력에 의한 위치 에너지(J) = 9.8 × 질량(kg) × 높이(m)

㊞ 질량 1 kg인 공이 높이 10 m에 있을 때 중력에 의한 위치 에너지는 98 J이다.

- 물체에 중력에 대하여 한 일은 물체의 중력에 의한 위치 에너지로 전환

중력에 대하여 한 일	전환	중력에 의한 위치 에너지
= 9.8 × 질량 × 들어 올린 높이	→	$E_p = 9.8mh$

㊞ 높은 곳에 있는 추는 중력을 받아 떨어져 땅에 말뚝을 박는 일을 할 수 있다.

답 ❶ 일 ❷ 질량

핵심 정리 08 운동 에너지

● **운동 에너지**

운동하는 물체가 가지는 에너지, 물체의 질량과 ❶ ______ 의 제곱에 각각 비례

운동 에너지(J) = $\frac{1}{2}$ × 질량(kg) × {속력(m/s)}^{2}

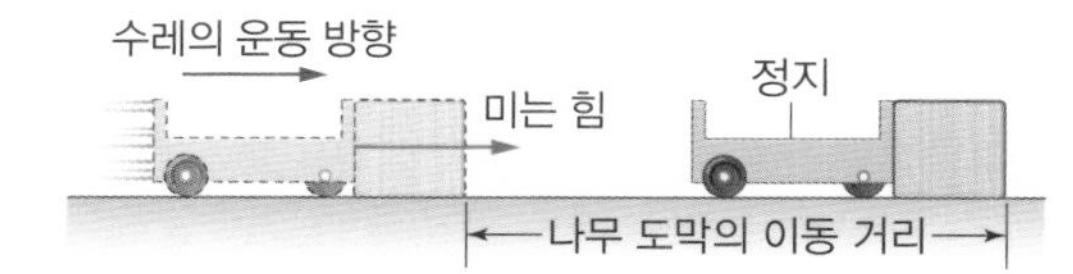

㊞ 나무 도막의 이동 거리는 수레의 질량과 속력의 제곱에 비례한다.

● **자유 낙하 운동에서 중력이 한 일과 운동 에너지의 관계**

❷ ______ 이 한 일은 운동 에너지로 전환

중력이 한 일	전환	운동 에너지
= 9.8 × 질량 × 낙하한 높이	→	$E_k = \frac{1}{2}mv^2$

답 ❶ 속력 ❷ 중력

06 이것만은 꼭! 일과 에너지

[예제] **그림 (가)와 같이 추를 천천히 끌어올렸다가 (나)와 같이 떨어뜨려 말뚝을 박았다. 이때 말뚝을 더 깊이 박는 방법 두 가지를 나타낸 것이다. 빈칸에 알맞은 말을 쓰시오.**

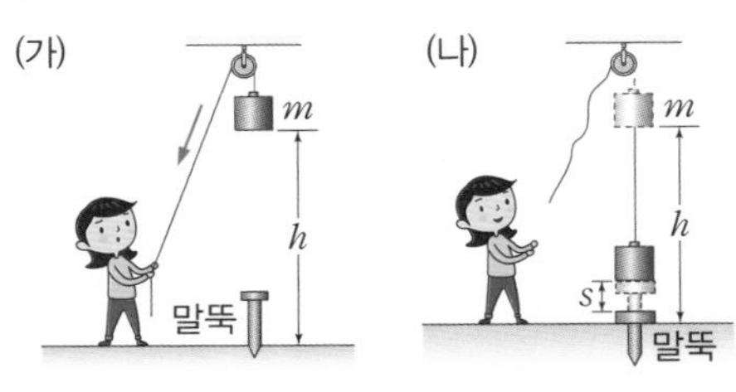

1. 추의 (질량)이 큰 것을 사용한다.
2. 추의 (높이)를 더 크게 한다.

기억해요!

중력에 대하여 물체를 들어 올리면 [   ] 에너지로 전환되고, 높은 곳에서 떨어지는 물체는 중력이 일을 하므로 [   ] 에너지로 전환된다.

답 위치, 운동

05 이것만은 꼭! 자유 낙하 운동

[예제] **자유 낙하 운동에 대한 설명으로 옳지 않은 것은? (단, 공기의 저항은 무시한다.)**

① 자유 낙하 하는 물체는 속력이 일정하게 증가한다.
✓② 물체의 질량이 클수록 작용하는 중력이 크기 때문에 더 빨리 떨어진다.
③ 자유 낙하 운동을 하는 물체는 연직 아래 방향으로 일정한 힘을 계속 받는다.
④ 자유 낙하 하는 물체에 작용하는 힘은 물체의 질량과 중력 가속도 상수를 곱한 값이다.
⑤ 자유 낙하 운동을 하는 물체의 시간에 따른 속력 변화 정도는 질량에 관계없이 일정하다.

기억해요!

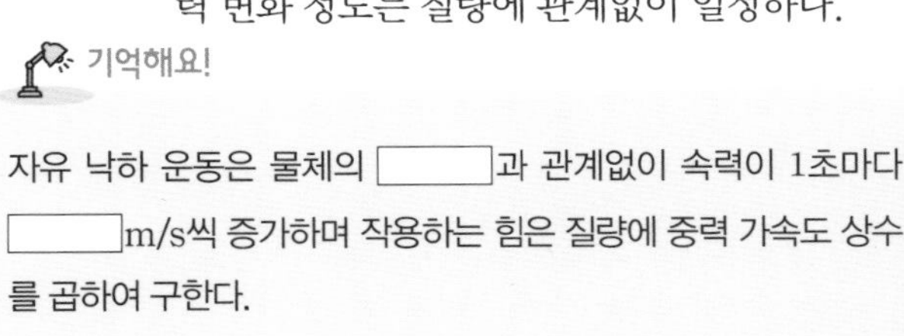

자유 낙하 운동은 물체의 [   ]과 관계없이 속력이 1초마다 [   ]m/s씩 증가하며 작용하는 힘은 질량에 중력 가속도 상수를 곱하여 구한다.

답 질량, 9.8

08 이것만은 꼭! 운동 에너지

[예제] **그림과 같이 장치하고 수레의 속력을 2배, 3배, 4배로 하였더니 자가 밀려난 거리가 4배, 9배, 16배 커졌다.**

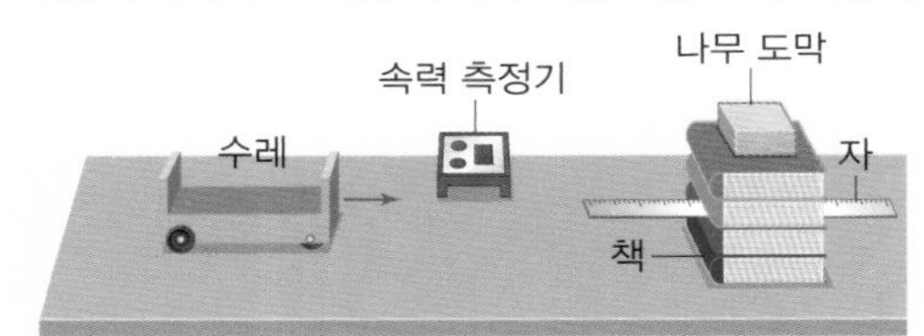

이 실험을 통해 알 수 있는 사실은?

① 운동 에너지는 질량에 비례한다.
② 운동 에너지는 질량에 반비례한다.
③ 운동 에너지는 속력에 비례한다.
④ 운동 에너지는 속력에 반비례한다.
✓⑤ 운동 에너지는 속력의 제곱에 비례한다.

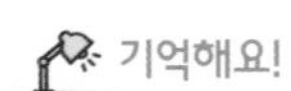
기억해요!

수레의 [   ]이 2배, 3배, 4배, …가 되면 자의 이동 거리는 2^2배, 3^2배, 4^2배, …가 되므로, 물체의 운동 에너지는 속력의 [   ]에 비례한다.

답 속력, 제곱

07 이것만은 꼭! 중력에 의한 위치 에너지

[예제] **그림과 같이 지면에 놓인 질량이 2 kg인 물체를 지면으로부터 2 m 높이까지 서서히 들어 올렸다. 이에 대한 설명으로 옳은 것을 〈보기〉에서 모두 고른 것은? (단, 공기의 저항은 무시한다.)**

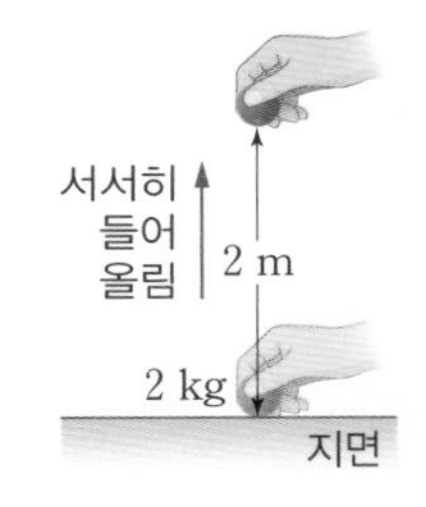

보기
ㄱ. 물체에 한 일의 양은 19.6 J이다.
ㄴ. 물체는 39.2 J의 위치 에너지를 갖게 된다.
ㄷ. 물체에 작용하는 중력의 크기는 19.6 N이다.

① ㄱ ② ㄴ ③ ㄷ ④ ㄱ, ㄴ ✓⑤ ㄴ, ㄷ

기억해요!

중력에 대하여 한 일의 양은 [   ]에 들어 올린 높이를 곱한 값이다. 이때 한 일의 양은 물체가 갖게 되는 [   ] 에너지와 같다.

답 무게, 위치

핵심 정리 09 눈의 조절 작용

● **밝기 조절** 홍채의 넓이 변화로 조절

밝은 환경	어두운 환경
홍채 확장, 동공 축소	홍채 축소, 동공 확대
홍채 확장 → 동공 축소 → 눈으로 들어오는 빛의 양 ❶ ( )	홍채 축소 → 동공 확대 → 눈으로 들어오는 빛의 양 ❷ ( )

● **거리 조절** 수정체의 두께 변화로 조절

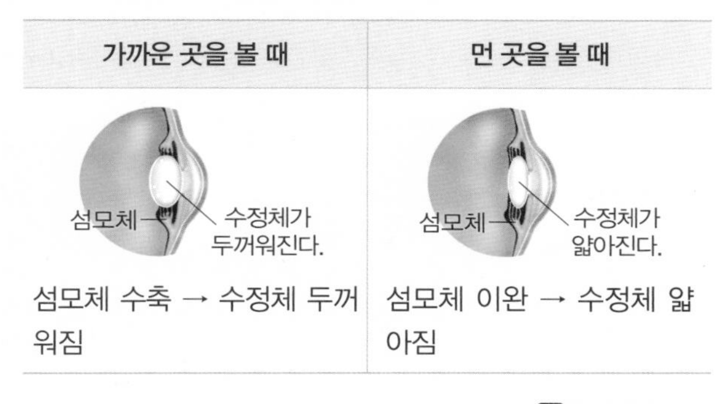

가까운 곳을 볼 때	먼 곳을 볼 때
섬모체 수축 → 수정체 두꺼워짐	섬모체 이완 → 수정체 얇아짐

답 ❶ 감소 ❷ 증가

핵심 정리 10 귀의 구조와 기능

● **귀의 구조**

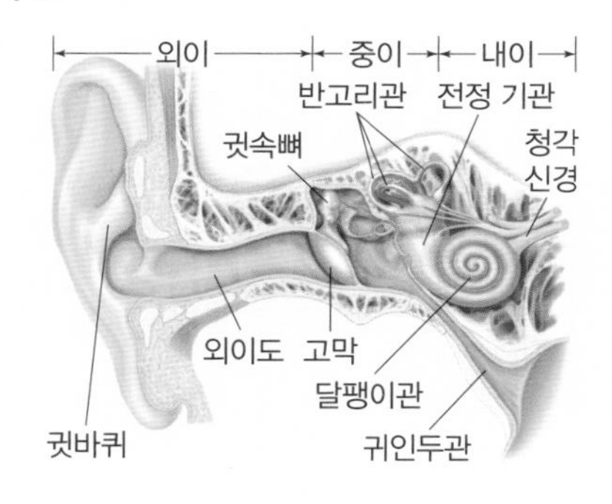

● **청각의 전달 경로**

소리 → 귓바퀴 → 외이도 → 고막 → 귓속뼈 → 달팽이관의 ❶ ( ) 세포 → 청각 신경 → 뇌

● **평형 감각**

반고리관과 ❷ ( )에서 몸의 회전과 기울기를 감지하여 몸의 균형을 유지할 수 있다.

답 ❶ 청각 ❷ 전정 기관

핵심 정리 11 후각

● **후각**

공기 중에 있는 ❶ ( ) 상태의 화학 물질을 자극으로 받아들이는 감각

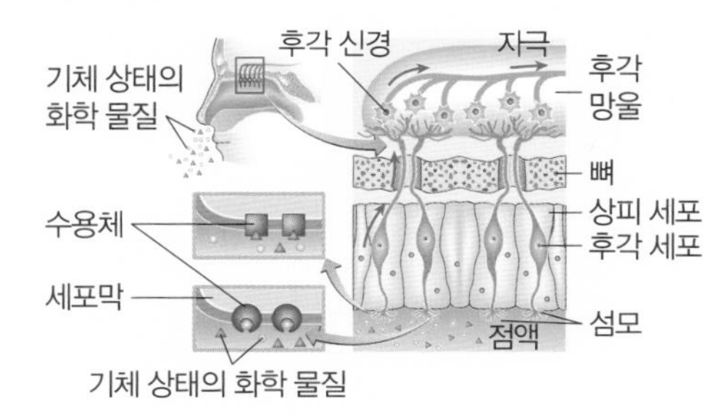

● **후각의 전달 경로**

기체 상태의 화학 물질 → 후각 세포 → 후각 신경 → 뇌

● **후각의 특성**

가장 ❷ ( )한 감각이지만, 쉽게 피로해져서 같은 냄새를 오래 맡고 있으면 그 냄새를 잘 느끼지 못한다.

답 ❶ 기체 ❷ 예민(민감)

핵심 정리 12 미각

● **미각**

❶ ( ) 상태의 화학 물질을 자극으로 받아들이는 감각

맛봉오리
미각 신경
돌기
맛세포
맛봉오리

● **기본 맛**

단맛, 짠맛, 신맛, 쓴맛, 감칠맛 — 5가지

● **미각의 특성**

혀의 부위에 따라 강하게 느끼는 맛이 다르며, 음식의 맛은 미각과 ❷ ( )이 함께 작용하여 느낀다.

답 ❶ 액체 ❷ 후각

10 이것만은 꼭! 귀의 구조와 기능

[예제] 그림은 사람 귀의 구조를 나타낸 것이다.

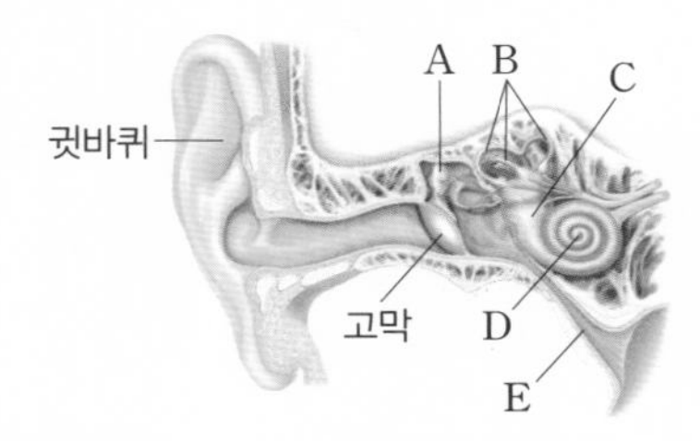

다음에서 설명하는 부분의 기호와 이름을 쓰시오.

보기

높은 산에 올라가거나 비행기가 이륙할 때 귀가 먹먹해지지만, 침을 삼키거나 하품을 하면 괜찮아진다.

(E, 귀인두관)

기억해요!

귀에서 청각과 관련 없는 부분으로는 몸의 회전을 감지하는 ______, 몸의 기울어짐을 감지하는 ______, 고막 안쪽과 바깥쪽의 기압을 조절하는 귀인두관이 있다.

답 반고리관, 전정 기관

09 이것만은 꼭! 눈의 조절 작용

[예제] 그림은 주변의 밝기에 따른 눈의 변화를 나타낸 것이다.

(가)

(나)

눈의 상태가 (가)에서 (나)로 변할 때에 대한 설명으로 옳은 것을 〈보기〉에서 모두 고르시오.

보기

ㄱ. 홍채가 확장되었다.

ㄴ. 동공의 크기가 작아졌다.

ㄷ. 밝은 곳에서 어두운 영화관으로 이동했을 때이다.

(ㄱ, ㄴ)

기억해요!

눈의 밝기 조절은 ______의 넓이 변화로 이루어지고, 눈과 물체와의 거리 조절은 ______의 두께 변화로 이루어진다.

답 홍채, 수정체

12 이것만은 꼭! 미각

[예제] 혀의 맛세포에서 느끼는 기본 맛에는 5가지가 있다. 이러한 기본 맛으로 옳지 않은 것을 모두 고르면? (정답 2개)

① 단맛　　② 쓴맛

✓③ 매운맛　　④ 감칠맛

✓⑤ 떫은맛

기억해요!

매운맛은 ______, 떫은맛은 ______으로서, 피부 감각에 해당하며, 비린 맛은 후각에 해당한다.

답 통각, 압각

11 이것만은 꼭! 후각

[예제] 사람의 감각 중 가장 예민하지만, 쉽게 피로해져서 같은 냄새를 계속 맡고 있으면 나중에는 잘 느끼지 못하는 감각은?

① 시각　　② 청각

✓③ 후각　　④ 미각

⑤ 피부 감각

기억해요!

후각을 예민한 감각이라고 하는 것은 후각 세포가 ______하는데 필요한 최소한의 자극이 낮아서 ______ 자극에도 쉽게 흥분하기 때문이다.

답 흥분, 작은

핵심 정리 13 피부 감각

● **피부 감각**

피부의 감각점(통점, 압점, 촉점, 온점, 냉점)으로부터 접촉, 압력, 온도 변화 등의 자극을 받아들이는 감각

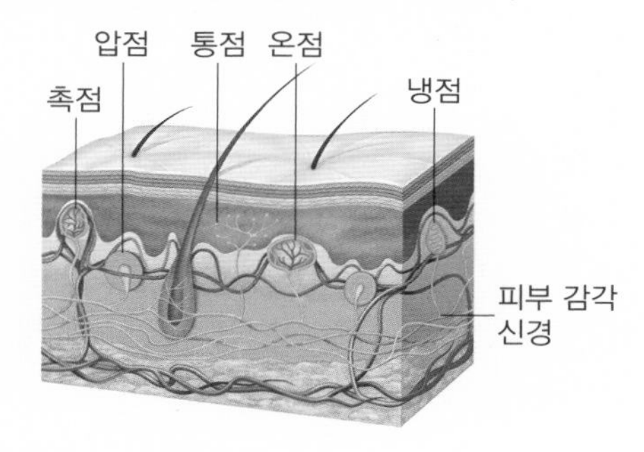

● **피부 감각의 전달 경로**

피부 자극 → 감각점 → 피부 감각 신경 → 뇌

● **피부 감각의 특성**

감각점의 분포 정도는 ❶ [ ] > 압점 > 촉점 > 냉점 > 온점으로, 통점이 가장 많아 우리 몸은 ❷ [ ] 에 가장 예민하다.

답 ❶ 통점 ❷ 통증

핵심 정리 14 뉴런

● **뉴런의 구조**

신경계를 이루는 구조적, 기능적 단위로 가지 돌기, 신경 세포체, 축삭 돌기로 구성

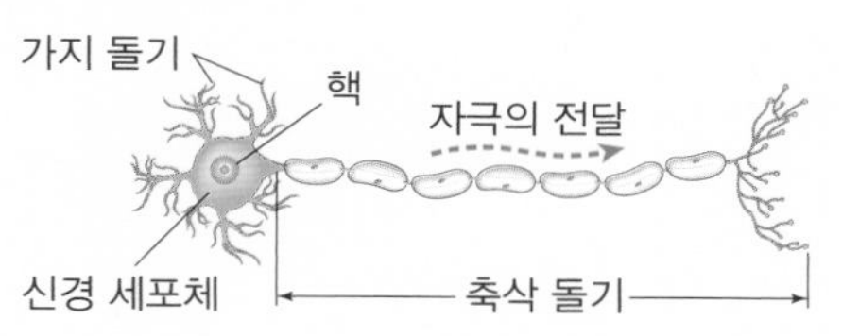

● **뉴런의 종류**

감각 뉴런	• 감각 신경을 구성 • 감각 기관을 통해 수용된 자극을 ❶ [ ] 뉴런에 전달
연합 뉴런	• 중추 신경계를 구성 • 감각 뉴런을 통해 전달받은 자극을 종합, 판단하여 적절한 명령을 내림
운동 뉴런	• 운동 신경을 구성 • 연합 뉴런의 명령을 ❷ [ ] 기관으로 전달

답 ❶ 연합 ❷ 반응

핵심 정리 15 신경계

● **신경계**

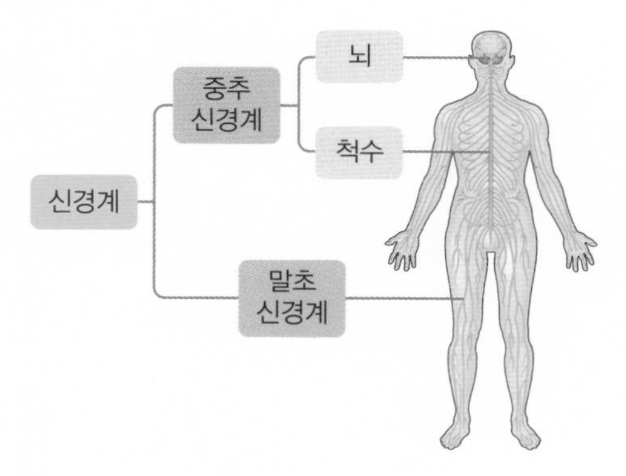

● **중추 신경계**

뇌와 척수로 구성되며, ❶ [ ] 이 밀집하여 분포한다.

● **말초 신경계**

중추 신경계에서 온몸으로 뻗어 나와 있으며, 감각 신경과 ❷ [ ] 으로 구분된다.

답 ❶ 연합 신경 ❷ 운동 신경

핵심 정리 16 호르몬

● **항상성**

신경과 호르몬의 조절 작용으로 몸의 상태를 ❶ [ ] 하게 유지하려는 성질

예 체온 유지, 체내 수분량 유지, 혈당량 유지

● **호르몬**

내분비샘에서 만들어져 특정 세포나 기관으로 신호를 전달하여 몸의 기능을 조절하는 물질

예 생장 호르몬, 티록신, 아드레날린, 인슐린, 에스트로젠

● **호르몬과 신경의 신호 전달 비교**

구분	전달 매체	전달 속도	적용 범위	지속성
호르몬	❷ [ ]	비교적 느림	넓음	지속적
신경	뉴런	비교적 빠름	좁음	일시적

● **사람의 내분비샘**

예 뇌하수체, 갑상샘, 부신, 이자, 난소, 정소

답 ❶ 일정 ❷ 혈액

14 이것만은 꼭! 뉴런

[예제] **그림은 뉴런의 구조를 나타낸 것이다.**

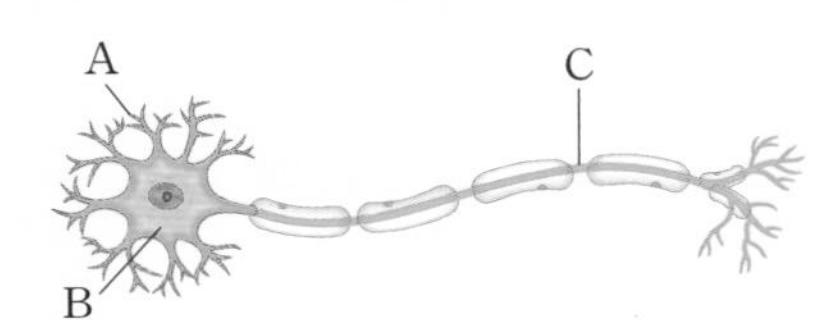

이에 대한 설명으로 옳은 것을 〈보기〉에서 모두 고르시오.

보기
ㄱ. 신경계를 구성하는 기본 단위이다.
ㄴ. 자극은 C → B → A 방향으로 전달된다.
ㄷ. B에서는 뉴런의 작용에 필요한 물질을 합성한다.

(ㄱ, ㄷ)

기억해요!

한 뉴런 내에서 자극은 □ → 신경 세포체 → □로 전달된다.

답 가지 돌기, 축삭 돌기

13 이것만은 꼭! 피부 감각

[예제] **사람의 피부 감각 중 손끝이나 입술, 목 등이 몸의 다른 부위에 비해 예민하다. 그 까닭으로 옳은 것은?**

✓① 감각점의 수가 많기 때문이다.
② 감각점 중 통점이 가장 많기 때문이다.
③ 감각점이 모두 고르게 분포하기 때문이다.
④ 하나의 감각점이 여러 가지 자극을 받아들이기 때문이다.
⑤ 몸의 부위마다 예민하게 느끼는 감각이 서로 다르기 때문이다.

기억해요!

특정 감각점이 많은 부위는 그 감각점이 받아들이는 자극에 더 □하며, 하나의 감각점은 □ 자극만 받아들인다.

답 예민(민감), 한 가지

16 이것만은 꼭! 호르몬

[예제] **호르몬에 대한 설명으로 옳지 않은 것은?**

① 적은 양으로 큰 효과를 나타낸다.
② 내분비샘에서 만들어지고 혈액을 따라 이동한다.
③ 종류에 따라 작용하는 세포나 기관이 정해져 있다.
④ 분비량이 적절하지 않으면 몸에 이상 증상이 나타난다.
✓⑤ 보통 신경에 의한 반응보다 빠르고 지속적 효과를 나타낸다.

기억해요!

이자는 이자액을 분비하는 □이면서 혈당량 조절 호르몬인 인슐린과 글루카곤을 분비하는 □이기도 하다.

답 외분비샘, 내분비샘

15 이것만은 꼭! 신경계

[예제] **그림은 사람 뇌의 구조를 나타낸 것이다. ㉠기억, 추리, 감정 등 고차원적 정신 활동의 중추와 ㉡체온과 체액의 조절 등 항상성의 중추를 옳게 짝 지은 것은?**

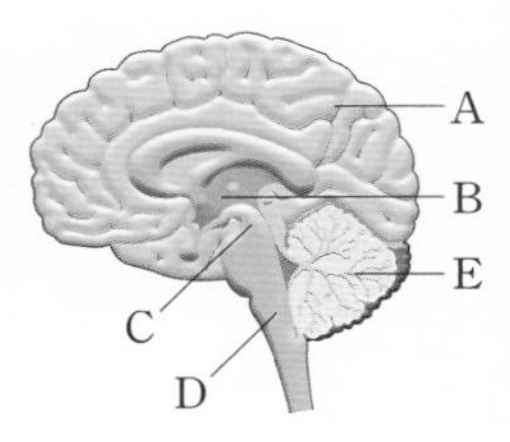

	㉠	㉡
✓①	A	B
②	A	D
③	C	B
④	E	C
⑤	E	D

기억해요!

척수는 뇌와 말초 신경 사이에 정보를 전달하는 □이며, 무릎 반사 등 □ 반사의 중추이다.

답 통로, 무조건